D1250351

# L'homme qui tua
# René Bousquet

DU MÊME AUTEUR

*La Saisie*, récit, Gallimard, 1973

*Scènes*, nouvelles, Gallimard, 1975

*Bluette*, récit, Gallimard, 1977

*Contes d'exil et d'oubli*, récit, Gallimard, 1979

*Rivières d'exil*, roman, Gallimard, 1981

*« On ne part pas »*, roman, Gallimard, 1982

*Un cri sans voix*, roman, Gallimard, 1985

*Maurice Sachs ou les Travaux forcés de la frivolité*, biographie, Gallimard, 1988

*Le Cygne de Proust*, essai, Gallimard, 1990

*Ninive*, récit, Gallimard, 1991

*Bloom & Bloch*, roman, Gallimard, 1993

*La Mort du grand écrivain*, essai, Stock, 1994

*Quartier libre*, récit, Gallimard, 1995

*Littérature et Judéité* (sous la dir.), *Pardès*, Le Cerf, 21/1995

*Villa Mimosas*, récit, Le Monde/Gallimard, 1996

*Le Paris littéraire et intime de Marcel Proust*, Parigramme, 1997

*Pauvre Bouilhet*, essai, Gallimard, 1998

Henri Raczymow

# L'homme qui tua René Bousquet

To Renée and Geoffray
avec mon amitié
Henri

22 juin 2001
rue de Lanery

Stock

# I

# Lamentable aux yeux du monde

*Cette encre que je viens de répandre*
*en fera couler beaucoup d'autre.*

Christian DIDIER

# Tentatives d'approche

En tuant René Bousquet, l'ancien secrétaire général de la police de Vichy, Christian Didier privait la France, les Juifs de France en particulier qui en furent les victimes essentielles, d'un procès exceptionnel. Pour la première fois, la police de Vichy qui organisa ce crime d'État, la grande rafle du Vel'd'Hiv' en juillet 1942, conduisit les Juifs de France dans différents camps, dont celui de Drancy, aurait été disséquée sur cette table d'opération que constitue une cour d'assises. Toute cette entreprise criminelle aurait été démontée comme un Meccano.

Le geste de Didier n'était certes pas celui, exemplaire, d'un héros. C'était un geste singulier. Comme une œuvre d'art si l'on veut. Mais une œuvre d'art indéchiffrable. Une œuvre d'art qui n'aurait définitivement pas de sens pour les autres. Une œuvre d'art pour rien. Car Christian Didier n'avait aucune raison de tuer René Bousquet, pas la moindre. Son geste acquérait à mes yeux et paradoxalement une certaine grandeur parce qu'il n'était pas héroïque, mais au contraire absurde, dénué de tout sens apparent, injustifiable. Un geste proprement insensé. Le geste d'un insensé. Mais pour son auteur, fatalement, il avait du sens. Il n'était absurde, gratuit et arbitraire qu'en apparence. Voilà, ce geste était humain. Et même saturé d'humanité. Il me renvoyait à mes lectures d'adolescent : Dostoïevski, Nietzsche, Gide, Malraux, Sartre, et donc à moi-même, au héros que je ne fus pas à vingt ans, ni depuis. Il me ramenait à ce point aujourd'hui obscur où la littérature était pour moi l'extrême pointe de la vie, là où elle palpitait le plus intensément. Seul un adolescent ou encore un vieil adolescent pouvait le comprendre. Le geste de Didier n'était pas pour autant un crime « littéraire ». Tout au contraire. Il ne « sortait » pas d'un livre. Je ne pouvais le décrire autrement qu'en disant qu'il *était* un livre.

En pensant à ce geste, je songeais à cette phrase énigmatique que Jules Renard nota dans son *Journal*, le 1er août 1897, après le suicide de son père. « La mort de mon père, c'est pour moi comme si j'avais fait un beau livre. » (C'est pendant que le sien agonise à l'hôpital, en 1984, que Christian Didier écrit ce qu'il considère comme son maître-livre, *La Ballade d'Early Bird*.) Renard désespérait de jamais faire un beau livre. Il avait par ailleurs une phobie de l'action. Il liait les deux craintes : crainte d'agir, crainte de n'être pas un écrivain. Son père, en se suicidant, avait agi à sa place. Comme si c'était lui. Comme s'il lui avait dit : « Tu vois, j'ai été capable de ça. Toi aussi, tu en es capable. On peut sortir de cette vie, la preuve. Soit en se suicidant, soit par un beau livre. J'ai été capable de l'un, tu es capable de l'autre… » Il me semblait que Christian Didier n'était pas loin. Que son geste, c'était le livre qu'il n'avait pas pu écrire, ou par lequel il n'avait pas pu être reconnu. Comme on se suicide. Ou comme on tue.

Ce meurtre-là, l'assassinat délibéré de René Bousquet par Christian Didier, était tout à fait spécial. Ni meurtre crapuleux, ni meurtre « gratuit », il était signé par un homme impuissant. Un suicide, donc. Un acte définitif, l'acte ultime. Comme on le dit aussi d'un suicide, c'était un acte désespéré. Didier s'illusionnait en pensant rencontrer compréhension, voire reconnaissance. Il n'avait rencontré, le crime commis, que le désert du monde et son propre vide intérieur. D'ailleurs, il le confia à un journaliste, bien plus tard, une fois sorti de prison : « J'étais laminé, vidé. J'ai tout perdu. Toute ma fibre. »

*

Au V^e^ siècle av. J.-C., Empédocle, philosophe grec d'Agrigente en Sicile, se précipite dans l'Etna pour faire croire à une disparition miraculeuse. Il voulait disparaître comme homme pour apparaître comme un dieu. Hélas, le volcan rejeta une de ses sandales. Par son suicide, Empédocle entendait à la fois effacer jusqu'à son corps, devenir pure invisibilité et, dans le même temps, faire parler de lui, magnifier son nom par cet effacement même. On a pu voir dans cette légende la métaphore de l'écrivain dont l'œuvre prendrait corps à la faveur de sa disparition en tant que sujet. Le malheur de Didier est d'avoir été contraint de faire l'inverse : se poser comme sujet magnifique au détriment d'une œuvre invisible.

En 356 av. J.-C., un obscur habitant d'Éphèse, Érostrate, pour s'illustrer, incendia le temple de Diane Artémis, l'Artemision, l'une des sept merveilles du monde. Il commit ce geste la nuit même où naquit Alexandre le Grand (21 juillet, 356 av. J.-C.). On le livra au bûcher et il fut interdit aux Éphésiens, dès lors, de prononcer son nom. Érostrate avait-il la moindre raison personnelle d'en vouloir à ce temple, ou l'a-t-il choisi pour la raison qu'il était certain, par ce geste inouï, théâtral et absurde, de faire parler de lui ? Or s'il savait bien qu'il risquait à la fois la mort et le supplice, ce qu'il savait aussi, c'est que, par sa mort, cette mort-là, cette mort ignominieuse, il gagnait l'immortalité. Il ne s'est pas trompé. Bien qu'il fût interdit de prononcer son nom, celui-ci fut cependant transmis à la postérité par l'historien Théopompe. La date de cet attentat n'est peut-être pas un hasard. La naissance de ce parangon des grands hommes qu'est Alexandre faisait à cet obscur décidément trop d'ombre…

Didier n'est pas loin. Il y a, dans son cas, une telle dimension d'*illustration*. On saurait désormais que c'est lui, Christian Didier, qui assassina, le mardi 8 juin 1993 à Paris, XVIe arrondissement vers 9 h 15, le fonctionnaire français qui mit son zèle, qu'il avait grand, à organiser, d'avril 1942 à la fin de 1943, les rafles et les déportations des Juifs de France, vieillards, femmes et enfants compris. Ce serait inscrit, peut-être, dans les livres d'histoire.

Du paganisme antique au christianisme moderne les choses ont bien changé. Si Didier partage avec l'Éphésien Érostrate le fantasme d'un nom à illustrer, il inscrit son dessein dans le cadre du Bien et du Mal. Il détruit, mais il détruit le Mal. Il serait le héros et le héraut du Bien. Bousquet est le Mal. Le liquider est donc une action salutaire, du point de vue de Dieu et du point de vue des hommes. Didier désirait la reconnaissance universelle. Y compris selon la phrase qu'on lit au fronton du Panthéon à Paris : « Aux grands hommes la patrie reconnaissante. » Son acte commis, Didier s'avisa alors, alors seulement, que ce beau plan n'était parfait que sur le papier, que cette mécanique imaginée recelait un grain de sable invisible à l'œil nu, qui l'a fait capoter. Ce n'était qu'un geste imbécile, c'était patent, et force lui fut bien de l'admettre aussitôt. Qu'il risquât la prison à perpétuité, ce dont alors il s'avisa, l'aida grandement dans cette prise de conscience. Il ne sera parvenu qu'à la gloire pitoyable d'un illuminé compulsif, une gloire vulgaire, d'emblée dévaluée. Un acte d'amour qui se révèle entaché de saleté.

1834, Musset, *Lorenzaccio*. J'ai téléphoné aux éditions Caractères, rue de l'Arbalète à Paris : le nom de Christian Didier figure à leur catalogue. Oui, me dit la dame, le livre, *Contes de l'eau qui dort* (1990) est toujours disponible. Titre combien prémonitoire : comme on sait, il faut se méfier de l'eau qui dort car soudain elle se réveille et commet des ravages. C'est précisément ce qui va se passer. Nul, en 1990, n'en sait rien encore, et pas même l'intéressé, même s'il le pressent et le redoute. Mais la dame est fort curieuse. Ne suis-je pas cet écrivain qui lui téléphona voici deux ans pour se procurer ce même livre ? (Cette question recelait une information qui n'eut de cesse de me chiffonner.) Quel est mon projet ? Qui suis-je ? Voulais-je conserver l'anonymat ? Elle ne me laissait pas le temps de reprendre souffle. Mais non, pas du tout. Je lui dis qui j'étais. Elle me dit qui elle était. Nous nous connaissions un peu. Elle s'appelle Nicole Gdalia. Elle est la veuve du poète Bruno Durocher, fondateur des éditions Caractères. On eût dit que nous nous étions donné le mot pour faire semblant de rien, n'être pas même allusifs. Je me souviens que son mari avait été déporté, à Auschwitz, je crois. C'était un poète d'expression polonaise… Il avait été fort surpris, par la suite, me dit-elle, d'apprendre que son auteur était devenu un assassin. Mais pas n'importe quel assassin. L'assassin occasionnel d'un assassin en masse. L'assassin hapax d'un *serial killer* contre l'humanité. L'assassin d'une grande partie des soixante-quinze mille Juifs de France qu'il fit envoyer dans des camps allemands en Pologne. D'où lui, justement, Durocher, revenait. Je me dis que peut-être l'amour fantasmé de Didier pour les Juifs prenait là sa source. C'était un éditeur juif, le seul après tout, qui l'avait reconnu comme écrivain. Il lui en sut gré. Il tua un assassin de Juifs. Façon de dire merci. Un petit shalom, vingt ans après... Comme ce saugrenu *shalom* qu'il lançait à tout hasard quand, voyageant aux États-Unis à la fin des années soixante, il entrait dans une boutique...

Mais la dame n'en avait pas terminé. Elle me cita une réplique de *Lorenzaccio*, dont j'eusse dû me souvenir car j'avais naguère étudié cette pièce avec mes élèves, une réplique où il était question de Brutus et d'Érostrate.

J'ai feuilleté *Lorenzaccio*. La tirade se trouve dans la scène 3 de l'acte III.

*Tu me demandes pourquoi je tue Alexandre ? Veux-tu donc que je sois un spectre* [...] *? Songes-tu que ce meurtre, c'est tout ce qui me reste de ma vertu* [...] *et que ce meurtre est le seul brin d'herbe où j'ai pu cramponner mes ongles ?* [...] *J'en ai assez d'entendre brailler en plein vent le bavardage humain; il faut que le monde sache un peu qui je suis* [...] *Que les hommes me comprennent ou non* [...] *j'aurai dit tout ce que j'ai à dire* [...] *L'Humanité gardera sur sa joue le soufflet de mon épée marqué* *en traits de sang. Qu'ils m'appellent comme ils voudront, Brutus ou Érostrate, il ne me plaît pas qu'ils m'oublient. Ma vie entière est au bout de ma dague...*

C'était Lorenzaccio, avant son crime. Entendons à présent Didier après le sien : « Ce que vont penser les gens, je m'en tape. J'ai accompli ma mission en accord avec mon âme, mon cœur, mon esprit. Que les gens disent que je suis un malade, un génie, un taré, peu importe. » Même exaltation et même lyrisme. Et Me Montebourg, dans son ultime plaidoirie, le dernier jour du procès, en 1995 : « Il a voulu terminer une vie gâchée et inutile par un acte héroïque et suicidaire, une sorte d'offrande. » De quel histrion parlait-il, du héros de Musset ou de son client ?

1914, Gide, *Les Caves du Vatican*. Le personnage de Lafcadio passe par la fenêtre d'un train un type qu'il ne connaît pas. « Un crime immotivé [...] quel embarras pour la police ! » Ce crime est imaginé par un romancier, Julius, qui s'entretient avec le meurtrier : « Je ne veux pas de motif au crime; il me suffit de motiver le criminel. Oui, je prétends l'amener à commettre gratuitement le crime; à désirer commettre un crime parfaitement immotivé. » Voilà bien un crime « littéraire ». Mais pas le crime de Didier, qui n'était pas « gratuit », bien que sa motivation ne ressortît ni à la passion ni au besoin.

1926, un crime dans lequel l'avocat de Christian Didier voudra reconnaître un lien avec le sien, celui commis par Shalom Schwarzbard, un petit horloger juif (et poète) sur l'Ukrainien pogromiste Petlioura, par ailleurs héros national dans son pays : il avait entre autres massacré, durant l'hiver 1919, la bagatelle de quelque cinquante mille Juifs. Schwarzbard fut défendu en 1927 par Me Henri Torrès, et fut acquitté. Didier, probablement, n'a jamais entendu parler de ce Schwarzbard ni de Petlioura. Pas de raison à cela. Ce n'est pas son histoire.

Schwarzbard avait de bonnes raisons pour liquider ce petit Hitler de province avant la lettre. Car il avait assassiné les siens. Le crime de Didier, à tous égards, était déraisonnable et d'abord en ceci que Bousquet, contrairement à l'Ukrainien, allait être jugé. Du moins pouvait-on le croire. Surtout, Didier n'était pas juif. Même si, dans son fantasme, un temps, il eût voulu l'être. Me Montebourg songera aussi à l'assassinat de Jean Jaurès par Raoul Villain : « Quand je pense, dira-t-il à la veille du procès, que Raoul Villain a été acquitté sous prétexte qu'il aurait commis un "crime patriotique", je ne vois pas comment celui de Didier pourrait ne pas l'être aussi car son geste me paraît, à divers titres, beaucoup plus honorable. » Quant à Didier lui-même, il songeait plutôt à Raspoutine. On a les mythologies qu'on peut.

1930, Breton, *Second Manifeste du surréalisme*. « L'acte surréaliste le plus simple consiste, revolvers aux poings, à descendre dans la rue et à tirer au hasard, tant qu'on peut, dans la foule. » Mais le crime de Didier, lui, ne se fit pas au hasard.

2 février 1933. Les sœurs Papin tuent atrocement leurs patronnes, la mère et la fille. « Psychose paranoïaque », selon le Dr Lacan. (Pour Didier, les experts psychiatres parleront, un temps, de « psychose narcissique ».) Les sœurs Léa et Christine Papin, dont la seule sœur aînée fut condamnée à mort, avaient des « raisons » de tuer leurs patronnes : « Les deux sœurs s'étaient faites les instruments et les martyres d'une sombre justice », écrira Simone de Beauvoir dans *La Force de l'âge*. Le crime des sœurs Papin relève du fait divers. Pas celui de Didier.

Avril 1933, Malraux, *La Condition humaine*. L'incipit : « Tchen tenterait-il de lever la moustiquaire ? Frapperait-il au travers ? L'angoisse lui tordait l'estomac; il connaissait sa propre fermeté, mais n'était capable en cet instant que d'y songer avec hébétude... » Le crime de Didier ressemble à ce crime « terroriste », mais il ne s'inscrit dans aucune action collective, d'ordre politique. Personne ne le mandatait, et certainement pas les Juifs qu'il invoquait. Non, il se passait la même chose avec Didier qu'avec tel grand-écrivain-prophète venu, mieux, envoyé sur la terre, pour accomplir une mission, en tout cas un destin. Didier était pétri de littérature. S'il s'était exprimé en termes mystiques, ce devait être pour la commodité de ce langage : Dieu, une Voix, une Vision, un Appel, un Signe. Pour que les autres comprennent ce qu'il ressentait. Et ce qu'il ressentait figurait déjà dans les livres, chez Dostoïevski, chez Malraux. Mais Didier ne pouvait le dire. Convoquer la littérature à la barre, cela eût fait mauvais effet, ce n'était guère sérieux. Au mieux, on aurait ri. Alors, il a préféré parler de Dieu, c'était plus respectable, plus intelligible d'une certaine manière. Y compris à son propre entendement. Car Dieu, cela parlait de soi-même, c'était aussi évident que l'eau qui coulait et que l'air qu'on respirait. Quoi de plus commun, quel meilleur lieu commun que Dieu ? Cela se passait d'explication. Au contraire, allez donc parler aux magistrats et aux jurés de Tchen, et des *Possédés*. Pas commode. Vous vous mettiez tout le monde à dos. Les psychiatres même ne pouvaient plus rien pour vous. Et puis, il eût trop fallu, dans ce cas, parler de soi, entrer dans des choses intimes, enfouies, indémêlables.

1939, Sartre, « Érostrate », le personnage du recueil *Le Mur*. Un autre Érostrate et pourtant le même Érostrate : Paul Hébert, l'homme qui se sent plus fort un revolver en poche et dont le désir est de « les étonner tous » (comme Didier !), écrit à cent deux écrivains pour leur faire part de l'acte qu'il projette (Didier eût pu le faire), un acte « proprement impolitique ». Du meurtre, de la littérature, du désir de reconnaissance par des écrivains. Pourquoi d'ailleurs cent deux écrivains ? Pourquoi ce nombre ? Didier voulait être écrivain. Il aura déplacé ce désir non satisfait vers un délire mystique. Mais son désir de reconnaissance était le même que celui de l'Érostrate historique et que celui du personnage de Sartre, l'antihumaniste. Le même, né d'une même source. Mais laquelle ? De quoi est-on précocement frustré, quand on devient écrivain et/ou assassin ? Quand Paul Hébert, dans la nouvelle de Sartre, tue le gros homme dans le haut de la rue d'Odessa, « Salaud, lui dis-je, sacré salaud ! » Quand Didier tire sur Bousquet chez lui, au 34 de l'avenue Raphaël, au premier coup de feu, tiré à bout portant, c'est Bousquet qui lâche : « Salaud ». En novembre 1995, lors du procès de Christian Didier à la cour d'assises de Paris, interrogé par un journaliste, l'avocat de Didier, Me Montebourg, dira que l'accusé a tué un salaud, « au sens sartrien du terme ».

C'est un peu un cliché de langage que d'ajouter au mot « salaud » qu'on vient de dire : « au sens sartrien du terme ». Comme d'ajouter « révélateur » quand on parle de lapsus. Mais Montebourg aura profondément raison : nul n'a plus été un salaud « au sens sartrien du terme » que René Bousquet : quelqu'un qui croit sa vie nécessaire, alors qu'elle n'est que contingente. Il croit sa vie nécessaire, et donc sa propre personne et donc sa fonction sociale. Il pousse, de 1942 à 1943, son zèle « républicain », son sens du devoir « patriotique » si loin qu'il devient, par devoir et par zèle, un criminel contre l'humanité. Christian Didier, qui quitta l'école à la fin de la classe de cinquième, avait compris tout cela. Autant que vous, et autant que moi.

1942, Camus, *L'Étranger*. Meursault, sur la plage, tue un Arabe à cause du soleil. Mais Didier, encore une fois, ne tue pas n'importe qui. Son crime insensé est bien plus sensé que celui de Meursault. Un point commun, cependant, que relèvera un psychiatre, le Dr Henri Grivois, à qui on demandera son avis sur le geste de Didier. Il mettra spontanément Didier en relation avec Meursault. « J'en venais à souhaiter qu'il y ait beaucoup de spectateurs le jour de mon exécution. » Dans les deux cas, un histrion en mal de public, fût-ce pour célébrer sa propre mort.

Je tentais de raccrocher Didier à d'anciens wagons, comme pour le désingulariser, pour me le rendre moins opaque. À des wagons de littérature, d'histoire ou de légendes. J'avais tort, sans doute. Il me faudrait au contraire rejoindre Didier dans son être. Et son être, à l'instar des héros des livres dont j'égrenais les titres, était tout entier dans son acte. Il me faudrait parvenir à cette pureté essentielle, telles la visée et l'atteinte de la cible dans l'art du tir à l'arc, la pureté absolue, inhérente à l'acte de tuer. Christian Didier, en tuant Bousquet, a cru se purifier et purifier le monde. Mais il se trompait : sept ans de prison l'ont définitivement sali, à l'intérieur. Il a joué à pile ou face, en somme. Il a misé. La roulette russe.

Certes, il m'était opaque. Son philosémitisme même m'était une « inquiétante étrangeté ». Je préférais bien sûr le philosémitisme à son contraire. Il était moins dangereux. Celui qu'on trouvait à l'œuvre, guère moins fantasmé, chez Duras ou Blanchot, m'avait toujours frappé et, à vrai dire, agacé. Celui inhérent au geste de Didier, par lequel il voulait, disait-il, venger les Juifs, ne m'agaçait pas moins. Je savais que les Juifs, après la Shoah, n'avaient nullement cherché à se venger. L'enlèvement puis le procès d'Adolf Eichmann à Jérusalem, en 1960, n'avait pas visé une vengeance. C'eût été trop dérisoire. Plus insupportable encore, le fantasme d'identification à un enfant juif déporté, chez le prétendu Binjamin Wilkomirski, dont on sait aujourd'hui que ses *Fragments* sont un faux.

*Avant*, Didier était un être habité. Le Souffle le hantait. Son acte commis, le voici tout penaud, incompris aux yeux du monde et aux siens mêmes. Triste post-coïtum. Il avait coïté avec l'Histoire, quelle histoire. L'Histoire n'en avait pas eu de plaisir, elle le rejeta dans les ténèbres d'où venait ce cancre, hère et pauvre diable, tel le loup famélique du bon La Fontaine. Ou comme un enfant qui a cru bien faire, et n'a fait qu'une sale bêtise, qui a cassé son jouet. Le monde lui renvoie une image ternie, ridicule. Il n'a plus qu'à rentrer sous terre. Ce qu'il fait. Dans sa terre de Saint-Dié, sous-préfecture de vingt-quatre mille habitants, dans ses Vosges natales et mortelles.

Saint Didier, qui cria dans le désert. Je lis, dans le *Petit Robert* des noms propres, que Saint-Dié fut fondé au VIIe siècle par un bénédictin, Déodat ou Dieudonné, d'où viendrait Dié, un moine défricheur, évangélisateur, colonisateur, viticulteur comme il se doit, au milieu de païens hostiles, un frère Jean des Entommeures parmi d'autres, « clerc jusques ès dents en matière de bréviaire ». Ils avaient la flemme, sans doute, d'articuler trois syllabes, Dieu-donné. Dié, c'était plus commode. C'est tout le centre du nom – eudonn – qui s'est effondré. Comme pour Didier, son acte commis et sa peine purgée, le centre de son être. Un effondrement, comme une maison éventrée par une bombe, de ces maisons de Bosnie ou du Kosovo qu'on vit à la télévision tout au long des années quatre-vingt-dix. Ou comme les maisons de Saint-Dié, justement, soumises aux bombardements et au dynamitage pendant la guerre, en 1944, l'année où Didier naissait.

Voilà bien qui attestait mon âge : je me demandais ce qu'aurait pensé Sartre du geste de Didier. Et Duras. Eût-elle écrit, dans *Libération* ou ailleurs : « Sublime, forcément sublime Christian Didier » ? Un écrivain avait-il d'ailleurs écrit la moindre chose sur Didier ? Ils avaient sans doute préféré tartiner sur cette affaire entendue : les relations prolongées de Bousquet et de Mitterrand. De quel écrivain m'importerait-il, aujourd'hui, de connaître le sentiment ? Hélas.

Je me souvins que le photographe du *Point* qui prit des clichés de François Mitterrand à Latche dans les Landes lors de la campagne présidentielle de 1974 était Manuel Bidermanas. Je ne l'avais jamais rencontré. J'avais connu sa sœur, sa demi-sœur plutôt, Lise. Versée dans la psychanalyse, l'astrologie, le féminisme. Morte d'un cancer à la fin des années quatre-vingt. Bouleversé, son compagnon d'alors, que je ne connaissais pas, un psychanalyste, m'avait téléphoné pour que nous parlions d'elle. Je me dérobai. C'est lui qui m'apprit sa mort. Il y avait mes livres, chez eux, rue Villiers-de-L'Isle-Adam, une rue où l'on accède par des escaliers de la rue des Pyrénées. J'ignorais même qu'elle avait été malade. Elle devait avoir entre trente-cinq et quarante ans.

Le père de Manuel et de Lise était le grand photographe du Paris des années cinquante, Izis. Lise parlait souvent de son père qui, dépressif, s'était suicidé, très rarement de Manuel. Trop bourgeois à son goût. Il avait une femme, des enfants, des meubles !

Sur la photo du *Point*, Danielle Mitterrand est assise en face de René Bousquet. À l'époque, dit-on, nul ne s'en avisa, encore moins ne s'en offusqua. On ne remarqua pas le personnage, pourtant bien visible, que, sur la photo de Manuel Bidermanas, Danielle Mitterrand regardait. Quand on l'interrogera par la suite sur l'amitié persistante de son mari avec Bousquet, elle dira, agacée comme l'était son mari dans les mêmes circonstances : « On lui reproche d'avoir fréquenté Bousquet. Mais tout le monde fréquentait Bousquet ! » Ce n'était pas tout à fait faux. Des personnages de haut rang le fréquentaient, de grands commis de l'État, des industriels. Après tout, Antoine Veil, P-DG d'UTA (Union de transports aériens), le fréquentait aussi, il est vrai sur le seul plan professionnel. Jusqu'à l'interview de *L'Express*, en 1978, où Darquier de Pellepoix « révélait » le rôle essentiel de Bousquet dans la rafle du Vel'd'Hiv'. Mémoire courte de la part de François Mitterrand ? C'est bien davantage et c'est bien pire. Soit, lui dit-on quand, en 1994, on l'interrogea, vous ignoriez comme tout le monde qui Bousquet avait été, mais *quid*, alors, de la révélation de Darquier de Pellepoix dans son interview de *L'Express* en 1978 ? Quand la journaliste Pascale Froment finit, devant ses dérobades, par évoquer cette interview, le président parut s'étonner. Il semblait découvrir à ce moment l'origine de l'affaire Bousquet…

« Français, disait Pétain, vous avez la mémoire courte. » Nous avons tous la mémoire courte. C'est une donnée de notre condition. L'oubli de Bousquet, de l'identité passée de Bousquet, n'était pas dû à un refoulement – celui de Vichy – en tout cas pas seulement à cela. D'ailleurs, ce n'était pas l'oubli de Vichy dont il s'agissait, ça ne veut pas dire grand-chose. La question qui me hantait, c'était plus spécifiquement celle-ci : comment n'avait-on pas su qui était, ou qui avait été Bousquet, Bousquet que « tout le monde fréquentait », comme disaient dans un bel unisson François et Danielle Mitterrand ? Ni Antoine Veil qui lui serrait régulièrement la main, ni même Serge Klarsfeld ? Il n'avait pas changé de nom, pourtant, il n'avait pas fui de longues années à l'étranger, il était mondainement, politiquement, économiquement visible. Proust avait écrit de « belles » pages (forcément de belles pages !) là-dessus, sur l'oubli, sur l'effacement. Je rouvris *Le Temps retrouvé*, à l'endroit où il décrit la décomposition du grand monde, et je relus :

> [...] au bout de trente ans on ne se rappelle plus rien de précis qui puisse prolonger dans le passé et changer de valeur l'être qu'on a sous les yeux. [...] Ces erreurs qui scindent une vie et, en en isolant le présent, font de l'homme dont on parle un autre homme, un homme différent, une création de la veille, un homme qui n'est que la condensation de ses habitudes actuelles (alors que lui porte en lui-même la continuité de sa vie qui le relie au passé), ces erreurs dépendent bien aussi du Temps, mais elles sont non un phénomène social, mais un phénomène de mémoire.

En somme, tout le monde avait oublié qui avait été Bousquet, cet administrateur d'obédience radicale, proche sinon des socialistes, en tout cas de François Mitterrand, dans leur commune aversion pour l'homme de la France libre, comme par hasard. Tout le monde avait oublié, sauf Bousquet lui-même. Mais Mitterrand, ancien ministre de l'Intérieur et ancien ministre de la Justice sous la IV^e^ République, censément bien informé ?

À la mi-juin 2000, j'ai tenté de joindre Manuel Bidermanas. D'abord au *Point*. Au service photos, on me dit que cela faisait des lustres qu'il avait pris sa retraite. Je ne l'imaginais pourtant pas si vieux. (La vieillesse de nos contemporains signale la nôtre.) Enfin, je pus le joindre. Mon nom lui disait vaguement quelque chose. Il ne fit pas la moindre allusion à sa demi-sœur, comme je l'aurais aimé. Il crut que nous nous étions rencontrés naguère, avec Jacques Derogy. Mais je dus démentir.

Manuel me donna sa version de l'histoire. Elle n'était pas forcément la plus controuvée, puisqu'il en était le centre. On était donc en 1974. Manuel suivait volontiers François Mitterrand qu'en ce temps-là il admirait. Il avait une relation personnelle avec lui. « J'étais jeune, dit-il. J'ai cessé en 81, quand il est devenu président. » J'ai aussitôt pensé qu'à ce moment-là, c'est plutôt Mitterrand qui n'avait plus besoin de l'amitié de Manuel. Il ne lui servait plus à rien.

En 1974, François Mitterrand invite Manuel à Latche dans sa maison des Landes pour un reportage. Le photographe en défère à Claude Imbert, son patron au *Point*, qui donne son accord, et le double de la journaliste Christine Clerc. Manuel fait des photos. Le soir, ils passent à table. Il y aura en fait deux petites tables. Sur celle dont la photo figure dans le reportage publié, nous trouvons, dans le sens des aiguilles d'une montre : en bout de table, Martin, le visage à demi caché par le plafonnier. Oui, le vichyste Jean-Paul Martin, le bras droit, à partir de 1942, du chef de la police de Vichy, l'ami de toujours, c'est-à-dire l'ami de Vichy de François Mitterrand, par lequel il connut plus tard Bousquet. Quand, en juin 1954, Pierre Mendès France nomme François Mitterrand ministre de l'Intérieur, celui-ci appelle Jean-Paul Martin à son cabinet. Après tout, voilà un policier qui a fait ses preuves...

Mais de tout cela Manuel ne sait rien, et personne n'en sait rien, pas même la journaliste chevronnée Christine Clerc. Manuel se souvient que c'est Martin qui faisait le service, qui passait les plats. Un serviteur de l'État est un serviteur des hommes d'État. Mais continuons de faire tourner les aiguilles de la montre, puisque aussi bien c'est du temps que nous parlons. L'aiguille s'arrête sur Danielle Mitterrand. Puis sur François Mitterrand. Puis sur la journaliste Christine Clerc. Puis sur Christine Gouze-Rénal, c'est-à-dire Mme Roger Hanin. Puis sur René Bousquet, en vis-à-vis de Danielle Mitterrand. Oui, le Bousquet de la Rafle. Mais personne n'en sait rien. Et surtout pas Manuel. Il n'y a qu'une personne qui, peut-être, le sait. C'est François

Mitterrand lui-même. Mais on n'en est pas sûr, on ne sait pas s'il sait... C'est simplement fort probable. Quand on s'appelle François Mitterrand, et qu'on affirme, digne de la francisque, qu'on a tout ignoré de la politique antijuive de Vichy, on peut s'attendre légitimement à tous les mensonges.

À l'autre table, se souvient Manuel, il y avait un fils de Mitterrand. Puis Roger Hanin (mais de cela, pour ce soir-là, il n'est pas certain) et enfin lui-même, Manuel. François Mitterrand a présenté tout le monde à Manuel Bidermanas et Christine Clerc. Monsieur Martin, Monsieur Bousquet, administrateur de *La Dépêche du Midi*... La photo parut. Banale photo de M. et Mme Mitterrand en villégiature avec des amis, à la veille des présidentielles de 1974. Voilà tout.

En 1994, vingt ans plus tard, Pascale Froment est engagée dans une course de vitesse avec Pierre Péan qui met la dernière main à son propre ouvrage, à paraître chez Fayard, sur la jeunesse trouble de François Mitterrand. C'est Edwy Plenel, son directeur de collection chez Stock qui, peu après la sortie de son propre livre, *La Part d'ombre*, en octobre 1992, lui a suggéré de poursuivre son enquête sur Bousquet, dans la continuité « républicaine » de sa carrière, de Vichy à Mitterrand. Elle entend ne pas être trop devancée dans ses révélations sur Bousquet. Au cours de son enquête, Pascale Froment est évidemment amenée à rencontrer l'ancienne secrétaire de Bousquet du temps de la Banque de l'Indochine, Marie-Andrée Sauton, aujourd'hui une vieille dame. C'est celle-ci qui d'abord confirme les liens anciens qui unissent les deux hommes. Pour preuve, elle lui parle de l'ouvrage de François Mitterrand, *La Paille et le Grain*, dédicacé à son ami René Bousquet. Mais surtout, elle lui révèle l'existence d'une photo, une photo reproduite dans un grand hebdomadaire, où l'on voit son ancien patron avec celui qui allait devenir président de la République. Pascale Froment en informe Plenel. Ils dépêchent chez Manuel Bidermanas un ami de celui-ci, qui lui achète la photo, cette photo qui, *une fois légendée*, vaut de l'or et à laquelle Manuel, lui, lui ni personne, n'attachait la moindre importance, cette photo dont seuls Edwy Plenel et Pascale Froment, à ce moment-là, savent qu'elle vaut de l'or. Pas question d'en révéler l'importance à son auteur : il ne fallait pas éventer le scoop. « Je me suis fait avoir, lâche aujourd'hui Manuel, plein d'amertume… De toute façon, cette photo, j'aurais préféré ne pas l'avoir faite… » Bien plus tard, Manuel rencontre Christian Pierret, le maire du Déodatien Christian Didier – le monde est petit ! Il lui confie son amertume. Ils évoquent le passé, un peu comme les personnages désabusés de Flaubert à la fin de *L'Éducation sentimentale*. « Que veux-tu, Manuel », soupire Christian Pierret, socialiste en porte-à-faux en regard du passé controversé de celui qui représenta un immense espoir à ses yeux comme aux yeux de beaucoup d'autres, à commencer par les miens, rien de moins que changer la vie, « que veux-tu, maintenant, tout ça, c'est de l'histoire… »

Qui était au juste ce Martin, dont le visage, sur la photo du *Point*, était à demi masqué par le plafonnier et dont Manuel Bidermanas se souvenait qu'il faisait le service ? Je consultai quelques ouvrages pour en avoir le cœur net. J'y appris qu'il avait été dignitaire de la police de Vichy. Épuré de la Libération, il « bénéficia » d'une mise à pied de la préfectorale, mise à pied d'ailleurs provisoire : il fut rétrogradé, reclassé sous-préfet de première classe. Punition très sévère, archi-exemplaire ! François Mitterrand l'avait connu en août 1942 quand Martin était chef du cabinet de Henry Cado, directeur général de la police nationale et bras droit de Bousquet en zone sud, la zone dite libre, dans l'arrestation des Juifs.

Jacques Attali, en 1978, a déjeuné dans un restaurant parisien avec Bousquet et Jean-Paul Martin. Bousquet, Martin, Cado : Jacques Attali et les autres proches du président ignoraient-ils alors qui étaient ces gens-là ? Se sont-ils ensuite repentis de leur silence ? Et Roger Hanin, le beau-frère ? Et Jack Lang ? Et Robert Badinter qui dira, selon le *Canard enchaîné* du 14 septembre 1994, juste après la sortie du livre de Pierre Péan, qu'il aurait « frémi à l'idée de s'être assis à l'Élysée sur le même siège que René Bousquet » ? Et Me Georges Kiejman, dont le père fut gazé à Auschwitz et la sœur survivante ? Ils ne pouvaient invoquer « l'influence puissante et nocive du lobby juif », tous ceux-là, comme le fit, auprès de Jean d'Ormesson, celui qui fut pour eux Tonton. Pour certains, il fallut attendre les parutions à l'automne 1994 des livres de Pierre Péan et de Pascale Froment ainsi que l'interview de Mitterrand par Jean-Pierre Elkabbach pour qu'ils mettent les choses au point. Ainsi de Jacques Attali, dans une déclaration à *La Tribune* le 10 octobre 1994 : « Je ne savais pas qui il était, je ne connaissais même pas son existence. Pour moi, ce n'était qu'un convive parmi d'autres. Je n'ai appris son nom qu'après le déjeuner. Ce n'est qu'ensuite [...] que j'ai compris que j'avais déjeuné à la table du diable. »

Mais qui au juste était le diable ?

Le « lobby juif ». C'était en mai 1995, le matin du dernier jour de la présidence de François Mitterrand, donc après les révélations de Pierre Péan et de Pascale Froment, après le décryptage de la fameuse photo du *Point*, après ses dénégations cyniques auprès de Jean-Pierre Elkabbach à la télévision. Mais Jean d'Ormesson, l'académicien gentleman, ne fit rien transparaître de cette conversation avec le chef de l'État qui eut lieu au cours d'un petit déjeuner à l'Élysée. Ces propos ne furent révélés que plus tard, lors de la rentrée littéraire de l'automne 1999, avec la parution de son livre, *Le Rapport Gabriel*. La fille du président, Mazarine Pingeot, monta au créneau, s'indigna avec véhémence, nia la véracité du propos. Jean-Christophe Mitterrand, le fils du président spécialiste des questions africaines, non seulement ne le nia pas, mais le confirma et surenchérit en définissant ce « lobby » : ceux qui soutenaient l'extrême droite en Israël et qui faisaient des affaires ! Les commentateurs les plus avisés suggérèrent quant à eux que François Mitterrand avait non seulement tenu ces propos, mais les avait tenus sciemment et même dans la perspective de leur divulgation par Jean d'Ormesson. Dans quel but ? dira-t-on. Le seul plausible est le suivant : réveiller la fibre antisémite d'une partie des Français afin de le mettre, lui, hors de soupçon. L'affaire Bousquet, l'imaginaire affaire Bousquet ? Sa propre mise en cause ? Le lobby juif, vous dis-je. Pourtant, exiger qu'un Bousquet soit jugé pour des crimes contre l'humanité qu'il a effectivement commis, est-ce une exigence si déraisonnable ? Cela relève-t-il seulement du « lobbying », juif ou pas ?

J'ai toujours pensé qu'il y avait de la *terre* dans Mit*terr*and, le « milieu des terres » (une des étymologies possibles de son patronyme). De la terre, c'est-à-dire du Pétain. On est ou on n'est pas de cette terre qui ne ment pas. On y a ou on n'y a pas ses mille générations de morts enracinés. Mes morts à moi, je l'avoue, sont d'ailleurs, de plus loin, d'une autre terre, d'autres terres, de terres dispersées. Et de cendres. Singulier contre pluriel. Extraterritorialité.

Comme l'écrivain, après tout, en principe. Comment pourrais-je juger Mitterrand, moi qui ne suis pas de cette terre-là, lui qui est de la terre même que renferme son nom ?

Le discours pétainiste est aujourd'hui, en ce printemps 2000 où j'écris ces mots, en ce printemps 2000 où Christian Didier, libéré de prison, a rejoint ses pénates déodatiennes, plus vivant que jamais. On le voit à l'œuvre dans *La Campagne de France*, le Journal intime que publie l'écrivain Renaud Camus. Il y met en cause les « Juifs français de première ou de seconde génération bien souvent, qui ne participent pas directement de cette expérience [« la voix ancienne de la culture française », « pétrie de quinze siècles »], qui plus d'une fois maltraitent les noms propres, et qui expriment cette culture et cette civilisation [...] d'une façon qui lui est extérieure. » Et d'ajouter à sa vindicte « l'artisanat, la boutique, les ateliers de confection, le prolétariat du côté de Bastille, par exemple, au sein de familles ardemment staliniennes – ce qui ne prépare pas forcément à une intimité très marquée avec le faubourg Saint-Germain du petit Marcel. » On le voit, discours très années trente, y compris son flot gras de bêtises, discours qui fût passé inaperçu avant-guerre, discours qui eût été incolore avant-guerre, qui eût été d'une morne banalité, d'une grise insignifiance, discours que n'aurait pas renié le très peu « précieux » Giraudoux de *Pleins Pouvoirs* (Gallimard, 1939). Mais discours qui, aujourd'hui, après la Shoah, est devenu insupportable. Pas pour tout le monde, notez. Certains, de belles âmes, émirent simplement des « réserves », et militèrent pour le droit intangible à l'expression.

Renaud Camus croit-il que Proust lui-même pût entendre Proust, étant donné les origines ghettoïques, mercantiles et boutiquières de sa famille maternelle, les Weil, très récemment issue des marches de l'Est ? Convenons-en : René Bousquet, quoique provincial, devait y être davantage préparé.

Dans *La Force de l'âge*, Simone de Beauvoir parlait du « mépris haineux des petites gens », où elle voyait une « attitude préfasciste ». Comment qualifier alors ce que l'on voit, tout ensemble, tout attaché, chez Renaud Camus, l'antisémitisme *et* le mépris du « prolétariat » ?

Renaud Camus, encore un petit Érostrate. Ce n'est pas moi qui le dis. C'est l'écrivain Bernard Comment, dans une tribune du *Monde* du 26 avril 2000 : « Camus aurait-il choisi, pour se faire un prénom, de devenir un incendiaire ? » Renaud Camus, Érostrate antisémite. Christian Didier, Érostrate philosémite. Tout cela était bien schématique sans doute. À moins que ces deux Érostrate modernes ne participent d'une même humanité du ressentiment. Pour les mêmes raisons profondes : l'un et l'autre se cherchent des frères en malheur. Le premier, homosexuel (comme l'atteste toute son œuvre autobiographique), se cherche des frères ennemis, le second, « mouton à cinq pattes » au dire de son père, des frères tout court. À Camus, il faut des coupables à son supposé malheur. À Didier, des frères en déréliction. Le second, tout « fou » qu'il soit, dois-je le dire, m'est plus immédiatement sympathique.

On peut ne pas tomber d'accord avec ce que dit un grand écrivain. Mais un grand écrivain dit rarement des sottises. Car il ne suffit pas de prendre le contrepied de la *doxa* pour paraître intelligent. Tout le monde serait Roland Barthes, à ce compte. Ainsi Didier, justement, cet homme « ouvert » à tous les vents, réceptif à toutes les Voix. Un moulin. Il n'est pas un grand écrivain. Il n'est qu'un « prolo » sorti de l'école à la fin de la cinquième. Eh bien il a une théorie sur les femmes tout à fait intéressante, originale, que je n'ai trouvée nulle part ailleurs. J'en dirai un mot plus tard.

S'il avait pu être édité, Didier ne serait pas passé à l'acte. N'aurait pas basculé. Et je ne parlerais pas de lui ici. Personne, à vrai dire, ne parlerait de lui, pas davantage en tout cas que de la plupart de ceux qui publient des livres. Lui, Didier, d'être publié, cela l'aurait simplement valorisé aux yeux des siens, et à ses propres yeux. Cela l'aurait « justifié », comme on disait naguère. Mais cela n'eut pas lieu. Il envoie son manuscrit à Simone de Beauvoir, qui lui répond : « Je n'aime pas votre livre, du jargon métaphysique. » Une gifle. Il lui aura fallu trouver autre chose. Alors, au lieu d'écrire « Comment je n'ai pas tué René Bousquet », ce qui eût été peut-être de la littérature, il imagina le tuer vraiment, et cela mettait fin à ce rêve, en le menant à terme.

Par la télévision, Didier avait tenté d'abord de capter l'attention, au moyen de diverses actions spectaculaires et lamentables, spectaculairement lamentables. Puis il lui fallut impérativement un contenu (moral, politique) à ses performances. Il était allé à Lyon, le 19 mai 1987, pour tuer Klaus Barbie. Ce n'était qu'un hors-d'œuvre. Le Grand Œuvre, le Grand Acte allait venir, qui contenait son propre dénouement. Il en fut calmé pour longtemps, pour toujours sans doute. Ce geste l'avait épuisé. Avait épuisé tout le sens possible et potentiel de sa vie. Il avait tout dit. Il se survivrait, dès lors, par routine. Un légume. Un lobotomisé. Une Adèle Hugo. Une Camille Claudel de la fin. Un Artaud. Un « suicidé de la société ». Mais lamentable aux yeux du monde, et sans postérité.

Didier, pendant l'Occupation allemande, eût été un héros. Mettons : un franc-tireur partisan. Il en eût abattu, des nazis et des collabos ! Au lieu de quoi son aventure, selon le mot de Marx, ne fut qu'une « misérable farce » (*Le 18 Brumaire*). Il me faisait songer à ces tenants de la Nouvelle Résistance populaire, résurgence de la Gauche prolétarienne, qui, dans les années soixante-dix, se revendiquèrent des actions militaires des FTP. Sauf que le Pouvoir, en France, dans les années soixante-dix, n'était pas tout à fait l'équivalent de celui des années noires. Et que le geste de Didier s'inscrivait dans une stricte logique individuelle. Avait-il jamais eu une « conscience politique », cet homme ? (Son ami intime, l'écrivain Maxime Benoît-Jeannin, me dira que non.) Qu'avait-il fait pendant la guerre d'Algérie ? S'en était-il seulement soucié ? Avait-il eu la velléité d'agir au sein d'un syndicat ouvrier ? Et en mai 68 ? Il explorait alors l'Australie. Son geste, en 1993, n'était inséré dans aucun contexte. Déconnecté, autonome, illisible, électron libre, dans les limbes. Inopportun à tous égards. Un geste fou, quoi. On comprendrait davantage une tête brûlée, un légionnaire, un mercenaire stipendié, engagé dans une vilaine cause africaine, ou tel membre égaré de la bande à Baader ou des Brigades rouges ou, en France, d'Action directe, tels ces frères Halphen qui prétendaient poursuivre, par des attentats terroristes, l'action héroïque de leur père, qui, comme le mien, avait été FTP-MOI. Ils croupissent, aujourd'hui encore, en prison.

Non, avec Didier, on ne comprenait pas. Son enfance : je l'imaginais « suant d'obéissance », mais capable, avant même d'avoir lu André Breton, s'il l'a jamais lu, de descendre dans la rue et de tirer dans le tas. Mais Rimbaud, Breton, Malraux, les écrivains de la *Beat generation* n'y suffisaient pas. À ce compte, nous serions nombreux à être devenus « terroristes ».

Didier avait dû lire et relire *Une saison en enfer* et « Le bateau ivre ». « Ô que ma quille éclate ! Ô que j'aille à la mer ! » Il devait savoir ça par cœur. Et personne avec qui partager ces trésors. Il avait dû voyager, alors, pour rencontrer l'âme sœur, peut-être. Mais cela n'a pas eu lieu, et le voyage ne lui a rien appris. Rentrant à Saint-Dié « aux mesquines pelouses », il n'avait eu alors qu'un désir : repartir. Il avait dû, sur les routes, crever de solitude, comme à Saint-Dié, pire qu'à Saint-Dié, autrement qu'à Saint-Dié car ne devant alors sa solitude qu'à soi-même. Ce devait être l'été, pour la raison qu'avance Rimbaud : l'hiver est la saison détestable entre toutes, car c'est celle du confort. Non, c'est l'été qu'on souffrait le plus. Parce que certaines âmes, alors, étaient vouées au dehors immense, sans secours. Mais quels rêves, parfois !

Didier avait commencé ses voyages en allant d'abord vers le Nord (avant l'Australie et les États-Unis). Peut-être était-il allé vers le Nord en raison d'une chanson d'amour et d'errance à la mode en ce temps-là, dans les années soixante. Il cherchait le Nord. Il l'avait déjà perdu. Était en voie de le perdre. Avait déjà eu affaire à la psychiatrie. Déjà sous anxiolytiques à haute dose.

Mais l'amour ? Christian connut-il l'amour, au moins ? Fut-il au moins amoureux ? Avait-il connu, comme l'autre, ces dimanches autour du kiosque où les fifres s'époumonent, tandis que les jeunes filles en robe blanche à falbalas, bras dessus bras dessous, vous regardaient du coin de l'œil, pouffant, sautant à cloche-pied dans la poussière des allées ?

*Moi, je suis, débraillé comme un étudiant,*
*Sous les marronniers verts les alertes fillettes :*
*Elles le savent bien ; et tournent en riant,*
*Vers moi, leurs yeux tout pleins de choses*
*[indiscrètes.*

*Je ne dis pas un mot : je regarde toujours*
*La chair de leurs cous blancs brodés de mèches*
*[folles :*
*Je suis, sous le corsage et les frêles atours,*
*Le dos divin après la courbe des épaules.*
*...*
*Elles me trouvent drôle et se parlent tout bas...*

Il exprimera, plus tard, dans *Early Bird*, une singulière théorie de l'« amour ». Ce sont les femmes qui détiennent le pouvoir de satisfaire le désir des hommes. Ce pouvoir est absolu. Elles consentent parfois à le *monnayer* : lorsque l'homme a socialement réussi : par l'argent, le pouvoir ou la gloire... Cette disposition de la « féminine engeance » vient de vingt siècles de totalitarisme religieux, antimystique et antipoétique. Seule, l'explosion du langage (proche, chez Didier, de l'écriture automatique) est susceptible de détruire carcans et conventions...

Veut-on à tout prix de ma part un jugement sur *Early Bird*, cette aventure textuelle ? Le propos « théorique », après tout, ne le cède en rien à celui qu'on trouve dans telle ou telle avant-garde du XXe siècle. Quant à l'œuvre elle-même, *La Ballade d'Early Bird*, se pose certes la question de sa lisibilité. Mais n'est-ce pas précisément ce critère bien idéologique qu'on opposa de tout temps à la littérature innovante ? À mesure que je tentais d'évaluer ce météorite, je me disais : « Voyons, à quoi ai-je affaire au juste ? » La réponse me vint assez vite : « Voilà, c'est du Lautréamont plus les fautes d'orthographe. » Puis, je songeais à Rimbaud, qui avouait aimer, justement, les romans sans orthographe…

L'esprit de Didier, ainsi, était celui d'un authentique poète. Ou d'un demi-fou… Il me rappelait inévitablement des choses de mon adolescence. Sa mère le dira, lors du procès : « Mon fils avait ce défaut : il était resté trop longtemps l'adolescent qu'il avait été… »

Peut-être que, parlant de lui, je ne parle jamais que de moi. Ainsi : « Christian Didier, c'est moi ! » Écrirai-je une histoire à la Flaubert ? J'ai écrit et publié des livres. Il a tué une ordure, qui ne méritait pas, dans l'impunité, de survivre à ses crimes. J'ai peut-être écrit de n'avoir pas tué cette ordure, celle-ci ou une autre. Il a peut-être tué, qu'on lui ait refusé ses manuscrits. Il fallait que je le rencontre. Il avait des choses essentielles à m'apprendre. Nous parlerions d'Érostrate, et du nom propre à illustrer. Quand on s'appelle Christian Didier, il y a du pain sur la planche ! Érostrate (Hèrostratos), d'ailleurs, comme nom, c'était peut-être tout aussi banal pour les anciens Grecs que pour nous celui de Didier Christian. Il y aurait certainement des aspects de l'autre qui nous resteraient à jamais étrangers. Ainsi, le sens de sa violence, entre autres, m'échapperait toujours. Et réciproquement, je le crains, il resterait toujours, quoi qu'il dise, hermétique aux Juifs. Et pour les mêmes raisons. Non que les Juifs, évidemment, soient incapables de courage et de violence. Mais pas de cette violence-là. S'ils s'avisent de s'illustrer, ils songent spontanément à d'autres ressorts.

Ce que je craignais, en fait, ce n'était pas tant le malentendu – c'était sans doute inévitable, en tout cas dans un premier temps – que sa violence même, et peut-être sa folie. C'est pourquoi je différai très longtemps de le rencontrer. Ce qui m'y décida, c'est ce mot que m'avait adressé son avocat : « Vous ne pouvez tout de même pas faire comme si Didier était mort ! » En effet. C'eût été plus simple. « On entre dans un mort comme dans un moulin », écrivait Sartre au début de son *Idiot de la famille*. Didier était un moulin où entraient des Voix. Mais où ni moi ni personne n'étions invités : il était vivant.

# II
# L'accomplissement

# 1

# Lundi 7 juin 1993

On pourrait commencer comme dans les polars, par une diversion météorologique. Ce jour-là, la météo, donc, annonçait du soleil et de la chaleur : les températures dépasseraient souvent les trente degrés. Mais il y avait des risques d'orage dans l'après-midi. Didier, ce matin-là, s'est levé de bonne heure. C'est d'ailleurs dans ses habitudes. C'est un oiseau matinal, « Early Bird ». Il s'est habillé, est sorti pour aller acheter son pain comme tous les jours, juste en face, chez Louis, son copain Jeannot. En rentrant, il a fait sa valise. Ou plutôt, il a soigneusement entassé quelques vêtements dans son sac de sport. Outre ses tee-shirts, une belle chemise blanche et une belle cravate bleue, son imperméable kaki, un pyjama, un pull-over à col roulé, des mouchoirs, une paire d'espadrilles et une paire de tennis. Sans oublier son réveil de voyage Vedette et son transistor. Dans sa sacoche de cuir, il a vérifié une nouvelle fois que tout y était, ses papiers et son arme. Sa mère l'a vu, elle a compris qu'il partait. Elle s'est étonnée, lui en a demandé la raison. Il a dit qu'il allait à Paris, qu'il avait encore mal aux yeux, qu'il allait demander un examen de contrôle à l'hôpital Rothschild où il avait déjà été opéré. Ça aussi, ça l'a étonnée, Marie-Thérèse Didier. D'habitude, Christian la tient toujours informée de ses rendez-vous avec les médecins. Et puis cette fois, ça ne collait pas : il venait de sortir d'un séjour à l'hôpital où il avait subi des soins et il devait être admis d'ici quelques jours dans une maison de repos au Valtin, une petite station de sports d'hiver près du col de la Schlucht, à moins de trente kilomètres de Saint-Dié. Il avait demandé au psychiatre qui le suivait, le Dr Jean-Pierre Odile, d'entreprendre une démarche en ce sens. Ils s'étaient mis d'accord pour un séjour de deux semaines. Pourquoi alors retourner à Paris se faire examiner ? Bizarre. Mais il y a tant de choses bizarres, dès qu'il s'agit de Christian, de son Christian.

Il a quitté son studio du troisième étage de la rue Saint-Charles un peu avant 10 heures avec son sac de sport bleu et sa sacoche de cuir noir. Il n'a pas oublié ses nombreux médicaments.

Arrivé à la gare de l'Est vers 14 h 30, Didier se rend aussitôt à son hôtel habituel (une étoile) au 130, rue de Paris aux Lilas, l'hôtel Paul de Kock. Il a réservé sa chambre, la 20, au deuxième étage pour trois jours. La patronne, Denise Noguera, le connaît bien, de même que la réceptionniste Yvonne Perez. Quand il vient à Paris, c'est là qu'il descend. Et il vient souvent à Paris. Pour se soigner. Il consulte notamment le service d'urologie de Saint-Antoine près de la Nation, et, pour son accident des yeux, le service d'ophtalmologie à l'hôpital Rothschild dans le même quartier. Cet accident des yeux l'oblige à porter des verres de soleil. Lors de son procès, deux ans plus tard, il en révélera la raison : « J'ai trop prié les yeux ouverts face au soleil. » Quand il lit, il les ôte au profit de loupes. Il se plaint aussi d'une « tumeur aux intestins à la limite du cancer ». Mais ce mal est probablement imaginaire. Didier a aussi besoin de soins psychiatriques. Il a son médecin à Saint-Dié même, le Dr Odile.

Didier aime bien venir à Paris. Si ça ne tenait qu'à lui ! Paris, c'est la vraie vie. La vraie vie n'est pas ailleurs, comme dit le poète. Ailleurs qu'à Saint-Dié, c'est sûr. Elle est à Paris. C'est là où « ça » se passe. Ça ? Oui, la vie même. Les journaux nationaux, les studios de télé. Les stars. Le fric. La célébrité possible. Le pouvoir. Les femmes.

Depuis son procès pour port d'arme prohibée, Didier est soumis à un suivi psychiatrique. Cela date du temps où il voulait tuer Klaus Barbie, le chef de la Gestapo de Lyon. C'était en 1987. Il s'est introduit dans sa prison de Saint-Joseph, en se faisant passer pour un médecin urologue. Didier est un spécialiste en urologie. Il pratique cet aspect de la médecine, côté patient, certes, mais quand même. Il sait de quoi il est question. Un bon patient, un patient à long terme, un patient au long cours finit par en savoir autant que les médecins les plus chevronnés. (C'est le cas des patients et aussi des femmes de médecin, qui jouent au docteur, qu'on consulte comme de vrais docteurs.) Il peut donner des conseils, et même soigner, pourquoi pas ?

Cette tentative de 1987 lui a valu quatre mois de prison ferme, une peine assortie d'une obligation de soins. « J'ai déjà fait quatre mois de prison, dira-t-il. Comme Jean Moulin, j'ai connu l'angoisse des clés dans la serrure. » Lyon, la Résistance, Klaus Barbie, Jean Moulin, son écharpe et sa mâchoire, on en parlait beaucoup, alors, à la télévision. Et Didier est un fan de la télévision. Il se tient informé, il est surinformé. Il a bien entendu le témoignage de Lise Lesèvre, torturée à Montluc par Barbie lui-même, deux semaines de tortures. Elle n'a pas parlé. Elle n'a pas dit qui était ce « Didier » de l'Armée secrète auquel elle devait remettre un document, un jour de 1944, dans une gare à Lyon. « Police allemande ! » ils ont dit lors de son arrestation.

De la mairie des Lilas, l'accès à Rothschild et à Saint-Antoine est commode. À l'hôtel Paul de Kock, il occupe toujours la même chambre, la chambre numéro 20, au second étage au fond du couloir. Rendu là, dans l'après-midi du lundi 7 juin, il précise aussitôt qu'il ne restera ici qu'une seule nuit au lieu des trois qu'il a réservées. Compte-t-il à présent, son geste commis, rentrer tranquillement chez sa mère à Saint-Dié ? Ou, avec plus de vraisemblance, passer sa première nuit sous les verrous ? Ou bien, version pessimiste, pense-t-il que, pour lui, nulle part il n'y aura de prochaine nuit ?

Il monte dans sa chambre déposer ses affaires et ressort aussitôt. Il prend le métro, descend à Porte-de-la-Chapelle. Non loin se trouve l'église Saint-Denis-de-la-Chapelle, une basilique vouée à Jeanne d'Arc : c'est là, dit-on, qu'elle allait prier. On dit aussi que, de son « chemin de croix », c'est la première station, la dernière étant le bûcher de Rouen... Didier s'y rend pour prier lui aussi, peut-être y trouver du courage, recueillir un ultime encouragement divin, entendre à nouveau la Voix, l'Appel de la Forêt. Il fait brûler un cierge. Il a besoin de rites, qu'ils soient catholiques comme ici, ou plus « mystiques » encore. Pour Didier, comme pour Jeanne – une Vosgienne elle aussi ! –, la prière dans cette basilique de la rue de la Chapelle est la première « station de croix » sur un chemin de douleur. Les destins de ces deux personnages frappent par leur parallélisme : une Voix les a convoqués pour bouter le Mal hors du monde.

L'esprit un peu rasséréné, un peu seulement, il marche vers Barbès. Square d'Anvers, près du lycée Jacques-Decour, il reste assis sur un banc environ une heure et demie. Il médite, il rumine. Vers 19 heures, il reprend le métro à la station Pigalle. Au McDo de la mairie des

Lilas, il dîne d'un Coca et d'un chausson aux pommes. Ça lui coûte sept francs. Il est trop nerveux pour aller se coucher. Alors, il marche encore dans les rues des Lilas jusqu'à 22 h 30. Il ne s'endort que vers une heure du matin après avoir pris d'une part ses somnifères et anxiolytiques habituels, d'autre part des antibiotiques et l'antilevure pour son affection bactérienne réelle ou imaginaire.

# 2

## Mardi 8 juin 1993

Il a ouvert les yeux vers cinq heures. S'est levé à sept. Il se lave, se rase, s'habille, comme il l'a prévu, d'une chemise blanche rayée de bleu, d'une cravate bleu marine, de son jean, de son imperméable kaki. Il n'oublie pas ses lunettes, « pour paraître plus sérieux », dira-t-il.

Un peu avant huit heures, il a quitté sa chambre. Il achète un croissant à la boulangerie, prend un café au bistro d'en face. Puis il remonte dans sa chambre, prend sa sacoche de cuir noir, une belle sacoche de cadre supérieur, une sacoche digne de lui, en tout cas de sa mission ici, à Paris, ce jour-là. Il y a son arme et des documents.

Il a descendu les marches du métro Mairie-des-Lilas, au bout de la ligne 11, a changé à République, a emprunté la ligne 9, direction Pont-de-Sèvres. Est descendu à La Muette. Là, il a parcouru à peu près cinq cents mètres, traversé les pelouses bien entretenues des jardins du Ranelagh où cliquettent des jets d'eau, en prenant la chaussée de la Muette puis, dans son prolongement, l'avenue du Ranelagh. Il était rendu avenue Raphaël où vit Bousquet depuis une quinzaine d'années. C'était là, à droite. Didier, pour être venu en repérage sur les lieux un mois plus tôt, lors de son dernier séjour dans la capitale, du 28 au 30 avril, reconnaît l'immeuble moderne et cossu de huit étages. Se faisant passer pour un journaliste indépendant, il avait téléphoné au *Parisien* pour obtenir l'adresse de Bousquet. Au *Parisien*, on connaissait sa rue mais pas son numéro. Il téléphona alors à *Libération*.

Oui, c'était là, à droite. Au 34. Sixième étage. L'homme, le monstre, ne sera peut-être pas là. Ce sera un signe. Ça leur éviterait des ennuis, de gros ennuis, au monstre comme à lui-même. Didier rentrera alors à l'hôtel, puis, par son train habituel, à Saint-Dié. Mais s'il est là, tant pis pour lui, tant pis pour le monstre. Ce sera un signe, là encore. Il accomplira sa mission. Dieu, dans ce cas, le lui dictait.

Il est à peu près neuf heures. La gardienne arrose les massifs de fleurs.

Didier sonne à l'Interphone aux initiales RB, demande : « M. Bousquet s'il vous plaît. » Une voix d'homme au léger accent nasillard lui répond qu'il n'est pas là. Didier insiste. Il se déclare un agent du ministère de l'Intérieur, porteur d'un pli important, une citation à comparaître devant le procureur de la République. Il devait monter : il fallait impérativement la signature de M. Bousquet. C'est un autre homme, une autre voix qui intervient, sans accent celle-là : « Bon, je vous ouvre... Je vous attends au sixième. » (Didier l'ignorait probablement : Bousquet avait été convoqué pour comparaître trois jours plus tard, le 11 juin, devant le nouveau président de la chambre d'accusation de Paris, Mlle Martine Anzani, qui avait instruit l'information pour crime contre l'humanité, à la suite de la double plainte déposée par Me Serge Klarsfeld et Me Joë Nordmann, pour se voir signifier les charges retenues contre lui...)

Au sixième étage, en sortant de l'ascenseur, deux portes semblables et toutes deux fermées. Pourvues d'un numéro, respectivement le 13 et le 14. Didier sonne à l'une d'elles, au hasard. Mais nul ne répond. Il essaye l'autre.

C'est Nam, l'homme de ménage, qui a ouvert. Puis Bousquet s'est présenté, renvoyant Nam dans l'appartement. Didier l'a reconnu aussitôt : il avait souvent vu son visage dans les journaux et à la télé. Mais il a quand même demandé : « Monsieur René Bousquet ? » pour être tout à fait certain que c'était bien lui. « En personne », a répondu Bousquet. Didier lui a tendu le faux document qu'il a tiré de son sac et qu'il avait méticuleusement préparé. Cette fausse assignation à comparaître émanant du ministère de l'Intérieur lui avait naguère été en fait adressée. Didier s'est borné à maquiller le nom du destinataire. Il avait fait le même coup pour Barbie, mais il y avait eu ce portique de sécurité détecteur de métal qui l'avait empêché de poursuivre son dessein. Ici, rien de tel. « Je vais vous passer ces documents qui sont nécessaires. » Bousquet, quatre-vingt-quatre ans, a pris le document, a commencé de le lire. À tenter de le lire, plutôt, car il y voyait très mal. En fait, il était à demi aveugle. La tête penchée sur ce papier, il n'y comprenait pas grand-chose, et pour cause. Mais ça ne pouvait pas s'éterniser. De sa sacoche de cuir qu'il porte en bandoulière comme un agent de la poste, Didier, alors, sort son revolver, une arme ancienne, en vente libre, une imitation de Remington de calibre 36 à six coups, une arme de collection de huitième catégorie. Il tire trois coups, dans la poitrine et le ventre. Trois coups, parce qu'il a été surpris par la résistance du bonhomme. Dès le premier coup de feu, le gros berger allemand de Bousquet qui était là a déguerpi, au grand soulagement de Didier qui n'eût pas aimé être obligé de l'abattre. Un beau chien comme ça. Lui aussi, d'une certaine façon, possède un berger allemand. Il s'appelle Rex. Il vit chez ses maîtres, des cafetiers corses, à Levallois-Perret. Il va les voir, quand il peut, Rex et ses maîtres. Dès qu'il monte à Paris.

Mais Bousquet ne s'affaissait pas. Au premier coup de feu, Bousquet a lâché : « Salaud ! » Il avait dit son dernier mot, un bien gros mot pour un homme réputé si poli. Il a alors voulu boxer son agresseur, qui a esquivé le coup. Il s'avançait sur lui pour tenter de le maîtriser. Alors, Didier, a reculé vers le hall d'entrée de l'appartement et l'a laissé venir encore une fois et, pour la quatrième balle, a visé le front. Cette fois, enfin, le sang a giclé, pissant sur le papier que Bousquet tenait encore. L'homme est enfin tombé. Didier a laissé sur place, dans le salon, car ils avaient reflué jusque là, la fausse citation à comparaître « pour signer son geste », comme il dira plus tard. Puis il reprend l'ascenseur. Nam se précipite dans l'escalier de service et tente de le poursuivre jusque dans la rue.

Alix, dix-huit ans, le fils de Françoise Lefol, l'élégante gardienne de l'immeuble cossu, quelques heures après, a déclaré à un journaliste de *Libération* : « Nam, l'homme de ménage de monsieur Bousquet, a ouvert. Il ne s'est pas méfié vu que monsieur Bousquet a des affaires en cours... Il est monté tranquillement. Ma mère l'a vu au passage. Puis, d'un seul coup, j'ai entendu crier ma mère : "À l'assassin !" Le type s'est enfui, Nam le poursuivait. »

Le nom de cet homme de ménage, disons plus noblement de ce majordome, Nam, vraisemblablement « indochinois », me rappelait la carrière elle-même « indochinoise » de Bousquet. En 1950, il était entré comme conseiller technique à la Banque de l'Indochine, rapidement était passé secrétaire général. En 1953, il en est un des directeurs, responsable du réseau international. J'apprendrai plus tard que je ne m'étais pas trompé : Nam, en réalité Dang Van Tia, âgé de soixante-deux ans, était un Vietnamien orphelin que Bousquet avait connu il y a bien longtemps, à Saigon, en 1953, quand il était directeur de la Banque de l'Indochine. Depuis, il était au service des Bousquet. Il arrivait chaque jour avenue Raphaël très tôt le matin et repartait tard le soir. Il faisait les courses, la cuisine, le ménage et promenait souvent le chien Uta.

Didier a couru à travers les pelouses des jardins du Ranelagh, empruntant le chemin inverse. Nam le poursuivait toujours mais, au métro La Muette, Didier a disparu dans la foule. Il est 9 h 29 : l'atteste le ticket de métro qu'on retrouvera à l'hôtel Paul de Kock dans ses affaires. Ligne 9, changement à République, direction Mairie-des-Lilas. Là, un peu avant 10 h 30, Didier a téléphoné aux journalistes : *Libération*, *Le Monde*, *Le Parisien* et ceux de la télé : TF1, France 2, RMC. Il venait de tuer Bousquet, comme sans doute ils le savaient déjà. (La première dépêche signalée « urgente » de l'AFP venait de tomber, annonçant le meurtre.) Il comptait se constituer prisonnier, mais avant il avait des déclarations importantes à faire : « J'ai un message à vous délivrer. » Il allait tenir une conférence de presse. Il ajoute : « Attention, ne venez pas avec des fachos. » Il les connaissait bien, les fachos, il y en avait plein dans les prisons. C'étaient même eux, en prison, qu'il redoutait le plus, davantage que les truands ou les matons.

Il donna rendez-vous aux journalistes là même où il se trouvait, aux Lilas, place de la

Mairie, à midi. En haut des marches du métro, sur la placette en face du McDo.

Il est 10 h 30. Didier rentre à l'hôtel Paul de Kock, regagne sa petite chambre numéro 20, range sous le lavabo sa sacoche de cuir noir dans son sac de sport bleu. Il se lave les mains car elles sentent la poudre. Il se change, ôte sa panoplie de fonctionnaire du ministère de l'Intérieur, passe son tee-shirt rayé. Descend poster une lettre qu'il a préparée pour l'agence France-Presse. Il remonte dans sa chambre, s'allonge sur le lit. Il n'y avait plus qu'à attendre en regardant le sale papier peint à fleurs. Dans sa tête, les pensées se bousculaient trop pour qu'une seule apparût bien nettement. Écouter les infos à la radio ? C'était trop tôt, sans doute, pour qu'on parle de lui.

Là-bas, avenue Raphaël, ce devait être la panique. Ils n'étaient pas habitués à ça, dans ces quartiers résidentiels. Pelouses et caniches nains tondus. Sauf M. Bousquet : un berger allemand, comme par hasard, qui s'appelle Uta. Qu'est-il devenu, Uta, aujourd'hui, ce jour de mai 2000 où j'écris ces mots ? Fut-il recueilli par Guy Bousquet, le fils ? Ou par Nam, l'homme de ménage ? Ou par Mme Lefol, la gardienne ? Appeler Mme Lefol.

11 h 30. Didier attend dans sa chambre d'hôtel de passer à la seconde phase de sa journée décisive, pas moins éprouvante que la première : sa conférence de presse. Maîtriser ses nerfs.

Entre-temps, la police a bouclé l'avenue Raphaël au moyen de barrières métalliques. Arrivent vite sur les lieux les commissaires Garnier et Cavin, chef de la brigade criminelle, le procureur de la République de la 8e section du parquet, et Claude Cancès, patron de la PJ de Paris. Relevé des empreintes sur l'Interphone, interrogatoire des témoins : Nam, l'homme de ménage, et la concierge, Mme Lefol, qui avait également vu l'individu. Mais surtout, l'examen du corps de Bousquet allongé sur la moquette du salon (l'autopsie dira qu'il est mort vers 9 h15), une large tache de sang sur son pull-over du côté droit, les lunettes de travers sur son visage, les yeux à demi clos, tenant à la main la fausse citation à comparaître que Didier a laissée dans l'appartement, preuve que l'individu qui s'auto-accusait n'est pas un affabulateur, comme les enquêteurs l'ont cru au départ, étant donné le personnage.

En bas, les journalistes interrogent, au petit bonheur, tous ceux qui peuvent donner un renseignement sur M. Bousquet, son allure, ses habitudes, le crime lui-même. Alix, le fils de Mme Lefol, complète son témoignage : «M. Bousquet était assez solitaire. Son fils venait lui rendre visite de temps en temps. Il était sympathique, humain. Pour les étrennes, il était très généreux avec ma mère. C'est un peu idiot, ce qu'on a fait là. Il avait sans doute des choses à dire pour rétablir l'Histoire.» Le fils de la gardienne devait entendre par là que ce qu'on lisait dans la presse et entendait à la radio et à la télévision n'était pas tout à fait exact. Qu'il eût fallu ce procès où monsieur Bousquet, enfin, fût venu « rétablir l'Histoire », c'est-à-dire la vérité. Témoignage d'une voisine de l'immeuble, Mme Martins, auprès d'un journaliste du *Parisien* : « C'était un vieux monsieur adorable. C'était le plus gentil de l'immeuble. Il avait toujours un petit mot, une attention délicate ou un sourire... Son fils, qui était à peu près le seul à lui rendre visite, était un homme adorable lui aussi. C'est injuste que René Bousquet ait été assassiné. Comme il disait parfois lorsqu'il me parlait de son passé, on ne juge pas et on ne condamne pas les gens cinquante ans après. Il répétait également qu'on l'avait forcé et qu'il n'avait fait que ce qu'on lui avait ordonné de faire. »

Il y a des gens qui sont capables de dire à la fois : je n'ai rien fait de mal et : le mal que j'ai fait, j'y ai été contraint. C'est l'histoire (juive) du chaudron que rapporte Freud : je n'ai pas volé le chaudron, je ne l'ai même jamais vu, ce chaudron, d'ailleurs il était tout rouillé, etc. S'agissant de Bousquet, nul ne pouvait décemment dire qu'il n'avait fait qu'obéir aux ordres. Aux ordres de qui, d'ailleurs ? Des Allemands ? De Laval ? Mais à qui obéissait-il en contresignant les accords avec les Allemands pour rafler les Juifs ? Si Bousquet a obéi, c'est aux accords mêmes qu'il avait lui-même signés. Il a honoré sa signature, en plein accord... avec lui-même.

Le journaliste de *Libération* interroge une voisine du 36, avenue Raphaël : « L'an dernier déjà, ils étaient venus l'embêter. Pourquoi ? Je sais pas... Pour ce qui s'est passé pendant la guerre, non ? » Cette voisine faisait allusion à une manifestation du mouvement « antifasciste » Ras l'Front sous les fenêtres de René Bousquet, le jour anniversaire de la Rafle, le 16 juillet 1992. On interroge aussi une employée de la toute proche ambassade d'Afghanistan qui, le soir, croisait souvent Bousquet promenant son chien dans les jardins du Ranelagh : « Un monsieur très gentil, poli. » Savait-elle qui il était ? « Oui, je sais qui c'est. C'est lui qui envoyait des enfants juifs à la chambre à gaz. »

# 3

# Les Lilas, hôtel Paul de Kock, midi et quart

Il est un peu plus de midi quand Didier sort de sa chambre pour aller à la rencontre des journalistes. Dès le rendez-vous à la Mairie des Lilas, sur la placette qui fait l'angle des rues de Paris et de la Liberté, entre le McDo et la poste, la caméra de TF1 commence à filmer (le reporter est Benoît Duquesne). Nous sommes là à une cinquantaine de mètres de l'hôtel Paul de Kock, juste en face de la rue du Garde-Chasse. Tout au long de la rue de Paris, mince, cheveux courts grisonnants, jean, polo rouge à traits blancs et lunettes noires, sa sacoche noire en bandoulière, Didier, devant la petite meute des journalistes, marche d'un pas rapide, il court à l'abîme. Il se retourne vers eux pour commenter, parler, évitant de justesse les étals des marchands de légumes, traversant vite la rue Raymonde-Salez. Tout cela a l'air un peu fou… Au journal de 13 heures, c'est certain, il va percer l'écran comme jamais. En fait, le 13 heures n'en donnera qu'un extrait. La « conférence de presse» sera diffusée en revanche *in extenso* le soir, au 20 heures…

Didier conduit les journalistes à son hôtel, accélérant toujours le pas. Le temps presse. Les flics ont pris la piste. À la réception, tant de monde étonne la logeuse. «Ce sont des journalistes qui font une émission médicale. C'est pour mes yeux», explique-t-il. Toujours la médecine, toujours la maladie… Dès qu'il ment, comme par exemple à la prison Saint-Joseph de Lyon lorsqu'il voulait tuer Barbie et qu'il se faisait passer pour un urologue, Didier parle de médecine et de maladie. Cette récurrence même a une valeur de vérité. Didier, quand il ment, dit la vérité. Quelle vérité? Elle tient en un mot : je suis un malade. Dans le sens que vous voudrez. Didier nous dit : je suis un malade, et nous pensons qu'il ment car il fait en sorte que nous pensions qu'il ment. Pour qu'on croie le contraire de ce qu'il dit, qu'il n'est pas malade. C'est le but de l'opération. Pour qu'on croie que c'est une façon de parler. Alors que là, comme souvent, c'est à la lettre qu'il faut comprendre ce qui est dit… Encore une histoire juive. Deux Juifs se rencontrent dans une gare. L'un demande à l'autre où il va. «À Varsovie.» Un silence de réflexion, puis il reprend : «Je t'ai percé à jour. Tu me dis que tu vas à Varsovie pour que je croie que tu vas à Lodz, mais en fait tu vas bien à Varsovie. Alors pourquoi me dis-tu que tu vas à Varsovie? Pour m'induire en erreur? On ne me la fait pas, à moi!» Didier partage avec les Juifs qui vivaient en Pologne avant leur extermination le sentiment angoissant que le danger rôde, là, tout près. Et qu'il faut ruser, quelle que soit la circonstance. À tout propos et hors de propos…

Didier emmène ce petit monde dans sa chambre du deuxième étage sur cour : un lit, un lavabo, un bidet, une table recouverte d'une nappe en tissu, une chaise blanche, genre chaise de jardin en plastique, une penderie vide. Il est trop démuni pécuniairement pour s'offrir une chambre avec la télé. La sienne est un peu étouffante, malgré la fenêtre ouverte. La météo, ce matin, l'avait dit : il allait faire chaud. Conférence de presse. Au début, dans un silence de mort. Puis, peu à peu, les journalistes, notamment Benoît Duquesne de TF1, l'abreuvent de questions et ça l'agace au possible, Didier. Est-ce qu'on interrompait de Gaulle, Pompidou ou Giscard quand ils s'adressaient à la presse ? Est-ce qu'on interrompt Mitterrand ?

Les journalistes ont pris place sur le bord du lit, ou par terre. Didier, lui, est assis sur la chaise blanche contre la porte, les jambes croisées. Il a les cheveux gris, « sec comme un sarment de vigne », note très justement un journaliste du *Monde*, Érich Inciyan. Tout le monde constate qu'il est étonnamment calme; c'est dû probablement à la demi-barre de Lexomil qu'il a prise la veille au soir. (Interrogée par un journaliste de TF1 devant les jardins ombragés du Ranelagh, la gardienne déclara : « Ce monsieur est passé très calmement... Quelques minutes après il est redescendu calmement. On pouvait pas penser qu'il venait d'accomplir un acte comme ça. » Quand elle viendra faire sa déposition au Quai des Orfèvres, elle fera le même constat. Didier lui rétorquera alors : « Vous n'avez pas vu ce qu'il y avait dans ma tête ! ») Là, il parle d'abondance, les yeux fermés, comme inspiré. De temps en temps, il suspend sa confession, s'inquiète de ce que *toute* la presse ne soit pas là. « Et France 2 ? Vous les avez pas vus ? » (On apprendra plus tard que la deuxième chaîne n'a pas jugé opportun d'envoyer quelqu'un au rendez-vous des Lilas : elle a cru à une supercherie : ce jour-là, aux infos de 13 heures présentées par Henri Sannier et Laurence Piquet, le nom de Didier ne sera pas prononcé.) Il suggère que quelqu'un aille sur le lieu du rendez-vous pour les chercher. Mais cette idée, on s'en doute, ne rencontre qu'un faible écho. Quel journaliste raterait, en s'absentant, un morceau important du gâteau pour en outre donner sa part à un confrère-concurrent ? D'ailleurs, les retardataires arrivent au compte-gouttes, un à un, et Didier reprend son récit, ajoutant toujours de nouveaux détails.

Didier parle. Il a des choses à dire. Il dit « l'horreur que peut inspirer un type comme Bousquet, qui s'est amusé à serrer la louche des nazis, qui a été chargé de l'épuration ethnique des Juifs [vocabulaire d'époque, 1993, lié à la guerre en ex-Yougoslavie], qui a envoyé vingt mille adultes et cinq mille enfants dans les camps, alors que les Allemands ne le demandaient pas. » Cet homme, comme on voit, est informé. Il a étudié le dossier. Il raconte par le menu la façon dont il a agi. Benoît Duquesne, le journaliste le plus pugnace du lot, demande à voir son arme. Là, Didier perd un peu de son calme. C'est que ces questions « techniques » l'ennuient : elles font diversion à la raison de sa présence ici avec les journalistes : délivrer un message. Il se borne à dire : « C'est un calibre 38 [en fait 36] à barillet, mais je le montrerai pas, je veux pas de voyeurisme. » Il raconte l'action elle-même, la façon dont Bousquet lui résistait, avec une « énergie incroyable, comme Raspoutine ! » Tout en parlant, il mime l'action, il la revit. Il se lève, il pointe le revolver imaginaire qu'il tient à deux mains, droit devant lui comme dans les films. On le prend en photo. Puis il en vient à ce qu'il a ressenti : « J'ai vraiment eu l'impression que j'écrasais une bête nuisible, comme un scorpion ou un serpent. Pas un être humain. Un robot satanique qui m'inspirait une telle haine, un tel mépris. C'est seulement après, quand j'ai marché, quand j'ai traversé le grand square pour prendre le métro depuis l'avenue Raphaël que je me suis dit : "T'as tué un de tes semblables. C'est peut-être une ordure, mais c'est un de tes semblables." Je me suis dit : "Peut-être t'as été audacieux en prenant la place de Dieu, en tuant un être humain. Car Dieu seul peut nous reprendre la vie. Et c'est peut-être un péché que j'ai commis. Après, vous êtes pris d'un remords inouï..." » Il tiendra presque mot pour mot les mêmes propos deux ans plus tard, lors de son procès d'assises. Il a tué une ordure, et il est plein de remords. Duplicité ? Schizophrénie ? Une faille, en tout cas, où le bât blesse : un héros, un justicier véritable, n'a pas de remords.

Tandis qu'il parle, il exhibe parfois une feuille de papier dactylographiée. Il appelle ça, bizarrement, son « passeport ». Vers quel autre monde à l'entrée duquel il serait jugé – et sauvé ? Les journalistes présents ne savent pas trop ce que c'est. Il est clair, doivent-ils se dire, que cet homme est dérangé. « C'est bien plus qu'un papier, dit Didier. C'est ma vie. Je risque dix ans sur un coup comme ça. » Il ne se trompe pas : il aurait pu dire perpétuité, ou vingt ans, ou autre chose. Non : dix ans, et c'est dix ans qu'il aura... Il commence à lire le texte, et l'on dirait Oronte, dans *Le Misanthrope*, le soi-disant poète qui, pris malgré tout d'un doute, veut soumettre ses vers à l'intransigeance d'Alceste. D'où, chez l'un comme chez l'autre, le faux poète et le vrai meurtrier (qui est aussi poète par ailleurs), des mises en garde à n'en plus finir, multipliant les précautions oratoires. C'est aussi qu'on l'interrompt sans cesse, par des questions importunes, des questions matérielles, des questions de journalistes, des questions de flics. C'est aussi que son « passeport », visiblement, lui tient très à cœur. Il ôte ses lunettes de soleil, chausse de petites lunettes rondes. Il commence à lire le texte, mais ne dépasse pas le titre. Il faut sans cesse qu'il commente. Il a des choses à lire, mais surtout des choses à dire. Beaucoup, beaucoup trop. Car c'est la première fois *qu'il parle*. « Ce texte, c'est une révélation. Je vais vous la dire. C'est elle qui m'a décidé d'aller tuer Barbie, heu, Bousquet je veux dire… » Il s'embrouille ? Pas tant que ça : les deux hommes, dans son imaginaire, sont strictement équivalents et interchangeables. Il aurait pu dire Touvier, tout aussi bien, puisqu'il avait projeté, à une époque ou à une autre, de tuer l'un de ces trois-là. Il continue. « J'ai pensé à tuer Bousquet pendant trois mois, mais j'avais pas ce courage. J'osais pas, j'avais peur. Une putain d'angoisse aux tripes. Un jour, comme ça, par hasard, l'idée m'est venue en me promenant en forêt, à la Roche-Saint-Martin où je vais méditer. » Et puis l'angoissante injonction fut confirmée le jour où il a vu sur un mur une publicité pour la marque Nike : *Just do it*. Il a su que c'était un signe que le Ciel lui adressait. À lui, personnellement. Parce qu'il sait l'anglais. Et que le Ciel qui sait tout sait qu'il sait l'anglais.

Il raconte aussi ses voyages, en Australie, aux États-Unis, son emploi de chauffeur de stars, pendant quinze ans. Aujourd'hui, il est RMiste : « 2 200 francs par mois… » Il exhibe encore son « passeport ». « J'ai écrit ce truc-là le 21 mars 1993 et j'en ai envoyé trente, quarante exemplaires à la presse. Mais pas une ligne de leur part. Ce message primordial n'a eu aucun écho… Montrez-leur ça. Mettez ce message à l'épreuve. Vous verrez que j'ai contribué à favoriser l'éveil de la conscience des humains... Les nazis, tous ces gens-là, les miliciens qui ont trucidé comme Bousquet vingt mille Juifs en disant à la Gestapo : "Ne vous inquiétez pas, on se charge aussi des enfants", des gens comme ça vivant en liberté, ça me rend malade... J'ai fait une bonne action. J'en fais pas une gloire, loin de là. J'ai éliminé un monstre.» Il a agi seul ? «Absolument. Personne ne sait rien. Ma famille croit que je suis venu ici pour me faire soigner. Je suis malade, je vous l'ai dit. Je sais bien que je ferai pas de vieux os. J'ai des tumeurs à l'estomac, des attaques bactériennes, j'ai perdu un œil, j'ai des blessures psychiques inguérissables... Je me suis dit : "Si tu fais pas ça, si tu mets pas le monde au courant de ta démarche, ta vie n'aura servi à rien et peut-être, là-haut, quelqu'un te le reprochera."» Il parle encore de Kerouac, de Malraux, de Rimbaud, de mère Teresa, de Mallarmé, de James Dean... «Chacun aspire au divin, reflète le divin comme la vague reflète la lune avec sa forme de vague.» Il parle de son «errance divine», de sa «mission sur la terre», du «souffle de Dieu», de l'Occident «menacé du manque de spiritualité». «Je me suis servi du tremplin de cette action pour redonner sa spiritualité à l'humanité», c'est ce qu'on pourra lire, manuscrit, sur le feuillet qui porte son «message». Le journaliste de TF1 qui connaît son client lui demande s'il a fait ça, encore un coup, pour la pub. «C'est plus la même époque, dit Didier. La pub, je m'en bats les couilles… J'ai voulu tuer un monstre, écraser une punaise, un cafard. » Il s'apprête à nouveau à lire son texte. Mais Benoît Duquesne l'interrompt encore une fois, ce qui agace Didier au possible : « Ça vous vient d'où, votre haine de Bousquet ? » Didier parle des Vosges, mais les mots alors lui manquent, il est de plus en plus énervé, fébrile. Benoît Duquesne le tourne en bourrique. Alors, il passe à autre chose : « Surtout, je me trouvais à Lyon dans la cellule de Jean Moulin. Ça, je l'ai su par l'infirmière de la prison… » Et sa folie ? s'enquiert le journaliste. C'est *la* question qu'il ne faut pas poser. Didier élude et contourne l'obstacle : « Tous les gens qui ont été victimes de ce type-là comprendront pourquoi je l'ai tué. J'avais ça en tête, j'assume l'avoir tué, je suis obligé d'aller en prison. Il faut s'attaquer aux Hitler, aux Mussolini, aux Pol Pot, aux dictateurs. » Et ceux de France 2 qui ne viennent toujours pas ! « Il va encore falloir que je raconte tout depuis le début ! » Mais il n'en aura pas l'occasion. D'abord parce qu'il n'y a pas d'autres journalistes qui l'attendent à la Mairie des Lilas, ensuite parce que les flics se pointent.

Didier se lève. Il annonce à la cantonade qu'il doit aller pisser. Son incontinence, toujours. Mais le destin va en décider autrement. Tout s'est passé très vite. Il est 12 h 40. Le commissaire de police du SDPJ de Seine Saint-Denis, un grand gaillard aux cheveux ras, surgit dans la chambre, suivi par deux inspecteurs principaux en civil, Didier Chevalier et Patrice Hurault, pistolets automatiques en main. Un rien nerveux : « Où il est ? C'est qui ? » C'était fatal. Les journalistes, comme un seul homme, lèvent les mains en l'air. Les policiers identifient Didier, le fouillent, lui passent les menottes dans le dos, récupèrent l'arme dans le sac de sport où Didier l'avait cachée avec ses affaires et qu'il leur a lui-même désigné. Ils trouvent aussi une copie de la fausse assignation judiciaire qu'il a présentée à Bousquet ainsi qu'une fausse carte du ministère de l'Intérieur délivrée le 11 août 1974 au nom fictif d'un certain Claude Dubreuil.

12 h 45. Didier n'aura pas eu le temps d'aller aux toilettes sur le palier, comme il s'apprêtait à le faire. Les inspecteurs l'escortent au poste de police des Lilas où on l'interroge. On ne cessera d'ailleurs de l'interroger. Aujourd'hui, demain, les jours suivants. À 13 h 15, les fonctionnaires de la brigade criminelle arrivent au poste de police des Lilas, l'interrogent encore pendant une heure.

Vers 14 h 15, il est conduit à la brigade criminelle, 36, quai des Orfèvres. Là, les témoins, Nam, Mme Lefol, le reconnaissent aussitôt parmi les personnages qui se présentent de face puis de profil, munis d'un carton numéroté, derrière la glace sans tain. Claude Cancès, le patron de la police judiciaire parisienne, respire. Trois semaines plus tôt, c'est lui qui s'était occupé de la prise d'otages, dans une école maternelle de Neuilly-sur-Seine, de très jeunes enfants et de leur maîtresse, menacés par *HB*, *Human Bomb*, alias Érick Schmitt, un cadre devenu RMiste qui voulait faire parler de lui et réclamait cent millions de francs, finalement exécuté le 15 mai de façon expéditive par les policiers du RAID sous la houlette de Charles Pasqua, ministre de l'Intérieur du gouvernement Balladur. Claude Cancès avait craint, un temps, d'avoir affaire à un *HB bis*. Mais non : Christian Didier avouait tout et tout de suite. Dans sa chambre d'hôtel, il avait eu le temps de raconter son expédition punitive de l'avenue Raphaël, ce matin même. Didier est déféré au parquet qui ouvre une information judiciaire pour assassinat. Il est mis en examen par la juge d'instruction au tribunal de Paris Chantal Perdrix pour homicide volontaire.

Deux ans plus tard, le 10 novembre 1995, le cinquième jour du procès de Christian Didier, l'expert-psychiatre, le Dr Michel Dubec, qui n'ignorait pas combien il était poreux à l'actualité, établira un lien entre *Human Bomb* et Christian Didier. La veille, au procès, Didier avait commis un lapsus. Il déclara que sur l'Interphone de Bousquet, au 34, avenue Raphaël, « figuraient bien les initiales HB » [au lieu de RB; notons aussi la proximité avec EB, initiales d'« Early Bird », comme il s'autodésigne dans son livre]. HB, ça ne pouvait être que *Human Bomb*, l'homme qui défraya la chronique du printemps 1993 et qui impressionna si fort Christian Didier.

Ce 8 juin 1993, TF1 passe aux infos la réaction de Me Louis Bousquet, frère et avocat de la victime, dont il défend ardemment la mémoire. « Quand il est arrivé au ministère de l'Intérieur [en 1942], dit-il, les Allemands arrêtaient les Juifs français ou étrangers sans aucune distinction. Mon frère, à ce moment-là, a voulu s'y opposer, et, dans des circonstances tragiques – nous ne sommes pas glorieux –, il a fait ce qu'il a pu. Il lui restait le regret douloureux de ne pas avoir fait plus, mais il avait fait véritablement tout son possible. Je considère pour ma part que dans ses fonctions de secrétaire général à la police, il a continué à avoir une conduite honorable et courageuse. Et c'est pour cela que, tant que j'aurai un peu de force, je défendrai sa mémoire. » *No comment.*

Le lendemain, l'AFP diffuse des réactions de diverses personnalités. Serge Klarsfeld, au nom des Fils et Filles des déportés juifs de France, juge cet assassinat « navrant qui interrompt le cours de la justice à quinze jours du réquisitoire définitif du parquet général ». (L'avocat général Marc Domingo avait fait parvenir à la Chancellerie le réquisitoire pour signature.) Le MRAP va dans ce sens : « Seuls pourront se réjouir de cet acte les révisionnistes de tout genre qui auront tout fait pour ralentir le cours de la justice. » Patrick Devedjian, député-maire RPR d'Antony, déclare, rompant pour une fois avec la langue de bois politicienne (il est vrai que le sujet lui est personnellement sensible, bien que de façon analogique) : « Moi, dit-il, je suis héritier d'un peuple qui a fait l'objet d'un génocide. Si les Arméniens avaient dû attendre que la justice juge leurs assassins, j'attendrais toujours. Comme avocat, j'ai défendu des Arméniens qui avaient commis des attentats contre des diplomates turcs qui refusaient de reconnaître le génocide arménien. » (Patrick Devedjian oubliait là un détail, c'est que Christian Didier n'était nullement, quant à lui, « héritier d'un peuple qui a fait l'objet d'un génocide ».) Un autre RPR va dans le même sens. Il s'agit de Pierre Mazeaud, président de la commission des lois à l'Assemblée nationale, qui « considère qu'ayant été condamné à mort au lendemain de la guerre, il aurait dû être exécuté ».

*Le Figaro* a choisi de faire œuvre pédagogique en interrogeant quelques historiens. Henri Amouroux, le prolixe spécialiste de la vie des Français sous l'Occupation et collaborateur du journal, nous met en garde : « Si l'on tente de juger 1945 avec le regard de 1993, on est sûr de ne rien comprendre. » Mise en garde absurde au demeurant. D'abord parce que le regard de 1945 sur 1945 n'a précisément pas permis de comprendre 1945, et qu'au contraire 1993 permet, à cause des connaissances nouvelles dues à l'ouverture de certaines archives et de la réflexion qu'induit le recul même du temps, de mieux comprendre 1945. Si l'on s'en était tenu à 1945, Bousquet eût justement continué de siéger impunément dans divers conseils d'administration et de fréquenter le monde politique. *Idem* pour Maurice Papon. *Le Figaro* interrogea aussi Henry Rousso, l'incontestable spécialiste de Vichy et de sa mémoire. Il nous laisse ce portrait lapidaire qui nous permet de comprendre Bousquet (alors qu'en 1945, justement, on n'y comprenait rien) : « Dans son esprit, dit Henry Rousso, il gérait l'arrestation des enfants juifs comme les livraisons de charbon. » Au fond, à l'échelle de la France de Vichy, Bousquet est un petit Eichmann, ni plus ni moins, un fonctionnaire zélé. Quelqu'un qui, contrairement au milicien Touvier, personnage de bien moindre envergure, n'a pas directement de sang sur les mains. Ses crimes, il les accomplissait avec de l'encre : pour signer des accords, des décrets et des arrêtés. Lors du procès Papon, la formule fera florès : le crime de bureau, le crime administratif, dont avait parlé avec pertinence Edgar Faure au procès de Nuremberg en 1945 et 1946, et dont, en mars 1998, Me Michel Zaoui au procès de Maurice Papon reprendra les analyses lumineuses.

Et le président Mitterrand ? On lui prête le regret, non tant que la France perde ainsi l'occasion d'un procès qui eût permis de faire la pleine lumière sur la répression criminelle de Vichy, mais tout au contraire que, par son assassinat, Bousquet n'ait pas eu la possibilité de se défendre... On ne se refait pas.

Les proches de Didier, à Saint-Dié, sollicités par les journalistes, notamment ceux de *Libération*, y vont eux aussi de leurs commentaires, plus humains, moins politiques. Pour eux, il n'y a d'ailleurs pas grand-chose de politique dans cette affaire. C'est Pierre, un ami d'enfance : « Il a été au bout de son chemin. Il a fait sa connerie, mais ça reste le Christian. Si je le voyais, je lui dirais : "Pauvre con, t'as achevé de bousiller la vie de ta mère". Mais c'est pas à quarante-neuf ans qu'il va changer ! » C'est, quelques jours plus tard, Nella Concina, que tout le monde appelle Nelly, une amie, employée du restaurant de la Forêt que Christian fréquente parfois. En revenant d'une méditation dans les bois des Trois-Fauteuils où il va chercher l'inspiration, il s'arrête à la terrasse devant un Coca, face à « la ligne bleue des Vosges » : « Il était assis là il y a quinze jours. Un solitaire. Pas un fou. Ni gêné ni fier de ses exploits. Il prenait des calmants. Il partait à Paris des fois. Il allait dans les jardins au Luxembourg, aux Champs-Élysées. Finalement, c'est un mec normal... L'autre soir, quand on était devant la télé, on s'est dit comme ça : "Regarde-moi voir, le couillon, ce qu'il nous a fait !" Ah, il entrerait là, maintenant, il rigolerait. Il me dirait : "Alors, ma poule, on va aux champignons ?" Je regrette pas pour le mec qu'il a tué, je regrette pour lui. Il a fait ça que pour la télé. Et il a gagné. On n'aurait pas dû en parler. Il était sûr que Bousquet était coupable. Il a tué une enflure. Et puis, ce procès sur

Vichy, on n'en a rien à foutre. L'emmerdant, c'est combien de temps il va rester en prison. »

À 17 heures, sa mère, soixante-quinze ans, coiffeuse à la retraite, est rentrée chez elle, au 39, rue Saint-Charles, de sa promenade quotidienne avec son chien. Elle se demande bien ce qui se passe : le quartier est bouclé par la police. Des caméras sont là (celles de France 3 et de RTL), dirigées vers la porte entrebâillée de l'immeuble, à droite d'une pharmacie. Depuis quelques heures déjà, deux policiers en faction gardent l'immeuble tandis que d'autres, en tenue et en civil, vont et viennent. Cette rue commerçante de Saint-Dié est alors embouteillée, chaque automobiliste ralentit pour voir ce qui se passe. Mais il ne se passe rien. Certains sont cependant déjà informés pour avoir vu le journal de TF1 de 13 heures qui avait montré, en léger différé, Didier annoncer son crime.

Cette diffusion par TF1, surtout celle, *in extenso*, au journal de 20 heures, précédée d'hypocrites précautions oratoires, suscita l'ire de certains, dont *Le Figaro* se fait l'écho deux jours plus tard. Ainsi, le sénateur Jean Cluzel, auteur d'un rapport sur l'audiovisuel, manifeste sa colère : « C'est indécent. Le Conseil supérieur de l'audiovisuel doit se manifester. Il y a une dérive très grave qui vient des États-Unis et que nous avons tort d'imiter. Aujourd'hui, les malfaiteurs deviennent plus importants que les victimes. » On interroge Ivan Levaï, directeur de l'information de Radio

France : « La télévision n'est pas un prétoire, ni un confessionnal, ni une chambre à coucher. Quand j'ai vu et entendu sur TF1 les déclarations du meurtrier de René Bousquet, les bras m'en sont tombés. Où va-t-on si on commence à donner la parole aux fous et aux assassins ? Si un homme tue le ministre du Travail au nom de tous les chômeurs, on va lui laisser l'antenne ? » La palme, cependant, revient à TF1 elle-même, en la personne de son directeur de l'information, Gérard Carreyrou. Déjà, le soir même de la diffusion quasi intégrale de la « conférence de presse » au 20 heures de PPDA, il apparaissait à l'écran pour s'interroger gravement : « Avions-nous le droit ? » Et d'évoquer ce cas d'école d'un preneur d'otages qui exigerait la présence des caméras. Carreyrou n'a qu'une réponse, lapidaire : « Non, non et non. » Et il épilogue : « Souvenons-nous d'Érostrate qui voulait rester immortel par un exploit mémorable en 356 avant Jésus-Christ et qui a mis le feu au temple d'Éphèse... Il faut prendre garde aux Érostrate en puissance. Qu'on ne leur allume trop vite et trop fort les feux de nos projecteurs de télévision et les lampions de nos journaux ! » (Cette référence antique m'alla droit au cœur. Cet homme, à défaut de déontologie et de cohérence, avait au moins de la culture. Il avait sans doute dûment révisé sa leçon.) Dans *Le Figaro* du surlendemain, dans un premier temps, il justifie sans hésiter la diffusion au nom de la sacro-sainte information. Second temps : il réclame un débat sur la déontologie télévisuelle, reprenant le cas d'école qu'il avait lui-même évoqué sur sa chaîne le mardi 8 juin. Il réitère son coup de bluff : que faut-il faire quand un illuminé fait pression sur la télévision en menaçant la vie d'un otage ? Il est catégorique : il faut refuser : « Accepter une fois, surtout dans notre société déjà malade, c'est entrer dans l'engrenage. » Il déclare aussi au *Parisien* : « Nous devons tous être d'accord pour ne pas donner nos antennes à la demande d'un malfaiteur. Nous devons être fermes. » Or, si Carreyrou s'est montré « ferme » s'agissant d'Érick Schmitt comme de Christian Didier (les deux cas, il est vrai, sont assez dissemblables puisque Didier, son geste accompli, ne menaçait plus personne), ce fut pour dépêcher toutes affaires cessantes une caméra de sa chaîne et appuyer sans réserve la diffusion. (Dans le cas de Schmitt, les caméras tournèrent en effet, mais en circuit clos : seule la police, à l'insu de Schmitt, visionnait les images...) Belle leçon, et vertueuse, qui ne convaincra évidemment personne. À commencer par son homologue de France 2, Alain Denvers, qui parle de TF1 comme « la chaîne des pompiers pyromanes ». C'est le moins qu'on puisse dire. Mais Alain Denvers devait aussi regretter de n'avoir pas pris au sérieux l'appel de Didier, lorsque, du métro Mairie-des-Lilas, vers 10 h 30, ce matin du 8 juin, celui-ci avait appelé la rédaction de la chaîne publique...

À Saint-Dié, un policier de faction devant chez Mme Didier la réceptionne et la fait entrer précipitamment.

Ils sont rejoints deux heures plus tard par d'autres policiers, ceux de la brigade criminelle de Paris, secondés par leurs collègues du SRPJ de Nancy. Ils sont là pour perquisitionner au logement de Christian Didier. Ils s'emparent d'une machine à écrire portative de type Brother 210 de couleur orange, celle avec laquelle il a tapé son « Message primordial au monde », et d'énormes quantités de munitions en tous genres, des balles à foison, de la poudre à fusil, etc.

Marie-Thérèse Didier, à 20 heures, regarde les infos à la télé, sur TF1, après l'insipide « Bébête-Show ». En ouverture du journal, PPDA annonce la confession de l'assassin. Marie-Thérèse découvre alors son fils qui s'accuse du meurtre de Bousquet. C'est alors qu'elle s'effondre tout à fait. Des journalistes (du *Parisien*, de RMC, de *L'Est républicain*, de Radio France Nancy) sonnent à la porte. Elle ouvre volontiers. Elle répond de bonne grâce à leurs questions : « Il était tous ces temps-ci très très dépressif. Il parlait presque plus, il mangeait presque plus, il était très renfermé. Il restait prostré sur lui-même et parlait que de religion, de mysticisme. Il disait qu'il avait plus personne autour de lui. Quand Bérégovoy s'est suicidé, il m'a dit qu'il voudrait avoir ce courage... Son médecin envisageait de le faire entrer en maison de repos... Et puis, ils ont parlé à la télé du procès Touvier qui était renvoyé devant les assises et il a dit : "Dire que ce type va être jugé que pour quelques crimes. La justice est pourrie..." Il se documentait. Il lisait énormément d'articles sur tout ça. Ça l'a beaucoup marqué, cette affaire. Il avait un tempérament de justicier.» Si elle se doutait de quelque chose ? Non, de rien du tout. C'est à la télévision, tout à l'heure, qu'elle a tout découvert. Son Christian expliquant qu'il venait de tuer Bousquet. Et elle s'est vue, elle, c'était ça le plus terrible. On la montrait comme la mère de l'assassin... Même témoignage de Marie-Thérèse Didier au journaliste du *Parisien* : «C'est un assassinat mais je me souviens parfaitement que, mercredi dernier [le 2 juin], Christian a été bouleversé par les reportages sur le renvoi de Paul Touvier devant les assises. Il disait qu'il paierait jamais pour tous ses crimes durant la guerre, qu'on lui ferait rien. Je pense que c'est ça qui a tout déclenché. Je savais pas qu'il avait cette arme.» Au journaliste du *Parisien*, elle confie un élément supplémentaire : la réaction de son fils devant la prise d'otages de la maternelle Commandant-Charcot de Neuilly par H B, *Human Bomb*. «Il répétait que cet Érick Schmitt était un cinglé»...

On peut imaginer en effet que Didier a dû être fasciné par les images angoissantes de ces parents qui, à l'extérieur de l'école maternelle de Neuilly, attendaient et redoutaient que les policiers du RAID passent à l'action. Fasciné aussi, probablement, par ce « cinglé » qui exige et obtient la présence d'un journaliste de TF1 pour lui confier ses états d'âme. Un cinglé ou un homme comme lui ? « Cet Érick Schmitt est un cinglé. » Il a tout faux, doit se dire Didier. Rien à voir avec moi. Pourtant, l'expertise psychiatrique, après le meurtre, ne s'y est pas trompée : elle a bien suggéré que la prise d'otages de Neuilly a vraisemblablement constitué un élément déclenchant.

Ce que Marie-Thérèse Didier peut dire sur son fils ? D'une manière générale, son Christian est « replié sur lui-même, c'est un tempérament vif-argent mais gentil. Il n'aime pas faire de la peine aux autres, et il déteste tout ce qui est mal... Et puis, il manquait de rien dans son petit studio... » Ce qu'elle se garde bien de dire, c'est que son Christian nourrit depuis l'enfance une vraie passion pour les armes à feu. Longtemps après la guerre, comme me le dira son ami Maxime Benoît-Jeannin, on trouvait dans les bois environnant Saint-Dié toutes les armes possibles. Il suffisait de se baisser et de gratter un peu le sol... Plus tard, Christian fréquente volontiers, à Saint-Dié, l'armurerie Dedenon, à l'angle de la rue d'Alsace et de la rue Gambetta. Il y fait couramment ses emplettes en armes et en munitions...

Dans la rue Saint-Charles, devant l'immeuble gardé par la police, à tout hasard, les journalistes interrogent les Déodatiens pour recueillir leurs réactions spontanées. Le plus disert est Jean-Louis, alias Jeannot, le boulanger et conseiller municipal qui connaît bien les Didier, et Christian en particulier. « Je pense qu'il a été poussé à bout devant son manque de réussite. En tout cas, je me sens plus proche de lui que de celui qu'il a tué. » TF1 interroge une ancienne condisciple de Christian : « C'était un garçon très intelligent, dit-elle. Un surdoué. C'était un grand monsieur. » Un autre : « C'était quelqu'un de bizarre, de loufoque. » Certains se souviennent de lui comme d'un homme correct qui faisait chaque matin son jogging. D'aucuns, qui connaissent les « quatre cents coups médiatiques » du personnage et ont eu vent de ses problèmes psychiatriques, sont convaincus qu'il était plus que prévisible qu'il finirait par « faire un truc comme ça ». D'autres se montrent spontanément pleins de compréhension pour son geste : « En voilà un de moins, un nazi de moins, il a bien fait, chapeau bas. » Le lendemain, un journaliste de *La Liberté de l'Est* conclura ainsi son papier : « Décidément, à Saint-Dié, il ne semble pas que le crime de Christian Didier lui vaudra beaucoup d'opprobre. »

Plus de deux heures plus tard, les policiers ont terminé leur perquisition. Ils ressortent avec des documents et emmènent Marie-Thérèse dans un fourgon. Aux journalistes qui ont fait le pied de grue pour glaner des infos supplémentaires, ils disent qu'ils vont la mettre « au vert ».

« Au vert », pour Marie-Thérèse, ça voulait dire aller dans sa famille à Vandœuvre-lès-Nancy, les Pierson. Elle reste là une semaine, puis revient chez elle. « Ça m'a fait du bien, dit-elle. On me parlait d'autre chose pour éviter que je pense sans cesse à l'affaire. » Le premier week-end de son retour à Saint-Dié, elle n'ose pas sortir. D'ailleurs, des membres de sa famille sont venus vivre ici avec elle pour la soutenir. Les rejoint bientôt Dominique Didier, le fils cadet, retour de Saint-Sylvestre au Québec où il vit depuis vingt ans, et qui est déjà reparti pour Paris s'occuper de la défense de son frère et essayer de le rencontrer. Le lundi 14 juin, Marie-Thérèse met enfin le nez dehors. Elle se dit que tout ce qu'elle a à faire à présent, c'est de reprendre si possible une vie normale. Elle redoute quand même un peu ce moment. Elle a peur de la réaction des gens, qu'on la regarde de travers. Elle a d'ailleurs l'impression, au début, que tout le monde la dévisage. Mais non. Elle a été aussitôt rassurée. Quand ses voisins l'ont vue, ils sont venus tout de suite la prendre dans leurs bras. Ils lui ont demandé comment elle allait. Ils lui ont dit de pas s'en faire.

Dans les jours qui ont suivi, elle a reçu beaucoup de coups de téléphone. De la famille, des amis. Et aussi beaucoup de lettres, de gens inconnus, des quatre coins de la France. Surtout des personnes âgées, qui avaient connu la guerre. Des résistants, des déportés, des patriotes. Ils comprenaient le geste de

Christian. Ils lui demandaient de bien veiller à sa défense. Le plus souvent, comme ils n'avaient pas son adresse, ils se contentaient d'écrire sur l'enveloppe : « Mme Didier, mère de Christian, à Saint-Dié. » Et ça arrivait quand même. « J'ai été agréablement surprise de l'accueil qui m'a été réservé, je ne m'y attendais pas. Tout le monde essaye de me remonter le moral. On me dit que Christian ne sera pas beaucoup puni parce qu'il n'a pas fait de crime crapuleux et que les jurés tiendront compte de la personnalité de Bousquet. »

Elle est en relation avec l'avocat de son fils, Me Arnaud Montebourg, qui lui donne des nouvelles de Christian. Il va mieux. Mais elle ne peut pas encore aller le voir. Il faut un laissez-passer. On ne le lui donnera pas avant qu'il soit interrogé par le juge d'instruction. On lui a dit que c'est la loi.

# III

# J'ai la mémoire qui flanche

Ce nom, Uta, du jeune berger allemand de René Bousquet qui a déguerpi dès le premier coup de feu, m'intrigua aussitôt. Sur certains articles, je lus Hutin; j'eus alors un doute; j'appelai Mme Lefol, qui me confirma le nom d'Uta, et je fus soulagé. Quand j'eus raccroché l'appareil, je pris conscience que j'avais oublié de lui demander ce qu'était devenue la pauvre bête. Je n'osai la rappeler pour une question aussi sentimentale et saugrenue. Je me dis que, décidément, je n'étais pas journaliste. Non content de me poser les mauvaises questions, en outre je n'osais même pas en faire état... Je soupçonnai spontanément, dans Uta, un nom allemand, rimant avec berger allemand et avec la collaboration. La vérité était plus prosaïque, mais plus intéressante. UTA était le nom d'une compagnie aérienne dont Antoine Veil, le mari de Simone Veil, était le P-DG.

Le numéro de l'hebdomadaire *L'Express* du 28 octobre 1978 portait en couverture «À

Auschwitz, on n'a gazé que des poux». Je me souvenais fort bien de cette interview répugnante. Un peu naïvement, j'avais envoyé un «courrier des lecteurs» au *Monde*. Le journal ne l'avait pas passé, mais quelqu'un, Jean Planchais, je crois, m'avait appelé pour me dire qu'ils avaient reçu des tonnes de lettres, que la mienne était intéressante, etc. Mais ils manquaient de place pour l'insérer. Puis, au téléphone, Jean Planchais a bavardé avec lui-même. J'étais déçu, je ne l'écoutais bientôt plus.

Sur la couverture du magazine, donc, était annoncée une interview, recueillie par le journaliste Philippe Ganier-Raymond, de Louis Darquier de Pellepoix, ancien commissaire général aux Questions juives sous Vichy, condamné à mort par contumace par la Haute Cour de justice le 10 décembre 1947, réfugié depuis dans l'Espagne de Franco, à Madrid, sous le nom d'Estève. La France n'avait jamais demandé son extradition. Comme tant d'autres lecteurs (car ce numéro connut un grand retentissement), Antoine Veil lut l'interview ahurissante. Mais d'un œil plus aigu que la plupart des gens. Darquier y signalait le rôle éminent de Bousquet dans la chasse aux Juifs sous Vichy, et celui de son délégué en zone occupée et notamment à Paris, Jean Legay. Il lut et relut ces propos de Darquier : «La grande rafle du Vel'd'Hiv' en 1942, ce n'est pas moi qui l'ai organisée. C'est Bousquet, de A à Z. Et vous savez comment ça s'est terminé. Bousquet ?

Quelle farce ! Il aurait aidé, paraît-il, la Résistance et a fini directeur de banque. Ah, il s'est bien débrouillé, Bousquet ! » Un an plus tard, Legay était inculpé de crimes contre l'humanité pour avoir mené à bien, si l'on peut dire, la rafle du Vel'd'Hiv' sous les ordres de Bousquet. Nullement inquiété après-guerre, il se voyait au contraire chargé de mission à New York par Robert Lacoste, le ministre de la Production industrielle, ministre socialiste du gouvernement de De Gaulle. Il travailla longtemps aux États-Unis, notamment comme directeur général des parfums Nina Ricci, jusqu'en 1975 où il prend sa retraite. Peu près la bombe que constitua la déclaration de Darquier dans *L'Express* en octobre 1978, Laurent Greilsamer du *Monde* interrogea Legay. Un court extrait de cette interview donne une idée du personnage :

« Dans un ouvrage de la fondation Hoover, vous avez écrit : "Il est inutile de préciser que l'arrestation de vingt mille Juifs par la police parisienne n'eut pas lieu." Vous maintenez ?

– C'est un détail. Je crois vraiment que ce n'est pas la peine de rentrer dans les détails... »

Son inculpation en 1979 pour crimes contre l'humanité n'aura pas de suite : il mourra tranquillement dans son lit dix ans plus tard, le 2 juillet 1989, sans avoir été jugé...

1978, donc, la mise en cause dans *L'Express* de Bousquet par l'ultra-antisémite Darquier. Serge Klarsfeld prend alors la piste. Il porte plainte contre Legay, ne pouvant le faire contre Bousquet. Celui-ci avait en effet déjà été jugé et condamné, devant la Haute Cour de justice en juin 1949, à cinq ans d'indignité nationale, déchéance dont il s'était vu aussitôt relevé : il aurait « par ses actes, participé de façon active et soutenue à la résistance contre l'occupant ». *Sic* ! Ce fut d'ailleurs le lot de combien de collabos ! Durant son procès d'alors, sa responsabilité directe dans la déportation de milliers enfants juifs n'avait même pas été évoquée. On ne s'occupait pas de ces « détails de la Seconde Guerre mondiale », à l'époque.

Me Klarsfeld accomplit le travail historique et établit l'écrasante responsabilité de Bousquet dans la déportation d'une partie des 75 721 Juifs déportés de France. Mais ce n'est qu'en 1989 que l'avocat (avec son confrère Me Charles Libman), au nom de l'association qu'il préside, les Fils et Filles de Déportés juifs de France, est en mesure de déposer contre Bousquet une plainte pour crimes contre l'humanité.

La plainte est déposée le 13 septembre 1989 « contre René Bousquet ancien secrétaire général à la police d'avril 1942 à décembre 1943, qui a participé comme dirigeant, organisateur et complice à l'élaboration et à l'exécution d'un plan concerté tendant à l'arrestation, à l'internement et à la déportation de nombreux enfants juifs pour des motifs raciaux ». Quelques mois plus tard, le 28 décembre, s'associe à sa plainte Me Joë Nordmann au nom de la FNDIRP, la Fédération nationale des déportés et internés résistants patriotes.

Il fallait un élément nouveau. Klarsfeld l'a trouvé dans les archives du CDJC (Centre de documentation juive contemporaine) : le procès-verbal allemand de la réunion qui eut lieu le 2 juillet 1942 entre Bousquet, représentant le maréchal Pétain, chef de l'État, et Laval, chef du gouvernement, et les Allemands (le général Karl Oberg, chef des SS dans la France occupée, son adjoint Knochen, qui, à trente ans, dirige les services de renseignements allemands en France, c'est-à-dire la Gestapo, et enfin Kurt Lischka). Cette réunion « historique » avait pour objet de négocier l'arrestation de dix mille Juifs étrangers ou apatrides (qualifiés de « déchets » par Laval) en zone libre et de vingt mille en zone occupée. Concrètement : mettre au point la rafle dite du Vel'd'Hiv'. Cette réunion avait été précédée par une visite-éclair d'Adolf Eichmann lui-même, maître d'œuvre de la « solution finale », fin juin, pour ordonner la déportation de tous les Juifs résidant en France, visite elle-même précédée le 2 mai de celle de Heydrich, chef de la sécurité du Reich, venu à Paris pour y installer le général SS Oberg et qui alors rencontrait Bousquet. Une photographie (allemande) « immortalise » leur poignée de main... Au lendemain de ces accords dits Oberg-Bousquet, Laval renchérissait en proposant que l'on déporte également les enfants de moins de seize ans, ce que les Allemands eux-mêmes ne prévoyaient pas immédiatement de faire, craignant des réactions d'hostilité de la part de la population. Mais puisque c'était, selon le vœu de Bousquet, la police française qui se chargeait de cette basse besogne, cela passerait sans doute mieux aux yeux de la population que la teutonne soldatesque. Bousquet et les Allemands trouvaient là leur compte. Bousquet, parce que les Français, par leur police propre, restaient maîtres chez eux, et les Allemands, parce que les petits Français faisaient le sale travail à leur place.

Après les rafles des 16 et 17 juillet 1942, le général Oberg écrit à Bousquet : « Je vous confirme bien volontiers que la police française a réalisé jusqu'ici une tâche digne d'éloges. » Le 11 septembre 1942, le pasteur Boegner, au nom de l'Église protestante de France, vient protester, justement, contre les déportations. Réponse de Bousquet : « Le rôle de l'opinion publique est de s'émouvoir; celui du gouvernement est de choisir. » Il ajoute pour faire bonne mesure : « L'impopularité actuelle du gouvernement sera un de ses plus beaux titres de gloire dans l'avenir. » Belle gloire, en effet, que d'envoyer des enfants à Auschwitz. Il est vrai que ces enfants, non contents d'être juifs, ont aussi des parents étrangers…

Le général SS Karl Oberg sera pour Bousquet une manière d'ami. Quand le fonctionnaire de Vichy sera évincé du gouvernement, en 1943, au profit du chef de la milice Darnand, Oberg ainsi que le commandant SS Schmidt l'inviteront à passer la fin de la guerre en famille dans une villa au cœur de la Bavière. Des quasi-vacances en somme.

Voici ce que le consul général d'Allemagne, Schleier, disait de Bousquet : « Bousquet est une personnalité si forte et si active qu'il jouera certainement à l'avenir dans la politique française un rôle qui dépassera le cadre de son autorité en tant que secrétaire général de la police. » Bousquet tentera bien de jouer ce rôle en essayant de se faire élire en 1958, mais il échouera. Il va alors appuyer Mitterrand, proche de ses convictions politiques situées au centre gauche, en 1965 puis en 1981.

Après la guerre, Bousquet jouera la carte de la « déportation en Allemagne ». Avec succès. François Mitterrand, interrogé par Pierre Péan pour son livre, par Jean-Pierre Elkabbach à la télévision en septembre 1994 à la parution de ce même livre, et au cours de ses conversations avec son ami Élie Wiesel, résumant la carrière de Bousquet, employait les mêmes termes : « Je savais que Bousquet avait été au gouvernement de Vichy. Puis qu'après avoir quitté son poste, il avait été *déporté par les Allemands* [je souligne]. Là s'arrêtait ma science. Dans les années cinquante, Bousquet était un homme qui avait été blanchi par la Haute Cour. Je n'avais pas, moi, à me substituer aux juges ni aux procureurs. Et s'il est vrai que j'ai tenté de ralentir le cours de la justice, j'en prends la responsabilité, car je suis contre toutes les procédures judiciaires qui ravivent les plaies. »

Mais les plaies de qui ?

# IV

# Saint-Dié-Paris et retour

# 1

## La vie comme à Saint-Dié

C'est pendant la guerre, le 11 février 1944, que naît Christian Didier à Saint-Dié, renouvelant le sort de son père, Marcel Didier, né en 1917 pendant la Première Guerre. Saint-Dié, c'est la ville de Jules Ferry dont un lycée porte le nom (il fut dix-huit ans député de la ville). Entourée de montagnes et de forêts de sapins, cette ville est un cul-de-sac. On en atteint vite les limites, on revient sur ses pas, on tourne en rond. Saint-Dié, c'est un cercle. Au milieu de ce cercle, il y a une croix. À l'horizontale, coule la Meurthe. Perpendiculaire, la grande artère commerçante, la rue Thiers. Il n'y a pas, ou plus de remparts, il y a la Forêt. C'est par là que Christian s'échappe, qu'il rêve d'horizons dégagés. De grands espaces physiques, le Grand Nord, l'Australie, l'Amérique. De grands espaces imaginaires : Paris.

Les réactions des Déodatiens au geste de Didier, cet enfant du pays, vont s'enraciner, nous le verrons, dans un fort sentiment de tradition patriotique qui s'est attaché à Saint-Dié depuis fort longtemps : depuis la débâcle de 1870. Avec l'annexion de l'Alsace voisine par l'Allemagne, les Vosges deviennent, jusqu'en 1914, les avant-postes face à la frontière. Saint-Dié sera une ville de garnison. On scrutera, selon le mot de Jules Ferry, « la ligne bleue des Vosges ».

Durant l'Occupation allemande, de 1940 à 1944, l'Alsace est à nouveau annexée au Reich. La région de Saint-Dié n'est alors qu'à une quinzaine de kilomètres de la nouvelle frontière. Au moment de la naissance de Christian, les Vosges ne sont pas encore libérées, des résistants sont périodiquement fusillés ou déportés. Christian Didier aura un camarade d'enfance, Hervé Zimmerman, dont le père a été torturé à mort par la Gestapo. Lui-même, évidemment, ce camarade, n'a pas été témoin de ces tortures, ni de la mort de son père. Mais on a dû souvent lui en faire le récit. Et ce récit, il le rapporte volontiers aux autres jeunes garçons, du moins à ceux qui tendent l'oreille. C'est le cas de Christian, qui le gardera toujours en mémoire, et jusque dans son horreur. Quand il prendra, au début janvier 1987, la décision d'aller abattre Klaus Barbie dans sa prison de Lyon, resurgiront en lui des images sanglantes de ce récit d'enfance. De l'enfance d'un autre.

« À l'époque, dira-t-il alors, un détail m'avait frappé : sous le cercueil de fortune déposé sur des tréteaux, le sang de la victime avait suinté par les interstices entre les planches, au point de former une flaque rouge sur le ciment de la morgue. » Manière de « scène primitive » ensanglantée qu'il convient de mettre en rapport avec la phrase par laquelle Didier ouvre *La Ballade d'Early Bird* : « Cette encre que je viens de répandre en fera couler beaucoup d'autre. » La métaphore, ici comme ailleurs, n'est pas innocente. Répandre l'encre, faire couler l'encre. Écrire comme on tue. En 1984, quand il écrit *La Ballade*, Didier ne songe encore à tuer personne. En tout cas personne d'identifiable. Ni Barbie, ni Touvier, ni Bousquet. Qui tue-t-il, pourtant, dans son imaginaire, en écrivant ? De qui se venge-t-il ? De quel tortionnaire ? De quel bourreau ? De quel dictateur ? De quel criminel contre *son* humanité, sa propre humanité ?

À Saint-Dié, le 13 mars 1944, tous les Juifs de la ville sont arrêtés et déportés. Le 27 avril, treize jeunes gens sont traduits devant le conseil de guerre allemand pour avoir investi le poste de police français et dérobé des cartes d'alimentation. Ils sont fusillés. En juin, six élèves du collège sont arrêtés, trois d'entre eux sont déportés, qui ne reviendront pas. Le 19 octobre, les premiers obus américains tombent sur la ville dont la population va désormais vivre dans les caves. Le 9 novembre 1944, devant l'avance des Alliés, les Allemands s'apprêtent à quitter la ville. Ils ordonnent à la population d'évacuer toute la partie nord avant midi et de s'entasser dans des caves, des greniers, des garages, des hangars de la rive gauche de la Meurthe, rue d'Alsace et dans le quartier Saint-Martin (où Christian est né neuf mois plus tôt). Les Allemands procèdent alors à l'incendie et au pillage : immeubles, voies ferrées, centrales électriques, cathédrale, hôtel de ville, ponts, hôpital, tout est détruit. Comme une punition. Certains, quinze hommes, commettent l'erreur de regagner trop tôt ce qui reste de leur maison, impatients de mesurer les dégâts. Ils sont arrêtés et fusillés le 18 novembre 1944. Après-guerre, sur la rive droite, en leur mémoire une artère sera rebaptisée rue des Fusillés. Didier dira, le premier jour de son procès, combien le nom même de cette rue a été décisif dans la formation de sa personnalité : « Une rue de Saint-Dié a été baptisée rue des Fusillés [de la Seconde Guerre mondiale] parce que des parents de mes copains de l'époque y avaient été passés par les armes. »

La guerre cesse vraiment le 21 novembre, avec l'entrée des GI dans Saint-Dié. L'officier allemand qui dirigeait les opérations militaires de ce secteur n'est autre que le SS Oberg, celui-là même qui signa les accords avec Bousquet en 1942, portant sur l'arrestation et la déportation des Juifs de France...

À la Libération et pendant un an, les ruines furent déblayées et Saint-Dié n'était plus qu'une immense plaine nue constituée de gravats. En 1945 et 1946, les Déodatiens et notamment les commerçants commencent par construire des « baraques », le long de la Meurthe, sur des terrains jusqu'alors inhabités.

Ce quartier s'appelle depuis les « Baraques » et cette époque de l'après-guerre est restée dans les mémoires comme l'« époque des baraques »... Saint-Dié, terre brûlée : c'est aussi le titre d'un livre. D'une certaine façon, on peut dire que Didier naît sur et d'un champ de ruines. Il faudra dix ans encore pour que Saint-Dié se relève, entièrement reconstruit. À partir d'avril 1990, il pourra se recueillir sur la stèle de granit qui est érigée place des Déportés, dans ce même quartier Saint-Martin de sa prime enfance. Elle a été réalisée par des élèves du lycée professionnel de Remiremont à l'initiative d'une association d'anciens résistants et déportés et représente la silhouette en creux d'un déporté, avec des vers de Paul Éluard : « Si l'écho de leurs voix faiblit, nous périrons. » C'est un signe des temps : le mouvement avait commencé dans les années quatre-vingt mais ce sont surtout les années quatre-vingt-dix qui vont voir se développer, dans les projets pédagogiques et au sein des associations de victimes ou d'enfants de victimes, le thème du « devoir de mémoire ». L'édition, le cinéma, les médias, la justice s'en feront largement l'écho. Christian Didier y est extrêmement réceptif.

Ses parents tiennent un salon de coiffure au 3, place Saint-Martin, sur la rive gauche de la Meurthe. La mère de Didier, née Marie-Thérèse Lux en 1918, est lorraine, originaire de Lunéville. Son père, Marcel Didier, né en 1917, est un homme assez petit et autoritaire. Un jeu de peignes dépasse de la poche de son éternelle blouse de coiffeur. C'est un « immigré d'Alsace », selon le terme que Christian emploiera devant moi. À un autre moment, il me dira : « La famille de mon père vient d'Allemagne. » Je m'étonnai : « D'Allemagne ? – Oui, d'Allemagne. Euh, je veux dire d'Alsace... » Je notai cela sur mon calepin sans me dire encore : ce lapsus insistant doit signifier quelque chose. Il est vrai que de 1870 à 1918 l'Alsace avait été allemande, comme elle le sera de 1940 à 1944. Et non moins vrai que, né en 1917, pendant la guerre, Marcel Didier était né allemand, de parents allemands. Plus tard, je devais lire la déposition que Didier avait faite au Quai des Orfèvres devant l'inspecteur divisionnaire Claude Perrony, le jour même de l'assassinat de Bousquet. « J'ai appuyé sur l'Interphone marqué RB. Là, tout de suite, une voix d'homme à fort accent allemand alsacien m'a répondu que M. Bousquet était absent. Puis une voix sans accent : "Bon... alors je vous ouvre. je vous attends au sixième..." » Nous savons, nous, que le premier homme qui lui parle via l'Interphone est Nam, le domestique vietnamien. Mais pas Didier, qui n'a jamais vu Nam et ignore même qu'il existe. Didier a bien perçu un accent. Mais pourquoi donc un « fort accent allemand alsacien » ? Il a bourlingué aux quatre coins du monde. Il sait ce qu'est un accent étranger, et que les accents sont divers. Or celui qu'il a cru reconnaître est un accent bien spécial, ni tout à fait allemand, ni tout à fait alsacien. Mais « allemand alsacien». Autrement dit, celui des locuteurs alsaciens qui ont grandi avant 1918 en Alsace, alors province allemande. Et ces locuteurs-là, il les connaît bien, et les a souvent entendus dans son enfance : ce sont ses grands-parents paternels. Aucun rapport, vraiment, avec l'accent vietnamien. Comment expliquer cette insigne méprise ? S'il avait parlé d'un accent allemand, on eût pu y lire par exemple une association, dans son esprit, entre René Bousquet et les Allemands, Oberg par exemple, qui eût amplement mérité la vindicte du Vosgien pour son rôle dans la destruction de Saint-Dié, en 1944. N'étaient-ils pas, Bousquet et lui, pendant la guerre, réellement « associés » ? Mais « allemand alsacien» est tout autre chose : c'est l'identité même de son père.

Un peu plus tard, lisant un petit opuscule de Pierre Legendre traitant de l'affaire Denis Lortie, un jeune caporal de l'armée canadienne qui, en 1984, avait tiré à l'arme automatique dans le Parlement du Québec, ouvrage que m'avaient transmis mes amis Natalie Felzenszwalbe et Éric Suter, me revint ce lapsus de Didier par lequel il faisait de son père un Allemand. C'est exactement quand je lus cette phrase que Denis Lortie avait dite devant ses juges et que rapportait Pierre Legendre : « Le gouvernement du Québec avait le visage de mon père [son père qui l'avait sévèrement maltraité]. » Alors, je me suis dit : Marcel Didier maltraitait sévèrement son fils aîné. Christian l'aura associé à un nazi (l'Allemand). Et dans la série Barbie, Touvier, Bousquet, la superposition de ces trois visages devait dessiner pour lui celui de son père. Comme une photo se révèle peu à peu, donnant à voir, à la fin, noir sur blanc, le visage même du Mal. Je songeai aussi à cette phrase que Didier prononça lors de sa « conférence de presse » à l'hôtel Paul de Kock : « Il faut s'attaquer aux Hitler, aux Mussolini, aux Pol Pot, aux dictateurs. » Et cette autre, qu'il prononce devant la juge Chantal Perdrix qui l'interroge à nouveau le 30 septembre 1993 : « J'ai eu très tôt une aversion et une répulsion à l'égard des nazis et des tortionnaires en général. » Or, outre que Bousquet ne fut, à la lettre, ni nazi ni tortionnaire, il y a bien là, dans la bouche et l'esprit de Didier, un glissement sémantique, un élargissement où l'on passe du criminel contre l'humanité, celui qui pratique ce qu'on a appelé le « crime de bureau », et le « simple » tortionnaire, telles ces petites frappes de la Milice qu'on voit, à peine caricaturées, dans les films qui prolifèrent à la faveur d'une mode « rétro » qui n'a pas dit son dernier mot. Ce qu'a Didier à l'esprit, en réalité, c'est moins le criminel administratif que celui qui torture de ses mains, celui qui fait le mal parce qu'il fait *du* mal, celui qui fait souffrir par ses coups. Touvier le milicien et Barbie le gestapiste, à ce titre, eussent mieux mérité sa vindicte. Or, avec Barbie, Didier a raté son coup. Quant à Touvier, il est introuvable parce qu'il se cache. Reste Bousquet, qui a en effet livré des milliers de Juifs de France aux Allemands, hommes, femmes, enfants, vieillards, mais dont les mains ne sont sales que de l'encre de la collaboration administrative.

Or quel est, aux yeux de Didier, ce dictateur par excellence, ce monstre patent, sinon celui qui livrait son propre fils à la psychiatrie, aux maisons de correction et sans cesse aux coups et aux humiliations ? Poursuivant encore Pierre Legendre, je me suis dit que Didier, tuant Bousquet, à l'instar de Lortie mitraillant l'Assemblée du Québec, commettait un parricide. « La vérité de cet attentat grotesque et sanglant, écrit Legendre, c'était donc cela : le meurtre du père, un parricide. » Mais rien hélas que des lapsus, il est vrai réitérés, de Didier, ne venait étayer plus avant mon hypothèse. Je repensai aussi à Brutus, le tyrannicide, le héros romantique et révolutionnaire cher au Lorenzaccio de Musset et au Marius des *Misérables* de Hugo, Brutus dont une version au moins, chez Voltaire, sans doute moins brillante que les précédentes, celles de Plutarque et de Shakespeare, le supposait le fils putatif de César lui-même. Brutus y était donc tyrannicide *et* parricide…

*

Marcel Didier, à treize ans, absorbe par inadvertance de grandes goulées d'eau de Javel qu'on conservait à cette époque dans des bouteilles de limonade. Les confusions étaient fréquentes, et ce genre d'accident arrivait à plus d'un enfant. Les brûlures que lui cause cette méprise endommagent irrémédiablement son système digestif. Il doit d'abord séjourner deux ans dans un hôpital à Strasbourg et donc interrompre ses études. Il sera suivi et soigné pendant sept ans. Il voulait être comptable, il devra faire le coiffeur comme son propre père. Quand son fils aîné naîtra, en 1944, il ne l'investira pas d'affection excessive. « La venue au monde de son premier fils, Christian, dira Marie-Thérèse Didier, l'a laissé assez indifférent. Il me disait notamment qu'il commencerait véritablement à s'intéresser à son fils lorsque celui-ci irait à l'école. » En somme, pour Marcel Didier, le petit Christian n'existe que comme cet enfant susceptible de rattraper son propre ratage, de poursuivre ce que lui-même, à cause de son œsophage ravagé, n'a pu atteindre. Or Christian refusera obstinément de se fondre dans ce schéma. D'où la quasi-haine de son père, à base de désespoir et de frustration.

Christian a un frère cadet, Dominique, qui fera ses études au lycée climatique d'Arcachon, ratera d'ailleurs son bac, et partira plus tard, vers vingt-trois ans, pour le Canada. Il sera céramiste. Il épousera une Allemande rencontrée en Scandinavie et dont il aura des enfants. Ce frère, de trois ans plus jeune que Christian, viendra en cour d'assises le vendredi 10 novembre 1995 pour témoigner en faveur de l'accusé. Il évoquera la personnalité du père, Marcel Didier, homme d'ordre, rigide et sévère, un homme à forts principes, cultivé par ailleurs. Christian l'évoquera dans les mêmes termes : « C'était un homme très religieux, très rigide, très dur. » Dominique parlera de Christian, son aîné. À la sévère rigidité du père, dira-t-il, Christian s'opposait en permanence. Il se rebellait. Lui, Dominique, au contraire, laissait passer les orages et faisait volontiers le dos rond. « C'était un garçon opportuniste qui savait louvoyer. Il plaisait à mon père. Il avait des amis bien, pas comme moi », me dira Christian de son frère. « Lui était le chêne, dira Dominique, moi le roseau. » La vie, pour eux, allait illustrer la morale, d'ailleurs ambiguë, du bon La Fontaine : n'est-il pas plus digne de résister plutôt que de constamment courber l'échine pour gagner la paix, la tranquillité, et finalement survivre ? Car résister, affronter le père maltraitant, c'est prendre des coups, et risquer le pire. C'est risquer, aussi, qu'on vous tienne pour un déviant, un « mouton à cinq pattes ».

Peu avant le geste de son frère, Dominique avait séjourné en France. Il avait remarqué que Christian était très nerveux et totalement désespéré. « Sa vision idéaliste du monde ne lui permettait plus de vivre son quotidien minable de RMiste, dira-t-il. C'est quelqu'un qui entre facilement en résonance avec les émois collectifs. Il a probablement voulu laisser derrière lui un geste qu'il considérait comme noble. Il a certainement fait ça comme on se suicide. » On le voit, Dominique Didier connaissait bien son frère aîné. Son jugement rejoint le diagnostic porté par le Dr Dubec selon lequel il y a un cheveu entre le geste théâtral et symbolique de Christian Didier et un suicide.

Christian va à l'école jusqu'à quatorze ans. Il fréquente d'abord la communale. À sept ans, il est victime d'une tentative d'étranglement. C'est du moins ce qu'il expliquera à la juge Chantal Perdrix au cours d'un interrogatoire en septembre 1993 : « Je voudrais vous expliquer que ma vie a été jalonnée par le mal. Dès ma petite enfance, j'ai senti le démon autour de moi. À l'âge de sept ans, j'ai failli être étranglé par un Arabe. Je jouais dans un terrain vague avec des copains, j'avais remarqué un individu et j'avais dit à mes amis : "Regardez le négro." Un peu plus loin, il m'a attendu, il a commencé à m'étrangler, mais finalement il s'est sauvé... » Il expliquera à la juge que c'est de ce jour qu'il fait remonter « à la fois des tendances suicidaires et des tendances à tuer les autres » (les psychiatres évoqueront, à propos de cet épisode, l'origine d'« une phobie d'impulsion meurtrière ») et que trouve son origine la crise qu'il devait traverser dix ans plus tard, à dix-sept ans. Ce que, pour ma part, je me bornerai à remarquer ici c'est la distorsion entre « étranglé par un Arabe » et « regardez le négro ». Cette condradiction n'établit cependant pas que cette scène soit un pur et simple fantasme...

À l'entrée en sixième, ses parents l'inscrivent au collège Sainte-Marie sur l'avenue Robache, l'école des Frères marianistes où, dit-on, il obtient des notes correctes. On le retrouve l'année suivante, en janvier 1957, interne à nouveau en sixième au collège privé Saint-Joseph à Remiremont.

À l'école, on l'appelle Rimbaud. C'est un révolté et un poète. Quand il atteint l'adolescence, son père l'emmène consulter un psychiatre. Sans résultat probant. Il ne le trouvait pas « normal ». Il s'entourait de mauvais garçons, Marcel craignait qu'il ne commît un mauvais coup. Et puis, la déplorable réputation de son fils portait, croyait-il, préjudice à son commerce. Il songeait à quelque pension, cela mettrait son fils sur le droit chemin et aurait l'avantage de l'éloigner de Saint-Dié.

Sur le plan purement scolaire, en fait, ce n'est pas brillant. Loin d'égaler les prouesses d'Arthur, qui fut *aussi* un fort en thème (latin), même s'il parle quelque part des « anciens imbéciles de collège », Christian ne parvient pas à se concentrer, il rêvasse ou il fait le pitre. Son père l'inscrit dans des pensionnats, des maisons de correction de la région, des « écoles de curés » d'où il se fait chaque fois renvoyer.

Son père aimerait bien qu'il continue ses études. Il voulait qu'il devînt médecin, avocat, une profession honorable. Il entendait lui « faire une situation », dira plus tard Marie-Thérèse. Mais non, Christian arrête ses études à la fin de sa cinquième. Il a réussi quand même, bien que de justesse, « au ras des pâquerettes » comme il dira au procès, son certificat d'études. Quelques années plus tard, il tentera de passer son bac par correspondance. « Mais je l'ai raté de A à Z », dira-t-il. De même, il suivra des cours, probablement en auditeur libre, à la Sorbonne. Section psychologie. La psychologie, ça le concerne, au plus profond. Durant l'année universitaire 1980-1981, il est inscrit en première année de DEUG d'anglais à la faculté des lettres de Nancy-II. Mais il ne se présentera pas aux examens.

Marcel Didier est constamment furieux à l'égard de son fils aîné. À ses yeux, et contrairement à Dominique qui « marche bien » et ne pose pas de problèmes, Christian est un « mouton à cinq pattes ». Alors, son père le bat, car il est violent, et il le bat souvent. Mais sans résultat, là non plus. Il tente à plusieurs reprises de le faire interner en comptant sur la complaisance de tel médecin de garde. Des proches, après l'assassinat de Bousquet, témoigneront de façon accablante sur l'éducation qu'imposait Marcel Didier. Ainsi, ce vieux copain de Christian, Jacky Bonnaire : « Je me souviens, dira-t-il à l'inspecteur Gérald Sanderson, avoir vu chez lui le frigidaire cadenassé avec une chaîne afin qu'il ne se serve pas. Je me souviens également d'une surprise-partie qu'il avait donnée chez lui, en l'absence de ses parents. Son père était revenu plus tôt que prévu et lui avait donné une sacrée correction à coups de bâton. Il avait dix-huit ans. » Témoignage identique de la part de Gérard Pierson dont Christian est le petit-cousin. À une question de

Me Montebourg, lors du procès : « J'ai assisté à des corrections de Christian par son père. Elles provoquaient un trouble dans la famille. À cette époque Christian avait environ dix ans. Ces corrections m'exaspéraient. Il se réfugiait quelquefois chez nous [à Dombasles]. Mes parents étaient comme ses grands-parents. Oui, il se réfugiait… Son père le battait… »

(Le matin du jour où Marcel Didier décède, en 1984, alors que Christian écrit *Early Bird*, il demandera pardon à son fils de l'avoir tant battu. C'est Marie-Thérèse Didier qui a demandé cette ultime faveur à Christian, d'aller voir son père sur son lit d'hôpital où, à soixante-sept ans, il meurt d'un cancer de l'œsophage, une visite dont elle pressentait qu'elle serait la dernière.) Elle, sa mère, se montre plutôt résignée. Elle sent bien que son fils aîné n'est pas un enfant comme les autres. C'est un rêveur, un solitaire, proche de la nature. Il vit dans un autre monde… Du temps de l'école, ce qu'il aime vraiment, c'est chanter les cantiques. Il cause le ravissement des bonnes sœurs. Il était déjà mystique, comme il dira plus tard. « Mais pour le reste, j'étais bon à rien. » Sa mère le comprend bien. Certes, c'est une femme austère et, à sa façon, également rigide. Mais, comme son fils aîné, elle est sensible et émotive. Pour la décrire, plus tard, Didier aura recours à la délicatesse d'Alphonse Daudet : « Ces vieux, ça n'a qu'une goutte de sang et à la moindre émotion, elle leur monte au visage. »

Après la cinquième, Christian travaille à la fonderie Girardet-Dartevelle. Il est «passeur de sable». Mais ce travail est bien trop difficile pour un adolescent. En outre, il entre de plus en plus souvent en conflit avec son père. Il faut à nouveau l'éloigner du foyer familial. On l'inscrit à Beauvais dans un centre de formation professionnelle comme apprenti serrurier. Il s'en échappe à deux reprises. On relève chez lui un «comportement de caïd» avec inadaptation sociale et opposition radicale à l'autorité familiale. Il reste six mois dans ce qui est en fait un centre de rééducation, et il tombe dans la dépression. On l'hospitalise à Beauvais où les médecins relèvent «une attitude un peu schizoïde».

À dix-sept ans, sa mère le révélera au procès, Christian est suicidaire. Là encore, un incident largement fantasmé lui fait vivre une crise aiguë. Au cours d'une partie de chasse, il tire et croit aussitôt qu'il a tué quelqu'un. Il revient à plusieurs reprises sur les lieux du tir pour vérifier qu'il n'a tué personne. C'est cet épisode qui lui vaut d'être hospitalisé, le 28 août 1961, à sa demande, à Clermont-de-l'Oise. Il reste là jusqu'au 6 octobre. On relève des «allégations d'idées obsédantes, dont la crainte d'étrangler un enfant». On juge son QI supérieur à la moyenne, «avec prédominance de l'intelligence verbale». Un peu plus d'un mois après sa sortie de l'hôpital, il entre cette fois au centre Ravenel à Mirecourt dans les Vosges où il séjourne du 20 novembre 1961 au 13 janvier 1962 et où il subit une série d'électrochocs, une serviette entre les dents. On diagnostique chez lui un « syndrome d'allure névrotique à tendance obsessionnelle et une évolution vers la schizophrénie ». Il répétait aux médecins qu'il était obsédé par la crainte « de faire un coup dur ». Traduisons : de tuer.

À dix-huit ans, il se rend à Charleville se recueillir sur la tombe d'Arthur Rimbaud, son dieu. À l'aube, souvent, il monte sur une butte près de la Meurthe pour assister au lever du jour. C'est son heure à lui. Il est déjà « Early Bird ». Mais à trop fixer le soleil de ses yeux grands ouverts, ceux-ci deviennent fragiles.

Il écrit des poèmes qu'il voudrait bien voir édités. Très jeune encore, il pense que, pour être publié, il faut d'abord se faire connaître. À sa sortie de l'hôpital de Clermont, les conflits s'intensifient avec son père. Il ressent le besoin de voir le monde. Il descend à vélo jusqu'aux Saintes-Maries-de-la-Mer où il rencontre un groupe d'étudiants aux Arts déco qui l'adoptent une quinzaine de jours. C'étaient les vacances de Pâques. S'ouvrait à Cannes le festival où il se rend, tentant de placer ses poèmes sur la Croisette. Puis il revient à Saint-Dié, toujours à vélo, traversant les Alpes.

Ce périple lui a fait du bien; l'angoisse a pratiquement disparu. Son père lui propose de le prendre comme apprenti dans son salon de la place Saint-Martin. Christian part pour Paris effectuer un stage dans une école de coiffure chez L'Oréal, rue Royale. Au retour, Marcel le prend en apprentissage. Mais Christian tient aussitôt ce métier en dégoût.

Alors, devançant l'appel, il part au service militaire dans la marine nationale. Il avait précédemment effectué une préparation militaire parachutiste à Saint-Dié. Il est d'abord affecté au centre de formation à Hourtin où il passe un CAP d'ajusteur, réalisant pour son diplôme une queue d'aronde. Puis c'est l'Algérie, à Mers el-Kébir près d'Oran. La « Royale ». Enfin quelque chose qui lui plaît bien : « En fait, dira-t-il, c'est la seule fois où je me suis bien adapté à ma situation. » Mais, de retour d'Algérie, il est victime d'un accident. À Toulon, sur le drageur de mines, le DC Liseron où il est assistant mécanicien, il tombe dans la soute, heurte de la tête un groupe électrogène : traumatisme crânien. Nous sommes en 1964. On l'affecte au dépôt de la base aéronavale de Hyères. Enfin, ce seront quelques mois dans les eaux grecques où son bâtiment se livre à des exercices fictifs de déminage. En raison de son accident, il touchera plus tard une petite pension militaire, son unique ressource régulière. Il quitte le service avec, sur son certificat de marin, la mention « conduite exemplaire ». Il sera plus tard membre actif de l'Amicale des anciens marins de Saint-Dié aux assemblées générales de laquelle il assistera régulièrement.

De retour à Saint-Dié, rien, à nouveau, ne va plus avec son père à qui répugne l'idée que son fils vive à ses crochets. Puisque Christian parle constamment de grands voyages, et puisque après tout il est un marin, Marcel Didier l'exhorte à carrément mettre les voiles. Christian y songe de plus en plus sérieusement. En attendant, il se met en tête de passer le bac. Son espoir : entreprendre des études d'anglais à la fac des lettres de Nancy. Échec. Pour gagner un peu sa vie, il fait le pion quelques mois dans une institution religieuse, au lycée Saint-Pierre à Lunéville.

Nous voici en 1965, l'époque des surboums, du twist, de *Salut les copains*. Didier n'est pas spécialement un yéyé. Il n'attire guère les filles. « Il parlait tout le temps, de philosophie ou de religion. C'est un têtu. Quand il a quelque chose dans la tête, il va jusqu'au bout. Il pouvait devenir emmerdant, il fallait le sortir par la peau des fesses. » (Un ami à un journaliste de *Libération*.)

1966, c'est le temps des beatniks. Didier prend la route avec sa guitare. Direction la Suède et la Norvège en auto-stop. « Il chantait Bob Dylan comme pas deux. Il parlait l'américain, hein ! Eh ben, il aurait mieux fait de continuer dans la musique. » (Le même ami.) L'été suivant, il « fait » l'Italie et la Yougoslavie.

Un jour, son père lui met devant les yeux, dans son assiette, une annonce qu'il a trouvée dans *Le Figaro*. On y propose d'émigrer en Australie. Christian écrit au consulat. On lui offre un séjour de deux ans, voyage payé. Il exercera là différents métiers à tous les points cardinaux du continent qu'il aura parcouru de part en part. On le place d'abord dans un camp d'émigrants près de Melbourne puis dans un autre près de Sydney. Il sera coupeur de verre, shampouineur pour dames, mécanicien chez Austin Cooper et chez Renault, *hospital orderly* (aide-soignant ou, si l'on préfère, homme à tout faire) dans un hôpital qui s'occupe de lépreux, à Derby sur la côte nord-ouest et dont il se fait renvoyer à la suite d'un conflit avec l'infirmière-chef, mineur à Perth sur la côte sud-ouest. Deux ans se sont écoulés. Il rentre à Sydney d'où il compte s'embarquer pour Miami, Floride.

Nous voici en 1969, l'été de Woodstock, « trois jours de musique et de paix ». Sur le paquebot, il fait la connaissance de Miss Susan Harlow, Sue pour les intimes, un modèle. Arrivés aux États-Unis, ils prétendent qu'ils vont se marier, moyennant quoi Didier obtient un permis de séjour de six mois. Hélas, la belle Sue l'abandonne. Elle doit se rendre à Los Angeles chez sa sœur et aussi parce que l'attend là un contrat de mannequin. Christian alors part pour New York.

Le voici sur cette terre que Saint-Dié tient pour sa « filleule ». C'est en effet dans cette ville des Vosges qu'au début du XVIe siècle quelques humanistes, travaillant à un grand atlas, y portèrent pour la première fois le toponyme *America* en l'honneur d'Amerigo Vespucci. Ce fut là le baptême de l'Amérique et dès lors Saint-Dié en fut la marraine.

Aux États-Unis, Didier part surtout sur les traces aventureuses de Jack Kerouac, le clochard céleste, le routard mystique, le « bûcheron » à la chemise à carreaux, l'auteur longtemps méconnu de *On the Road*. Seulement, quand il arrive dans sa ville en octobre 1969, à St. Petersburg, sur la côte ouest de la Floride, le grand écrivain beatnik franco-canadien d'ascendance bretonne vient de mourir. Il avait quarante-sept ans. Alors, déçu, Didier se reconvertit. Il change de « trip ». Son nouveau « trip » sera un « trip » juif. À New York où il séjourne trois mois chez des amis juifs, il dit s'appeler David Cohen, salue les commerçants d'un « shalom ». C'est ainsi qu'un jour, le commerçant lui consent une ristourne sur l'achat d'un couteau. Il doit y avoir des avantages à être juif. Il se fait passer pour un Juif. Il *est* juif. Il le dira au procès : ce qu'il aime, chez les Juifs, c'est qu'ils se tiennent les coudes. C'est pas comme « nous » : « nous », on se tire dans les pattes.

Ce prétendu constat à propos des Juifs, qui leur vaut une sincère admiration de la part de Didier, est évidemment réversible. Ce même constat, purement imaginaire d'ailleurs, suscite au contraire la plupart du temps de l'antisémitisme. Ou plutôt et plus encore : il est intrinsèquement antisémite. Quand il l'énoncera à son procès, un certain malaise s'élèvera parmi le public... C'est que, comme devait me l'apprendre Maxime Benoît-Jeannin, il avait mal assimilé la leçon d'un jeune Juif séfarade originaire d'Afrique du Nord qu'il avait rencontré un peu plus tôt à Sydney. C'était probablement la première fois qu'il rencontrait un Juif en chair et en os. Ce garçon l'avait beaucoup impressionné. Revenait constamment dans ses propos la fierté exaltée de sa judéité. À peine arrivé sur le continent australien, il s'était fait embaucher dans une institution juive de Sydney. Voilà, aux yeux de Christian, qui est très fort. Les Juifs sont-ils donc si particuliers, si importants ? La solidarité chez eux est-elle efficace à ce point ? Ne fallait-il pas toujours être au mieux avec eux ? N'y avait-il pas aussi quelque avantage à ce qu'ils vous considèrent comme des leurs ? Le fantasme juif, chez Didier, prend ici sa source, à la faveur de cette rencontre. Les Juifs sont des gens importants, ils ont beaucoup de pouvoir. Vous êtes juif ? Pour vous les portes s'ouvrent. Et pour celui qui ne l'est pas, ce serait « payant » en tout cas d'être bien avec eux. Aux États-Unis, Christian va mettre cette vision à l'épreuve, dont quelques expériences vont authentifier la véracité. Quand, bien plus tard, au milieu des années quatre-vingt, il nourrira de la sympathie pour Le Pen, un conflit surgira en lui en raison de l'antisémitisme du leader du Front national qui voit dans les Juifs une toute-puissance occulte et cosmopolite… Il se trouve que Christian Didier n'était pas loin de les révérer pour les mêmes raisons.

Mais, à New York, il songe toujours à la belle Sue. Il part la rejoindre à Los Angeles.

C'était bien imprudent. Là, la cover-girl lui fait savoir qu'il n'est nullement l'homme de sa vie. Il revient alors à Miami (il disposait d'un billet « open » pour le Havre).

Retour au bercail où il commence à écrire ce qu'il intitule alors *Sang fluide*, titre qu'il changera plus tard en *Souvenirs d'Australie* suivi de *So long America*.

Dans les Vosges, Christian trouve pour six mois un travail dans les pipelines qui conduisent du gaz de Hollande jusqu'à Sélestat. C'est une compagnie italienne, la SNAM Projety. Il y est archiviste. Puis il monte à Paris. Nous sommes toujours en 1969. Un jour, chez un ami qui faisait du théâtre, il rencontre un homme roulant en Mercedes 600. Ce n'était pas la sienne : l'homme était chauffeur de grande remise. Voilà un métier. Didier devient chauffeur de grande remise, auprès de l'Office du tourisme de l'avenue de l'Opéra. Il avait d'abord fait son « apprentissage » comme chauffeur-livreur chez John Baillie, tailleur parisien rue Auber, sous-traitant de Cardin. L'expérience fut écourtée – elle ne dura que deux mois – pour limiter les dégâts. Comme il ne connaît pas Paris, il conduit avec le plan de la ville sur les genoux. Résultats : douze accrochages, avec et sans constats, en huit semaines. N'importe, c'est l'euphorie. Il est aussitôt tombé amoureux de Paris, rien « qu'à l'idée que je foulais le même sol, emboîtais peut-être les mêmes empreintes de pas que les poètes et les auteurs d'antan, de ceux qui depuis mon plus jeune âge avaient enflammé ma turbulente cervelle». Idée de vrai poète, s'il en est.

Ses clients ? Le show-biz français et la jet-set américaine. «J'avais le temps de lire de la littérature quand j'attendais dans les voitures.» Il conduit des stars dans Paris : Alain Delon, Catherine Deneuve, Richard Burton, Geraldine Chaplin, David Bowie, Leonard Cohen, Romy Schneider, Line Renaud, Léonor Fini, et même Salvador Dali, avec lequel il a des conversations métaphysiques, dans la Rolls du maître, jusqu'à des cinq heures du matin. Lequel des deux était le plus confus ? Une amie de Didier, Marie-Lorraine Noël, confiera au *Figaro* au lendemain du drame qu'il avait «une énorme admiration pour ce peintre. Il en possédait de nombreux autographes. Il me montrait les coupures de presse qui lui étaient consacrées. Il se sentait proche des surréalistes depuis toujours. Christian Didier est un homme brillant, cultivé. Son drame est de n'avoir pas été un écrivain reconnu».

Il se croit volontiers au-dessus des lois ordinaires. Ainsi, le 26 octobre 1974, interpellé alors qu'il vole une paire de chaussures à l'étalage dans un supermarché, il déclare qu'il est le chauffeur d'un ministre...

À Paris, Didier habite d'abord au 24, rue Monge, jusqu'en 1972. L'année suivante, il déménage à la porte d'Ivry. Il a une petite amie dont il partage plus ou moins la vie durant un an et demi. Mais Mme T., en instance de divorce, ne peut se résoudre à cesser ses relations avec son mari et elle finira par le rejoindre à nouveau, définitivement. Alors, Didier se fixe à Levallois-Perret, au 6, rue Greffulhe, non loin de l'île de la Grande-Jatte, où se tient le Café de la Jatte, lieu de rendez-vous du tout-show-biz et de la jet-set. C'est là que, à l'hiver 1986, il rencontrera Stéphanie de Monaco à qui il dédicace sa *Ballade d'Early Bird* écrite deux ans plus tôt. Il exerce désormais au sein d'une entreprise de location de limousines, de Rolls en particulier. L'entreprise, TAI Limousine, a son siège rue Voltaire à Levallois-Perret. Didier y est apprécié du personnel. Son point de chute, c'est le bar du Soleil levant, rue Greffulhe à Levallois, chez Dominique et Pauline Demi. « Dès que je franchissais le seuil de ce rade, j'étais accueilli chaleureusement par le taulier Dominique et sa femme Pauline, qui m'assaillaient aussitôt de questions sur mes précédentes "activités" dont ils étaient friands. » Témoignage d'une connaissance de Saint-Dié : « Son truc, c'était son agenda : un nombre hallucinant de numéros de stars. Didier, c'est quelqu'un qui a fait son trou à Paris. Il avait des relations. Il était dans un milieu où ça brassait. »

Mais il doit cependant mettre un terme à ce « job » plutôt plaisant pour cause d'incontinence urinaire : « Mes clients n'acceptaient pas que je doive m'arrêter toutes les cinq minutes. » D'être assis trop longtemps, en outre, provoque chez lui des douleurs dans la région lombaire.

Il reste encore un peu à Paris. Il chante durant la journée du Dylan à la terrasse des cafés en s'accompagnant à la guitare. Le soir, il traîne dans les cafés. Il en a vite marre. Mais surtout, il souffre depuis quelque temps de cette affection chronique des voies urinaires dont il ne parvient pas à se guérir et qui le contraint d'abandonner son métier de chauffeur. Son médecin traitant, le Dr Dégrés de l'hôpital Gouin de Clichy, lui a fait une attestation, certifiant qu'il était inapte au travail, qu'il faisait l'objet d'une affection chronique incurable et invalidante. Polyurie et lésions urovésicales accompagnées d'hématies. En conséquence, il est destitué de ses prestations d'ASSEDIC de Levallois-Perret. Il n'a plus de sous. Il doit rentrer à Saint-Dié, totalement démuni. Là, il attendra longtemps la décision d'une commission chargée de statuer sur son invalidité.

La perspective de revenir à Saint-Dié, on s'en doute, n'est certes pas très réjouissante. Il y a bien des amis mais plus de petite amie. La dernière, Rachel D., a pris le large voici quelques années. Elle était âgée de quinze ans quand il l'a connue, en 1978, élève de troisième au lycée Jules-Ferry. Elle était issue d'une famille nombreuse et ses parents étaient séparés. Adolescente quelque peu livrée à elle-même, en quête d'une figure paternelle qui lui faisait défaut, elle finit par se mettre en ménage avec Christian à la faveur ou en dépit de la différence d'âge (dix-neuf ans) dans son studio de la rue Saint-Charles. Leur vie commune était d'ailleurs discontinue puisque Christian passait alternativement quinze jours à Saint-Dié et quinze jours à Paris. Quatre mois après l'assassinat de Bousquet, à l'inspecteur divisionnaire Gérald Sanderson chargé d'une enquête de proximité, Rachel D., alors mariée et mère de famille, déclarera : « Christian était un garçon à la forte personnalité qui avait néanmoins quelque chose d'effrayant. »

## 2

## Christian Didier, écrivain

« Il est revenu vivre à la maison il y a dix ans, un an avant la mort de son père, et il ne parlait que de littérature », confiera en 1993 Mme Didier à un journaliste du *Parisien*. « Il avait trente-neuf ans et passait son temps à lire et à écrire. » Nous sommes en 1983. Énième retour au bercail. Il aura passé quelque dix-huit ans à Paris, « ma seule maîtresse depuis dix-huit piges, illustration de mes fantasmes, souffle de liberté comme nulle part ailleurs il me fut donné d'en découvrir ».

Seul dans le studio au-dessus du logement familial, au troisième et dernier étage d'un immeuble de la rue Saint-Charles (le deuxième étant occupé par une jeune femme, Marie-Christine, à qui Christian parle souvent de Paris, et lui confie combien cette ville lui manque), il écrit. L'aventure probablement la plus sérieuse de sa vie. Une des plus tragiques, aussi. Il avait écrit *Sang fluide*, qui raconte son voyage australien. Ce manuscrit ne trouvant pas d'éditeur, Didier parcourut à pied, fin avril 1980, les quatre cent quatre-vingt-dix kilomètres qui séparent Strasbourg de Paris, une pancarte sur le dos comme une croix pour qu'un éditeur le remarque. Ce sera le début de sa carrière « médiatique » qui donnera naissance à un livre de deux cent cinquante pages, inédit faute d'éditeur là encore (et pour cause, ce texte vise essentiellement à les dénoncer !) : *Le Roman d'un trouble-fête.* Certains, d'ailleurs, le remarqueront, tel Philippe Bouvard qui l'invita, le 28 avril 1980, à son émission sur France 2, « Passez donc me voir ». Didier, on s'en doute, ne se fait pas prier pour répondre à cette invite. Certains journaux se font aussi l'écho de cette expédition. Arrivant sur les Champs-Élysées, des journalistes l'attendent, dont Christian Colombani du *Monde* qui l'interviewe. Il titre son papier : « Le routard du stylo » : « Cette marche de cinq cents kilomètres pour C. Didier fut le calvaire de l'ennui [...] Toute cette aventure périlleuse pour faire partager aux lecteurs "des vues qui en valent bien d'autres". A-t-il risqué sa vie par vanité d'auteur ? On peut y supposer d'autres raisons [...] Peu avant il avait imaginé de grimper au sommet de la colonne Vendôme avec un haut-parleur; mais il précisa : "Je n'ai jamais pu trouver la clé de la porte de bronze" [...] »

Didier envoie son manuscrit au *Matin de Paris*, et obtient une réponse (insérée en exergue à *La Ballade* qui allait venir) : « [...] C. Didier, originaire des Vosges, a sillonné l'Australie, les USA, le Mexique; il n'en était donc plus à un kilomètre près. C'est pour tenter de se faire connaître et de trouver un éditeur qu'il vient de faire à pied et en solitaire Strasbourg-Paris flanqué de sa pancarte publicitaire [...] L'histoire ne dit pas si un contrat l'attendait samedi à son arrivée sur les Champs-Élysées [...] » Même écho dans le journal *L'Équipe* : « Marche et rêve : ancien chauffeur de Rolls, il a troqué sa casquette et ses gants pour un flottant et une paire de trainings ; dans ce simple équipage, il effectue, muni d'une pancarte de pub, Strasbourg-Paris, à l'aide de ses seules jambes. C'est un auteur qui jusqu'ici n'a pas trouvé à être imprimé dans son expérience littéraire prise à travers le prisme du surréalisme [...] Son récit finira-t-il par se coaguler dans un livre authentique ? C. Didier l'espère [...] Le 26 avril prochain le verra descendre les Champs-Élysées, mais sans doute traversera-t-il la Seine pour se rapprocher un peu plus près des maisons d'édition [...] »

Puis c'est *La Ballade d'Early Bird*, « masse de prose » inspirée par *Les Chants de Maldoror*, qu'il fait imprimer à ses frais en avril 1985 chez Hautes-Vosges Impressions à Saint-Dié, à mille deux cents exemplaires. À ses frais, c'est-à-dire avec le pécule, quarante mille francs, qui lui vient de l'héritage de son père décédé, et que sa mère n'hésite pas à lui donner. Le titre vient de ce proverbe (qui ne s'est pas vérifié pour Didier) : « *The early bird catches the worm* » : l'avenir appartient à ceux qui se lèvent tôt. Le manuscrit est dédié à sa mère « si fastidieusement soucieuse de ma réputation au temps de mon excessive jeunesse ». À son père « qui m'a tant contredit et déprécié de son vivant; achevant son voyage terrestre, alors que j'écrivais le présent ouvrage, qu'il eût peut-être salué de son vivant, subodorant de ma part une certaine façon de relever un ancien défi ». Jusqu'à son chien, « Rex, mon chien, mon amour ». En mai, sa *Ballade* sous le bras, il se rend à l'agence locale de Saint-Dié de *La Liberté de l'Est* pour présenter son livre à un journaliste, François Jodin. Celui-ci témoignera plus tard, en 1993, au lendemain du crime : « Blouson de cuir, moustache et cheveux noirs, très dynamique, très disert. Je n'avais pour ainsi dire pas à lui poser de questions. Il y répondait par avance sans se donner la peine de les écouter. » Le même François Jodin le reverra deux ans plus tard, en octobre 1987, alors que Christian était interviewé par une station locale, Radio-Contact : « Il n'avait plus de moustache, avait un peu grisonné et était amaigri par son séjour en prison après sa tentative manquée d'assassinat de Klaus Barbie à Lyon. Cette épreuve semblait l'avoir mûri et il était conscient que les coups publicitaires médiatiques étaient une étape dépassée. “Il est maintenant temps pour moi, disait-il, d'être connu par mes œuvres.” »

Il publie ensuite ses poèmes, son seul livre paru autrement qu'à compte d'auteur, *Les Contes de l'eau qui dort*. Son ami Maxime Benoît-Jeannin, écrivain et scénariste, rédige pour l'occasion une belle préface «pour Christian Didier». Il y évoque «les parias des parias, les inconnus clandestins [...] Et puis, au plus enfoui des cercles de l'obscurité, on découvre les vrais fantômes. Christian Didier appartient à cet ultime cercle.» Le préfacier ne sait pas encore, en décembre 1990, comment Didier échappera au cercle, trois ans plus tard, mais par le bas, en s'engouffrant. Outre cette amicale préface, Didier a fait précéder le recueil de ses quarante et un poèmes d'un «Manifeste de mon objet poétique». Ce programme consiste en la recherche d'un lieu, «le pays merveilleux où l'on échappe au sordide; où seuls se retrouvent ceux qui ruent de l'intérieur pour mieux se désengluer de leur être, ces avides d'absolu, quêteurs de Graal [...] LA PLANÈTE DE LA TRANSPARENCE!»

«À Saint-Dié, on se dit pas : "T'as lu *Early Bird*?" On dit : "À quelle page tu t'es arrêté?"» dit Nelly, la serveuse du restaurant de la Forêt. «Moi, son livre, il me l'a dédicacé, j'ai pas pu le lire, l'histoire démarre jamais. Je lui ai dit : "Ton bouquin, c'est de la merde. Tu ferais mieux d'écrire ta vie, couillon."» Claude Kaneb, le patron : «Excusez, mais on n'est pas des intellectuels. Didier, il cherchait la complication.»

Nelly, dans sa verdeur de langage, dit pourtant là quelque chose d'incontestable. Ce qu'on pourra lire de Didier dans *La Liberté de l'Est* au début de 1988, relatant sa tentative de meurtre sur Klaus Barbie, constituera un récit enlevé, picaresque, passionnant, et la rédaction du journal régional ne s'y est pas trompée. C'est que les contraintes journalistiques l'ont nécessairement amené à élaguer sa narration du « jargon métaphysique » que lui reprochait à juste titre Simone de Beauvoir. En fait, dans sa cellule de Montluc, Didier rédigea un manuscrit de deux cent cinquante pages, dont *La Liberté de l'Est* ne retint que les « bonnes feuilles », peut-être elles-mêmes « toilettées »...

« Cher Monsieur, lui répond avec franchise l'auteur du *Deuxième Sexe* recevant le manuscrit d'*Early Bird*, j'ai le regret de vous dire que je n'aime pas du tout votre livre. Il est écrit d'un bout à l'autre dans un jargon métaphysique. Rien de vivant, rien de sensible... » Catherine Deneuve, dont il avait été le chauffeur, de même, lui répond : « J'ai pris connaissance de votre manuscrit, je regrette de vous faire savoir qu'il me sera malheureusement impossible d'intervenir, car mon appui ne vous serait d'aucune utilité [...] Croyez que je regrette sincèrement et espère que vous trouverez l'éditeur que vous méritez [...] » Les éditions Grasset : « Nous avons pris connaissance de votre curieux manuscrit, où l'on entend parfois un écho des *Chants de Maldoror*. Malheureusement, il ne correspond pas à nos recherches dans l'ordre de la fiction... » L'animateur de télévision Philippe Bouvard qui l'avait reçu sur son plateau en 1980 : « Cher monsieur, j'ai été ravi d'avoir de vos bonnes nouvelles et d'apprendre que vous vous apprêtez à une récidive littéraire. Hélas, je me suis fait une règle d'or de ne jamais intervenir auprès d'éditeurs. J'ai déjà – professionnellement – beaucoup de choses à leur demander [...]» Léonor Fini, peintre dont il fut aussi le chauffeur : «Monsieur Didier, j'ai reçu vos lettre et texte. Il faut risquer et envoyer, cela réussit "parfois" sans recommandation. Moi je connais les éditeurs de livres d'art qui sont souvent de parfaites canailles [...] Les écrivains eux-mêmes recommandent bien rarement d'autres écrivains; donc risquez. Bonne année, bon succès!» Le ministre de la Culture : «Monsieur, vous avez eu la gentillesse d'adresser à Monsieur le Ministre un exemplaire de votre manuscrit "La ballade d'Early Bird". Très sensible à votre envoi, Monsieur le Ministre vous remercie vivement et vous félicite pour le vif intérêt que vous prenez à la création littéraire [...] Chaque éditeur est seul maître de ses programmes de publications [...] Il revient donc à l'auteur de trouver par lui-même un éditeur [...] L'on sait ce qu'une telle entreprise a souvent de pénible et long. Nous souhaitons très sincèrement que vos projets littéraires aboutissent dans les meilleurs délais.» Maigre consolation, pour Didier, que ces lettres parfois sincères et amicales. Assez, en tout cas, pour qu'il les insère au seuil de son manuscrit suivant, *La Ballade*.

C'est en 1984-1985 que l'attirance de Didier vers la personne et les idées de Le Pen devient de plus en plus prégnante. Dans ce même temps, ainsi que me l'apprendra Maxime

Benoît-Jeannin, il lisait Claude Lévi-Strauss, et il voyait dans certaines analyses de l'anthropologue de troublantes convergences avec celles du leader du Front national. Ce n'était pas si mal vu. L'année précédente paraissait *Le Regard éloigné* où Lévi-Strauss semblait valoriser l'ethnocentrisme et la xénophobie, réalités anthropologiques universelles, « consubstantielles à notre espèce », qui avaient pour fonction légitime de préserver le groupe. Comme devait le montrer peu après son commentateur Pierre-André Taguieff dans *La Force du préjugé* (1987), « Lévi-Strauss ne fait ainsi que reformuler et redéfinir en termes non seulement acceptables mais positifs un type d'attitudes que la plupart des observateurs continuent de nommer "préjugé racial" », ajoutant : « Il est [...] difficile de ne pas relever que de telles positions et évaluations rencontrent, au point de se confondre avec elles, celles du national-populisme [le Front national] d'une part, celles de la nouvelle droite d'autre part. » Devant un Maxime un peu interloqué, Christian Didier l'autodidacte avait justifié intuitivement ses sympathies lepénistes par sa lecture de Lévi-Strauss... Il enverra d'ailleurs son livre imprimé au maître structuraliste, qui tout en avouant son embarras de lecteur, ajoute cependant : « Vous êtes incontestablement un écrivain. » On imagine la fierté non dissimulée de Didier, qui montre cette lettre à tout le monde...

Quelques années plus tard, cette sympathie lepéniste tombera comme une vieille peau. En juin 1992, il écrit à Jean-Marie Le Pen pour lui proposer le plus sérieusement du monde un duel au pistolet. S'il survit, il débarrasse la France d'une «crapule». S'il en meurt, ce sera enfin un suicide réussi, et pour la bonne cause. Mais ce n'est pas si simple. Lors de son procès, Didier avouera d'un même élan qu'il avait eu à un moment de la sympathie pour Le Pen. On lui cherchait trop de poux dans la tête, à cet homme-là. Seulement, il y avait chez lui, Didier, un grand amour des Juifs. Un jour, il a bien fallu choisir. Alors, il s'est éloigné de Le Pen, et sa sympathie est devenue de la haine, d'où sa provocation en duel. Il lui écrit : «[...] je ne sais pas tirer au pistolet, mais je compte sur ma bonne étoile et pourquoi pas l'étoile de David». Comme on le voit, dans un premier temps il ment, car il a pratiqué la chasse, et il connaît bien les armes à feu. Il sait donc tirer. Dans un second temps, il fantasme : il *est* juif !

Son ami préfacier des *Contes*, en décembre 1990, peut écrire avec une bonne dose d'humour de *La Ballade* qu'elle «était plutôt une coulée d'écriture dans une Amazonie de phrases, texte né vraisemblablement de la rencontre de Gongora et de Mlle de Scudéry, sur une table d'opération». Didier se fait faire quand même un cachet : «Christian Didier écrivain». Et adhère à l'Association des écrivains de l'Est que dirige Gilles Laporte, lequel viendra témoigner en sa faveur lors du procès. Il fréquente la bibliothèque municipale Victor-Hugo, rue Saint-Charles, non loin de chez lui, où il dévore tout ce qui concerne l'histoire contemporaine (il n'a pas manqué d'y faire le dépôt de ses propres livres). Il hante aussi les librairies, notamment la librairie Le Neuf, rue d'Alsace, un des « centres littéraires » de Saint-Dié. Il aimait bavarder des heures à propos de ses livres à lui, surtout *La Ballade*, et de ceux des autres aussi, surtout de Kerouac, se souvient le libraire. Et quand un client entrait, se souvient-il encore, Didier montait imperceptiblement la voix, pour qu'on l'entende...

## 3

## Ses « coups médiatiques »

Faire savoir qu'il est écrivain. Qu'il est l'auteur de *La Ballade d'Early Bird*. 1985 : « Ma vie n'avait été jusque-là qu'une série d'échecs, un désastre total. Je me raccrochais à ce livre comme à une dernière branche. Je n'avais pas vraiment envie de devenir célèbre, mais envie d'être lu et, pour être lu, il faut être célèbre. » Il sera, selon ses propres termes, le « flibustier des ondes ».

Ses coups médiatiques sont particulièrement abondants entre 1985, impression de *La Ballade*, et 1987, sa tentative sur Barbie. Il s'enchaîne, à Paris, à un feu rouge, devant la terrasse du Fouquet's sur les Champs-Élysées, à l'angle de l'avenue George-V, le 17 mai 1985. Une photo de l'AFP a fixé l'événement. On le voit cheveux en brosse, moustache à la Brassens, en T-shirt blanc sous un imperméable, l'air goguenard, une grosse chaîne au cou, arborant une immense pancarte où on lit en lettres blanches capitales sur fond noir :

«CHRISTIAN DIDIER CHERCHE ÉDITEUR POUR SON LIVRE LA BALLADE D'EARLY BIRD».

Mais la télévision, pour se faire connaître, c'est plus efficace. En juin 1985, c'est la dernière de l'émission de Michel Drucker, «Champs-Élysées». Le rideau s'ouvre. Drucker entre en scène en habit de gala, un œillet rouge à la boutonnière, d'une grande élégance. Son visage se tourne aussitôt vers les coulisses : il a dû voir quelque chose. Ou plutôt quelqu'un. Apparaît Christian Didier qui déploie autant qu'il peut sa banderole où l'on devine *La Ballade d'Early Bird*. Drucker et Didier se serrent la main.

«Merci beaucoup, dit Michel Drucker. Très bien... (il prend le livre que Didier lui tend)... La dernière de "Champs-Élysées" commence par un happening... Vous voulez que je fasse de la pub pour votre livre, *La Ballade d'Early Bird*... Eh bien! voilà, c'était Christian Didier, inconnu au bataillon, et qui le restera. C'était Christian Didier. Merci, au revoir.» Didier sort en faisant, face au public et aux caméras, le V de la victoire.

1er mars 1986, c'est la «Nuit des Césars» présentée par le même Michel Drucker du palais des Congrès et retransmise par Antenne 2. Alors que Sandrine Bonnaire vient juste de recevoir sa récompense, Didier arrive sur scène en blouson, un appareil photo en sautoir, avec son livre et un micro. Il enchaîne directement en même temps qu'il surgit : «... sans oublier *La Ballade d'Early Bird* de Christian Didier car pour être lu il faut être connu… Longue vie aux Césars, longue vie à *La Ballade d'Early Bird*. Bonsoir et merci. » Seul à nouveau sur scène, Drucker lâche : « Ah, il a fait fort, lui ! » Jack Lang, au premier rang, est le seul à se lever pour lui faire une *standing ovation*.

Le 26 mars 1986, il perturbe le match de foot France-Argentine au Parc des Princes, match retransmis en direct par TF1. Cinq minutes après le début de la partie, soit à 20 h 35, il traverse le terrain en brandissant sa banderole : « Achetez mon livre ». Le 21 mai, il est cette fois invité sur Canal + par Michel Denisot dans son émission « Mon Zénith à moi », avec Pierre Perret et Pierre Desproges. Il se présente sur le plateau avec une banderole : « Lisez la Ballade d'Early Bird de Christian Didier ». En somme, il ne fait pas vraiment la distinction entre être invité de plein droit et s'immiscer par la force ou la ruse. Dans son esprit, acquérir de la visibilité ne saurait s'obtenir qu'à la faveur d'un passage en force. Être ne se mendie pas, cela s'arrache de haute lutte.

Le 30 mai 1986, à 20 h 37, après le journal de Bruno Masure sur TF1 commence, en direct, « Le Jeu de la vérité » de Patrick Sabatier consacré ce jour-là à l'actrice Alice Sapritch. L'animateur et son invitée arrivent sur le plateau : un fauteuil pour Sabatier, le canapé pour Mme Sapritch. Ils prennent place devant le public assis à des tables de bistro. Elle porte une robe en lamé aux reflets roses qui à première vue ressemble à un grand sac en plastique. On apprendra plus tard que c'est signé Paco Rabanne. Lui est en costume blanc à grands carreaux. « Alice au pays de la vérité ! » lance Sabatier. Alice prête serment. Elle jure de dire la vérité, « sa vérité ». « Je sors de prison, dit-elle. Je veux dire du rôle de Marie Besnard. Ce soir, je veux me détendre avec mon public. » Les auditeurs sont invités à poser des questions à l'actrice... Et puis soudain, Christian Didier surgit. Il porte un affreux sweat-shirt de sport bleu et un jean. « Je vous ai entendu parler de frasques et d'originaux. Je suis un outsider dans mon genre... » Patrick Sabatier se lève aussitôt.

« Monsieur, asseyez-vous. On va vous donner un micro pour que toute la France vous entende. Comment vous appelez-vous ?... Puisque vous venez et que tout cela n'est pas bien prévu...

– Messieurs dames, d'abord bonsoir. Bonsoir madame Sapritch. Bonsoir monsieur Sabatier.

– Quel est votre nom ?

– Je m'appelle Christian Didier. C'est moi qui ai fait le coup des Césars la nuit des Césars. J'ai écrit un livre qui s'appelle *La Ballade d'Early Bird* et j'ai entendu madame (il se tourne vers l'actrice) – ça m'a fait sortir de mes gonds – qui parlait de marginaux et d'originalité, alors j'ai pensé que je pouvais emboîter le pas à cette situation.

– Absolument, dit Alice Sapritch qui ne se démonte pas, tournée vers lui sur le canapé.

– Alors, dit Sabatier qui paraît lui aussi trouver la situation normale, qu'est-ce que vous voulez nous vendre ?

– Je ne veux pas vous vendre, je veux d'abord vous offrir mon livre (il en tend un exemplaire à Mme Sapritch qui lit le titre à haute voix en prononçant Early Bird comme Hairly Beard; elle dit : « Ah bon, très bien »...) ainsi qu'à vous, monsieur Sabatier (il cherche maladroitement un second exemplaire dans sa sacoche marron)... C'est-à-dire que j'ai essayé de sortir de l'anonymat...

– Bien sûr, dit Sabatier (sur le ton : il ne faut pas contrarier les fous).

– ... en faisant vingt-deux coups médiatiques... parce que j'ai eu des problèmes... en auto-éditant mon livre...

– Vous avez de la chance, dit Sabatier. Parce que, paraît-il, quand TF1 sera privée, ça ne sera pas comme ça... Attendez, monsieur... (il montre le livre à la caméra). Ça s'appelle Christian Didier, *La Ballade d'Early Bird*. C'est en blanc. C'est votre livre. Vous l'avez écrit. Vous voulez que l'on vous connaisse. Je crois que c'est une chose qui est relativement faite puisque vous êtes apparu pendant les Césars...

– Oui, dit Christian Didier, et à l'Élysée aussi, pendant les délibérations des...

– Ah bon ? fait Sabatier (il fait semblant d'être intéressé; il n'a guère le choix : c'est en direct). À l'Élysée aussi ? Et comment ça se passe à l'Élysée ?

– Eh bien, ça s'est passé... très bien. Parce qu'au départ, je m'attendais à une échauffourée qui se terminerait par des coups...
– Mais on vous a bien reçu...
– On m'a bien... réceptionné... à la fin... Mais puisque l'occasion se présente, je voudrais poser une question charnière (il se tourne vers Alice Sapritch) qui sont deux questions à la fois...
– Allez-y, dit Mme Sapritch. Absolument.
– Je voudrais savoir. Avant que vous deveniez la star que vous êtes – parce que c'est de circonstance [nul ne doit comprendre à quelles circonstances Didier fait ici allusion. Les circonstances, c'est que lui, Didier, voudrait aussi être une star] –, quelles sont les difficultés majeures que vous avez rencontrées et par quels moyens avez-vous réussi à les surmonter ? Ensuite vous me répondrez à la seconde, si c'est possible... Ensuite donc, quel est le personnage, écrivain, artiste, littéraire, producteur, danseur, peu importe..., qui vous a le plus marquée dans votre existence, et pourquoi ? »

Didier, on le voit, a pris la place de Sabatier. Alice Sapritch joue le jeu, le sien ; que ce soit Sabatier ou Didier qui l'interviewe, au fond, quelle importance ? Ce qui importe, c'est que les Français la regardent. Didier joue le jeu de Sabatier, pose des questions pertinentes, des questions sincères, qui l'intéressent, lui, de très près, des questions qui touchent à la gloire ; l'animateur en titre, à ce moment, disparaît, inutile. On le voit sourire jaune... Alice Sapritch répond très sérieusement. Elle admire Dali, Aragon, Malraux... Ce sont les gens mêmes que Didier admire... Mais ça y est, on prend un téléspectateur au téléphone. Ce sera en fait l'ami Thierry Le Luron, qui demande à sa vieille complice si elle fréquente toujours cette boîte lesbienne...

Le 4 juin suivant, vers 15 h 15, il pénètre dans les tribunes de l'Assemblée nationale muni d'un carton d'invitation au nom de Christian Pierret, alors député PS des Vosges. Il commence d'y lire un texte qu'il a préparé, mais on l'expulse aussitôt. Le même mois, il perturbe un match de tennis à Roland-Garros (match McEnroe-Sundström), et, en juillet, l'arrivée du Tour de France où, franchissant trois barrages de police, une banderole enroulée sous le bras, il se précipite sur la tribune officielle où avait pris place Jacques Chirac, toujours avec sa banderole : «Lisez la Ballade d'Early Bird». Il a manqué de peu de se faire abattre par le service d'ordre. Il arrache le micro de Georges Marchais à la Fête de l'Huma en septembre. Il a à peine le temps de dire quelques mots qui ne resteront pas dans les mémoires avant d'être maîtrisé. Même opération lors d'un gala nocturne de SOS-Racisme. Il s'empare du micro. Les gorilles se précipitent, le lui arrachent, l'entraînent dans les coulisses et le passent quasiment à tabac. D'ailleurs, ce sera systématique, chaque fois qu'il déjouera la vigilance des vigiles, il se fera «matraquer à la sortie». Mais ça vaut la peine. Cette gloire, quand il rentre au pays...

Le 8 octobre 1986, TF1 propose à 21 h 30 une émission de Guy Lux, « Un soir aux courses », en direct de l'hippodrome de Vincennes. C'est une émission de variétés au cours de laquelle on va assister à l'arrivée de la « cinquième ». En plateau, Alice Sapritch, encore elle, et le comique Popeck. Mais il y aura une émission dans l'émission, puisque la chaîne a été avertie que Didier y ferait un passage en force. Un reporter est chargé de le suivre dans sa tentative. On le voit en blouson de cuir marron sur un T-shirt blanc, un gros appareil photo sur la poitrine, le même qu'il arborait lors du piratage de la Nuit des Césars de Michel Drucker, quelques mois plus tôt. Le journaliste lui demande à voix basse comment il compte s'y prendre pour passer à l'antenne. « J'ai deux solutions, dit-il. Le coup de la sécu qui a déjà marché. Ou alors, j'ai remarqué une entrée par le parking latéral droit. Mais il y a un vigile. Je vais essayer ces deux coups-là. – À combien estimez-vous vos chances d'y arriver ? – J'ai entre vingt-cinq et trente pour cent de chances de réussir. » On entend Guy Lux, debout, micro en main, lancer son émission : « Nous allons tout de suite rejoindre, en tête du box-office... » Intervention de Christian Didier, au côté du présentateur : « ... Nous allons rejoindre Christian Didier (Guy Lux lui tend spontanément le micro), l'auteur de *La Ballade d'Early Bird*, qui vous dit ce soir que dans quatre millions d'années... » Guy Lux a compris la situation, il reprend son micro. « Attendez, Christian Didier. Vous courez dans la quatrième et pas dans la cinquième pour l'instant... » On l'expulse du plateau.

Le 15 octobre 1986, il est interpellé dans le métro par des agents de la RATP : il « tague » un mur où il signale une émission télévisée sur la situation politique aux Philippines. La RATP dépose plainte pour dégradation...

Il participe, comme invité cette fois, à l'émission « Le Magazine » sur Antenne 2, le 16 octobre 1986, où Philippe Guérin lui consacre une séquence, « Prêt à tout ». C'est une émission diffusée en deuxième partie de soirée, constituée de reportages sur des faits de société. « Prêt à tout » fait suite à un sujet sur le Carmel aujourd'hui. Le présentateur lance la séquence : « S'il y en a qui ont fait vœu de silence et d'humilité, ce n'est pas le cas de Christian Didier qui tente, lui, au contraire, l'impossible pour être connu. Il profite de toutes les émissions de télé diffusées en direct pour surgir là où on ne l'attend pas et faire de la pub gratuite pour un livre qu'il a écrit. Non, il n'est pas là. On l'a feinté. Il croit que c'est en direct... Pour la première fois, il a l'occasion d'intervenir dans le cadre normal d'une émission. » Le reportage commence par un extrait d'« Un soir aux courses » de Guy Lux. Puis interview de Didier par Philippe Guérin : « J'en avais marre, dit-il, des petits coups. Il me fallait autre chose, qui ait un impact sur le grand public, qui attire l'attention des médias, des éditeurs. J'ai pensé à "Champs-Élysées" de Drucker. Tout le monde parlait de ça. C'était sa dernière à lui, ça serait ma première à moi. » Interview de Michel Drucker : « Je pense qu'un jour on entendra parler de lui. [Il ne se trompait pas !] Il fait partie de ces personnages qu'on met à la porte et qui rentrent par la fenêtre. [Il revient sur la Nuit des Césars.] Ça fait un peu froid dans le dos. Parce que la Nuit des Césars, Christian Didier serait arrivé avec un couteau à cran d'arrêt, avec une grenade dégoupillée, avec un bâton de dynamite, c'était pareil. Il lançait ça dans la salle, et il faisait sauter tout Paris... » Retour sur le présentateur : « Nous avons décidé de l'aider. Nous avons cherché avec lui un éditeur digne de son entêtement... » La caméra suit Didier qui gravit des marches, pousse une porte. Nous voici dans le bureau de l'éditeur grand public Michel Lafon, le moins à même d'être séduit par *La Ballade*. Comme si c'était fait exprès. Et *c'est* fait exprès. Didier est assis devant lui, lui lit un extrait de son livre. L'éditeur sourit, rit jaune, ricane franchement. En fait, il semble très gêné. Didier relève la tête : « Je peux vous en lire encore, si vous voulez... – Non, non, ça va, dit Michel Lafon. « Qu'est-ce que vous en pensez, Michel Lafon ? demande le journaliste. – Je pense que... Je comprends que vous ayez eu des difficultés à placer ce livre. C'est un peu compliqué. Vous ne donnez pas dans la simplicité... C'est plutôt une musique que des paroles...

– Oui, dit Christian Didier, mon but a toujours été de simplifier la complexité plutôt que de complexifier la simplicité… » Extrait du « Jeu de la vérité » de Patrick Sabatier. Puis on fait se rencontrer Didier et Jean-Edern Hallier, célèbre écrivain provocateur de ce temps-là. Livre en main, devant Didier, il se livre à une critique impitoyable de son style. Il relève les fautes de français, les pléonasmes, comme un instituteur. « Vous vous livrez à une sorte de pudding de langue qu'il faut absolument décaper », dit-il devant un Christian Didier profil bas, penaud, humilié.

Christian revient à Saint-Dié. On le voit faire des pompes devant la caisse d'épargne, le matin, puis reprendre son jogging. Nul doute, il devient un personnage. N'empêche, sa dernière expérience médiatique l'a échaudé. Il commence à comprendre deux ou trois choses sur les médias. Ainsi, il croyait qu'on pouvait impunément manipuler la télévision, il sait à présent qu'au jeu de la manipulation, c'est elle qui est gagnante. Sur ce terrain qui est le sien en propre, elle est imbattable.

# 4

# Tuer Barbie : une répétition générale

C'est en 1987 que Didier trouve enfin un contenu à sa révolte. Ou, selon le point de vue, un moyen de satisfaire son incommensurable narcissisme. Au début de janvier, Christian et sa mère regardent un soir le journal de 20 heures. On annonçait l'ouverture prochaine du procès de Klaus Barbie à Lyon (il avait été inculpé en 1983). Ce communiqué était illustré par le témoignage d'une vieille dame de quatre-vingt-six ans, Lise Lesèvre, ancien agent de liaison dans la Résistance, sur les tortures qu'elle avait subies pendant l'Occupation des mains mêmes du chef de la Gestapo lyonnaise. Didier l'écrira plus tard dans son mémoire publié par *La Liberté de l'Est* le 8 janvier 1988 : « À ce moment précis, un déclic se produisit dans ma cervelle, m'intimant à moi-même l'ordre d'aller nous débarrasser de Barbie, ce monstre… » Depuis ce jour du début de janvier 1987, et pendant quatre mois, Didier est obnubilé par cette obsession dont il lui faut se délivrer en passant à l'acte.

Mais il hésite, pèse le pour et le contre. Dilemme à la Hamlet, être ou ne pas être… En agissant, il risque une lourde peine de prison, voire d'être liquidé par des néonazis (pense-t-il). En s'abstenant, de se reprocher longtemps sa supposée lâcheté. « Mes nuits étaient perturbées de cauchemars et mes éveils rendaient encore plus insupportable la réalité du jour naissant. Je sentais qu'à ce train d'enfer la schizophrénie, qui avait par le passé atteint mon adolescence, ne tarderait pas à montrer sa patte griffue de monstre implacable. » (Notons, c'est important, qu'il nomme ici également « monstre » sa supposée schizophrénie et l'objet devenu obsession du Mal, incarné alors par Klaus Barbie. Nous le comprendrons plus tard et mieux : Didier doit tuer un Monstre objectif pour anéantir un « monstre » intérieur qui n'est autre que sa part de folie.) À sa mère, il confie pourtant son projet et son tourment, et celle-ci lui déconseille avec fermeté et sagesse de s'engager dans cette voie. Il erre alors dans les rues de Saint-Dié, dans la campagne avoisinante pour renouer avec son enfance, dans la Forêt pour méditer, écouter la Voix divine et recueillir les forces nécessaires du « grand Timonier cosmique »… Il songe à l'aviateur héroïque Guynemer et à sa devise : « Faire face ». Au Malraux de *La Condition humaine*, où l'action, bien qu'angoissante, transcende la souffrance et la mort… Mais cet imaginaire-là, c'était avant son geste (raté). Après, il reviendra à plus de lucidité : « Qu'on ne se méprenne pas, jamais une seconde je ne me suis pris pour un héros, j'en suis loin, tout au plus un cabochard, une tête de mule. J'aime voir mes rêves prendre corps. J'ai toujours admiré ces gens chez qui l'imagination déclenche l'action. »

Un soir, à la télé, il regarde un polar. Un gangster doit commettre un hold-up. Quelques heures avant l'action, ce personnage erre dans la ville et lit une inscription sur un mur : « Quoi que tu trouves et qui t'accapare, fais-le de toute ton âme. » Pour Didier, ces mots sont un signe.

Un matin précédant son départ pour Paris, il bêche le jardin sous le regard de sa mère. Un beau papillon aux grandes ailes marron ocellées de jaune se pose sur son bras, et s'attarde. Marie-Thérèse lui révèle alors que dans la famille, les papillons, mais spécialement les nocturnes, étaient de mauvais augure. Mais comme celui-ci est diurne, ça doit vouloir dire l'inverse : ses entreprises seront couronnées de succès...

Depuis 1983 et son retour à Saint-Dié, dans ce cul-de-sac tant géographique qu'existentiel, c'est un peu la déprime. Lui remontent des souvenirs d'enfance pas franchement gais. Et puis, lui l'homme d'action, le voici oisif. Liquider Barbie, il n'arrive pas à s'y résoudre. C'est l'atmosphère émolliente de sa ville qui veut ça, sans doute. Et la proximité rassurante et protectrice de sa mère. Il n'a qu'un seul rêve : prendre le large pour y voir clair.

Au début de mai, c'est décidé, il part. Depuis quelques mois, il voyait régulièrement son médecin traitant, le Dr Odile. Il avait une séance le 15 mai. Il ne s'y rendra pas.

La veille du départ, son ami Jean-Pierre Lainte l'invite à aller visiter avec lui un château en ruine qui jouxte l'Alsace et la Lorraine, le château du Haut-Salm. C'est là, en descellant une pierre branlante, qu'ils tombent, émerveillés, sur une grosse clé en bronze à laquelle visiblement personne n'avait touché depuis des siècles. Didier n'en doute pas, c'est la clé qui ouvre la porte de bronze de la colonne Vendôme. Un « hasard objectif » surréaliste. « L'instant qui suivit fut un réel moment de liesse, tel que j'en ai peu connu au long de ma tumultueuse et vagabonde existence. » Didier fait aussitôt le rapprochement avec son échec, quelque sept printemps plus tôt, en 1980, à pénétrer dans la colonne Vendôme pour, accédant à son faîte et muni d'un haut-parleur, y faire l'annonce *urbi et orbi* de sa qualité d'écrivain. Cette clé de bronze, trouvée inopinément, encore un Signe du Ciel.

Un sac et un duvet pour viatique, Didier saute dans sa vieille Simca. Là, à la sortie de Nancy, une aventure. Une vraie. Ou un fantasme, comment savoir ? Une jeune femme fait de l'auto-stop. Il la prend en charge. C'est une prof d'anglais qui monte à Paris. Ils roulent une centaine de kilomètres sur la N4, puis elle lui demande de s'arrêter à la prochaine aire pour pique-niquer. Là, elle raconte qu'elle vient de descendre précipitamment d'un camion parce que le routier lui faisait des avances trop pressantes. Et ajoute que s'il s'était agi de lui, Christian, elle n'aurait pas réagi ainsi, en se dérobant. Il croit comprendre ce qu'elle lui dit. Il comprend juste. Ils font l'amour dans la Simca, tout ruisselants de sueur. Mais la jeune prof est pressée : elle doit se trouver à Paris dans le XIIe avant 16 h 30. « Puis grosses bises, effusions de la séparation, promesses de se revoir et tout, puis bonsoir ! »

Où aller ? À Levallois-Perret, 12 rue Voltaire, chez TAI Limousine, lieu de son ancien job de chauffeur de grande remise. Didier est resté en bons termes avec les patrons et les chauffeurs de l'établissement. Là, on lui accorde de garer la Simca, et d'y passer la nuit, emmitouflé dans son sac de couchage. C'est moins cher que l'hôtel, surtout quand on n'a pas un sou. Il y a là les toilettes, un lavabo, le téléphone. Pour quelque temps, Didier devient gardien de nuit. Le jour, il retourne volontiers rue Greffulhe, au Soleil levant, chez les « tauliers » corses Dominique et Pauline qui, généreux, l'invitent souvent le soir à dîner. Il a en outre plaisir à revoir « son » chien Rex, le berger allemand des patrons avec lequel il faisait de longues promenades dans l'île de la Grande-Jatte.

Dès qu'il a mis les pieds un après-midi au Soleil levant, Rex est venu lui faire la fête, et ils sont sortis tous les deux dans Neuilly comme deux vieux copains. En ce printemps 1987, pour Didier, à nouveau Paris est une fête. Tous les jours, il quitte tôt le matin le garage de TAI Limousine de la rue Voltaire à Levallois pour errer dans Paris : les Tuileries, le musée d'Orsay, l'Opéra et les Champs-Élysées, les grands boulevards, les Buttes-Chaumont, le cimetière du Père-Lachaise où il se recueille sur les tombes du mage Allan Kardec et de Colette. Il se recueille aussi devant le 7, rue du Faubourg-Montmartre, la dernière demeure, dit-on, de Lautréamont, « mon maître à penser depuis toujours ». Cette visite aux morts, à « ses » morts, comme son ami Maxime Benoît-Jeannin me le suggère, relève ici d'un véritable rituel de conjuration destiné à sacraliser le geste qu'il s'apprête à commettre : un meurtre dont la portée est, en dernier ressort, d'essence religieuse, sacrificielle. Mais quel est au juste l'objet du sacrifice : Barbie ou lui-même ? Et à quel dieu dédie-t-il ce geste ? Les psychiatres eux-mêmes n'y entendront pas grand-chose...

Au terme de ces périples, il aboutit invariablement au jardin du Luxembourg. « Inlassablement, ces dix jours durant, j'ai flâné avec la nostalgie pénétrante chère aux sites du passé qui jamais ne se détacheront de la part émotionnelle de mon être, allant et venant sans trêve. J'étais infatigable à tenter par ces randonnées de donner le change au stress aigu qui me rongeait les tripes, sachant que chaque jour qui s'écoulait me rapprochait inéluctablement du projet fou que je m'étais fixé dès mon retour sur Lyon, cette ville maudite de mon ultime épreuve. » N'est-ce pas beau comme du Lautréamont ?

Il s'est accordé au total une dizaine de jours de vacances parisiennes, du 9 au 18 mai. Le temps de se décider. « Croyez-vous, écrira-t-il dans son mémoire de *La Liberté de l'Est*, que David avant d'affronter Goliath ne se soit pas un rien gratté la tête ? »

La veille du jour dit, dans la Simca, Didier a réglé son réveil à 4 heures pour éviter les embouteillages le lendemain matin et se retrouver très vite sur la N4. Au programme : Nancy, Saint-Dié (trois cent quatre-vingt-quatorze kilomètres). Et Lyon. Le 18 mai, il quitte Levallois sous la pluie, roulant au pas, son esprit torturé tout au geste qui l'attend. Il arrive à 10 h 30 à Saint-Dié sous un soleil radieux. C'est un signe positif.

« Et cette chère maman qui croyait que j'étais parti pour chasser mon obsession, moi qui revenais cette fois plus que jamais déterminé à la réaliser et cela dans les vingt-quatre heures qui suivaient ! Il me fallut bien le lui avouer sinon le choc eût été trop grand qu'elle vînt à l'apprendre par la police. Je lui ai dit : “Maman, tu sais, je vais partir ce soir à Lyon (elle comprit aussitôt) mais que veux-tu, je ne peux plus vivre avec ce conflit intérieur qui me ronge et me consume depuis trop longtemps et finirait par me conduire à la folie si je n'agissais pas pendant qu'il est encore temps. Il faut comprendre et me pardonner, alors sois courageuse, je bénéficierai de circonstances atténuantes et peut-être même de l'aide de mouvements de solidarité de la part de tas de gens. Que veux-tu, ne m'en tiens pas rigueur !" Elle me répondit : "De toute façon, au point où tu en es... Je le sais, tu ne peux plus reculer, il en va de ta santé !" Ne dirait-on pas quelque extrait d'un roman picaresque anglais ou français des XVII^e^ ou XVIII^e^ siècles ? À ceci près que c'est un roman vrai. Qui connaîtra d'ailleurs un *happy end* : Didier manquera son coup. Il est vrai qu'il y avait peu de vraisemblance qu'il y parvînt. Par voie de conséquence, Barbie put être jugé, et condamné à la réclusion à perpétuité. Ce qui ne sera pas le cas pour René Bousquet.

Dans ces propos à sa mère, la veille de son geste sur Barbie, je relève deux éléments qui montrent à quel point, avec une remarquable lucidité, Didier anticipe sur l'issue vraisemblable de son procès à venir, celui qui le condamnera pour l'assassinat projeté de Barbie : les circonstances atténuantes et des mouvements de solidarité. Cela atteste d'abord que, contrairement à ses allégations ultérieures, il entendait vraiment tuer Barbie. D'autre part, c'est précisément ce qui va se passer pour l'autre procès, le réel cette fois, le décisif pour Didier, après le meurtre de Bousquet : circonstances atténuantes et divers mouvements de solidarité. Pourquoi, dans les deux cas, le projet avorté et celui mené à terme, s'attend-il à des « circonstances atténuantes » ? Pour deux raisons. La première est liée aux personnalités de

Barbie et/ou de Bousquet, « monstres » indéfendables, judiciairement et moralement. La seconde, je ne fais que la supposer : les antécédents psychiatriques de Didier qu'on allait certainement ressortir, sa notoire fragilité psychologique. Son procès aurait bien lieu parce que Christian Didier *n'est pas tout à fait fou* mais sa portée criminelle serait adoucie parce qu'*il l'est tout de même un peu*. On le dira : il est *borderline*, catégorie commode, pour les psys, et surtout pour Didier lui-même. Parce que, le *borderline* se définissant justement comme théâtralement manipulateur, Didier peut et pourra jouer de ce syndrome en trompe-l'œil, pour précisément tromper tout le monde. Didier prévoit tout cela. C'est un être à la fois intelligent et calculateur.

De sa tentative sur Barbie, Didier se tira bien : il joua la carte de la mauvaise plaisanterie, farce « surréaliste », farce de mauvais goût mais vénielle, prétendant n'avoir voulu que tirer dans les jambes de Barbie avec ce mot : « T'as le bonjour de Jean Moulin. » Le passager et inoffensif grain de folie d'un original, en somme, teinté de narcissisme exacerbé et d'une bonne dose d'humour. Rien de bien méchant. Avec l'assassinat de Bousquet, six ans plus tard, il jouera en fait, et encore plus intelligemment, sur deux tableaux : la folie légère (pour les circonstances atténuantes) et l'acte justicier (pour emporter l'adhésion morale et politique). Il voudra le beurre et l'argent du beurre. Mais cela ne convaincra guère. On ne peut jouer sur deux tableaux aussi contrastés, enfourcher deux logiques aussi exclusives l'une de l'autre. Résultat, il sera reconnu comme une brebis galeuse, confirmé dans son identité de « mouton à cinq pattes ». Non comme un fou, c'est déjà ça, mais bien comme un meurtrier dont les raisons morales ne convainquent pas. D'où, alors, son effondrement.

L'après-midi du 18 mai, il passe à la gare acheter un billet Saint-Dié-Lyon. Il rentre chez lui pour préparer son matériel. Dans sa sacoche de cuir noir (celle-là même qu'il utilisera pour Bousquet), il insère un papier à en-tête de l'hôpital Necker à Paris, service d'urologie. On peut lire : « Je soussigné, Professeur Couvelaire du centre urologique de l'hôpital Necker, certifie que le praticien urologue Christian Didier est habilité ce jour à examiner M. Klaus Barbie en visite postopératoire urovésicale. » À cette attestation usurpée sur un papier à en-tête qu'il avait subtilisé à l'hôpital Necker, il y a bien longtemps, en 1972, Didier en ajoute une autre, un laissez-passer de la préfecture de police délivré par le Conseil de Paris. Un faux, là aussi, trituré sur un vrai, qu'il avait obtenu du temps où, au milieu des années soixante-dix, il avait été l'occasionnel chauffeur du Premier ministre d'Australie en visite à Paris. *Last but not least*, le revolver Remington à canon scié. Son origine remonte aussi au début des années soixante-dix, quand il travaillait pour TAI

Limousine. Il passait souvent ses nuits dans des rues désertes dans le véhicule à somnoler ou carrément dormir en attendant le retour de son client. Il lui fallait une arme. Comme il voulait la placer en permanence dans la boîte à gants et que ce Remington n'y entrait pas, il a demandé au grand-père de sa petite amie de l'époque d'en scier le canon. Ce grand-père, fraiseur-ajusteur à la retraite, bricolait dans son atelier d'Ivry, au sous-sol de son pavillon de banlieue...

Sa résolution est ferme. Il n'y a plus à reculer. C'était ça ou le suicide, comme il le dira plus tard.

En quittant Saint-Dié, il souhaite bon courage à sa mère qui lui retourne l'exhortation : « C'est à toi qu'il va en falloir, du courage ! » Voilà au moins une mère compréhensive.

Pour se rendre à Lyon par le train, il faut transiter par Nancy. Didier voyage de nuit. Il arrive à Lyon à minuit et demi. Pas question de passer la nuit dehors, malgré le manque d'argent. Il ne faudrait pas, avec ce qu'il a dans sa sacoche, que la police l'appréhende. De la gare de Lyon-Perrache, la prison Saint-Joseph où se trouve Barbie n'est qu'à quelques centaines de mètres, mais Didier l'ignore encore. Il avise un hôtel, Le Terminus. Il faut être en forme pour le lendemain matin.

Il a demandé qu'on le réveille à 8 h 15. Le lendemain matin 19 mai, ouvrant machinalement le journal, Didier tombe sur son horoscope. À la case Verseau, il lit : « L'angoisse qui en ce moment vous traverse ne demande qu'à vous quitter en exauçant votre vœu le plus cher, mais il vous faudra agir.»

À 8 h 45, il passe les portes de la prison Saint-Joseph, emboîtant les pas de trois femmes, cuisinières ou lingères, qui franchissent opportunément la porte en fer surmontée du drapeau tricolore. Il se présente au gardien comme le Dr Christian Didier, urologue à l'hôpital Necker. Il est vêtu d'un imperméable de type militaire, de couleur kaki (le même qu'il revêtira pour aller tuer Bousquet), porteur du laissez-passer et de l'attestation du Pr Couvelaire : «Je viens examiner mon patient, M. Barbie. Il m'attend pour une visite postopératoire. La direction ainsi que le service médical de l'établissement sont avertis de ma visite.»

Didier est bien informé : Barbie venait en effet de subir le 5 février précédent une opération de la prostate et il était régulièrement suivi sur le plan médical. «Suivez-moi», dit le gardien. Pour accéder à la zone non carcérale de la prison, il doit passer au détecteur de métal par un portique de sécurité. Sonnerie stridente. «C'est mon stéthoscope», dit-il. Le gardien insiste pour vérifier le contenu de sa sacoche. Didier, alors, en une seconde, choisit de «rendre les armes». «Écoutez, dit-il, autant que je vous annonce la couleur, je suis pas plus médecin que vous êtes pape. Je suis venu ici seulement pour tuer Barbie, en voici la preuve.» Il ouvre sa sacoche, en sort le

Remington 44 de calibre 8 mm, à six coups, à canon scié (ce qui la classe en quatrième catégorie), du même type archaïque que celui dont il se servira six ans plus tard pour tuer Bousquet, une arme qui évoque plutôt celles qu'on trouve sur les stands de tir des fêtes foraines. Il lui remet l'arme. Le gardien, un instant désemparé, reprend ses esprits et donne l'alarme. Ses collègues arrivent comme un essaim. On lui passe les menottes. L'émotion retombée, ils y vont de leurs commentaires : « C'est dingue… Ça, alors ! Vous, alors ! Mais qu'est-ce qui vous a pris ? Au fait, vous saviez dans quelle cellule se trouve Barbie ?

– Bien sûr, c'est là. (Il leur désigne la fenêtre.)

– Mais comment vous étiez au courant ?

– C'est simple, y avait un plan dans un journal avec une croix sur la fenêtre de Barbie.

– C'est stupéfiant ! »

Après une demi-heure dans cette ambiance bon enfant, arrive le SRPJ du commissaire Cato. Direction l'hôtel de police. Là, au quatrième étage, interrogatoire par l'inspecteur divisionnaire Sérini qui l'accueille en ces termes : « Écoutez, dans la situation où vous vous êtes mis, autant que vous sachiez qu'il est inutile de piquer une crise de nerfs ou de tenter de sauter par la fenêtre. Ça viendra encore compliquer les choses. On a tous intérêt à ce que ça se passe dans la sérénité. » La sérénité, l'inspecteur Sérini n'aime que ça. Il lui ôte les menottes, lui offre des cigarettes, lui parle de ses loisirs (la pêche dans les lacs de la région lyonnaise). Mais il va plus loin, il lui confie ses états d'âme de flic banalement déprimé : « Vous savez, monsieur Didier, comme vous me voyez, je donne l'impression comme ça d'un homme en pleine forme, mais n'en croyez rien. Moi, ce qui va pas fort, c'est le moral, et c'est souvent que ça me prend. » Compassion de Didier.

Quarante-huit heures de garde à vue, ponctuée d'interrogatoires méticuleux où Didier ne se fait pas prier pour raconter en long et en large ses motivations mystico-politiques, ainsi que la énième version du « déclic » qui l'incita à passer à l'acte. Cette fois, c'est la lecture de *Libé* qui, à quelques semaines de l'ouverture du procès Barbie, faisait un portrait du personnage...

Il passe là deux nuits en cellule où il est l'attraction générale. Après sa deuxième nuit, menottes dans le dos, il est déféré au tribunal de grande instance, place du Caire, deuxième étage, dans le bureau du doyen des juges d'instruction, le juge Hamy, où il rencontre son avocat Me François La Phuong. Celui-ci avait été recommandé à sa mère par un journaliste de *Détective* venu enquêter à Saint-Dié après la tentative contre Barbie. Il apprend alors que Me La Phuong était justement l'un des quarante-trois avocats des parties civiles pour le procès Barbie. Ça ne pouvait mieux tomber.

Lucidité de Didier, dont j'aime à souligner encore une fois l'intelligence : « [...] compte tenu, écrira-t-il dans son mémoire, que j'avais ma photo en évidence dans presque tous les quotidiens du pays, cela n'était pas pour déplaire à mon avocat qui avait certes vu dans mon affaire l'aubaine de faire reluire d'une once de plus sa "cote" professionnelle.»

Me La Phuong informe son client de la modification avantageuse et même miraculeuse du chef d'inculpation d'abord retenu : «Tentative d'homicide volontaire avec préméditation». Le libellé est maintenant devenu «Porteur d'une arme de sixième catégorie, réplique d'un revolver Remington; falsification d'ordonnance médicale, d'une carte d'identité nationale et d'un laissez-passer du conseil de Paris.» Autrement dit, il ne risque plus les assises, mais la seule correctionnelle.

À compter du 19 mai, jour de son arrestation, Didier entame une grève de la faim pour revendiquer pleinement son geste. Une façon de dire : je ne me reconnais coupable à aucun titre, j'ai voulu supprimer une ordure. Sa grève de la faim signe le geste prémédité d'un criminel politique, qui assume et va au bout d'une logique de vertu. Le juge Hamy lui demande la raison de sa grève de la faim. Voici la réponse de Didier, telle qu'il la transcrit quelques jours plus tard, dans sa cellule de la prison de Montluc : «Monsieur le juge, j'ai agi en mon âme et conscience, en parfait accord avec l'idée que je me fais de Dieu. Je ne me sens donc aucunement sous le coup moral de la moindre culpabilité. En conséquence, je ne reconnais pas à la justice le droit de m'incarcérer, je demande de ce fait la liberté provisoire et je ne regrette rien ! » Didier, notons-le, écrit ces mots durant son incarcération de l'été 1987. Ils sont censés restituer le discours qu'il a tenu au juge Hamy lors de son audition du 21 mai, et on n'a pas de raison d'en douter. Sa logique est ici politique. Huit ans plus tard, lors de son procès d'assises pour l'assassinat de Bousquet, sa logique sera autre. Il va craquer. C'est qu'on ne tue pas un homme, quel qu'il soit, impunément, c'est le cas de le dire. Son discours de vertu, seuls ses avocats le tiendront. Lui, ne sera pas à la hauteur. Il va lamentablement demander pardon, à sa mère, à Dieu, aux Juifs, et jusqu'à la famille de Bousquet. Piètre héros, alors, lamentable héros. La fanfaronnade ne sera plus de mise. Il sera piégé, il sera l'auteur de son propre piège. Histrionisme d'un comédien devenu acteur de son propre malheur.

Pour le moment, Didier metteur en scène, des coulisses, tire encore les ficelles des marionnettes qui s'agitent sur la scène, troupe dont il fait partie, dédoublé, et il a encore le sentiment d'une bonne blague. Après sa déclaration héroï-comique au juge Hamy, il se demande malgré tout s'il n'a pas poussé le bouchon un peu loin et « si ce cher juge n'allait pas reconsidérer son beau geste... ». C'est dire toute la distance qu'il est encore capable d'instaurer entre lui metteur en scène et lui comédien, distance propice au jeu. Jeu-piège dans lequel, pour le moment encore, chacun tombe. Didier seul se tient au bord du gouffre.

On le conduit à la prison de Montluc. Le juge Hamy, compatissant, a préféré Montluc à Saint-Joseph pour des raisons de sécurité qu'il expose à Didier. Là-bas, ce serait risqué pour lui. Il y a des frappes qui n'aiment guère les originaux et les prétentieux. Il y a aussi des néonazis qui verront mal son geste. Ce terme de « néonazis » va s'incruster dans l'imaginaire de Didier. Il le ressortira durant son procès d'assises de 1995, pour dire combien il supportait mal son incarcération à la Santé, qu'il y était menacé par des nervis, réels ou imaginaires, de l'extrême droite. Ce thème de la crainte, encore une fois justifiée ou non, de l'extrême droite, il sera habile en tout cas pour Didier de le ressortir. Car il donne de la cohérence politique à son geste, aujourd'hui et demain.

Le 21 mai 1987, un peu avant midi, le fourgon emmenant Didier s'arrête devant l'entrée principale du fort de Montluc, qu'on appelle ici la Ratière. Numéro d'écrou 4758. Cellule 18 au rez-de-chaussée. Une maigre lucarne à deux mètres cinquante du sol. Il retrouve aussitôt les gestes appris à l'armée : faire son lit au carré, son lit, ou plutôt sa paillasse. En fin d'après-midi, un gardien fait jouer la clé dans la serrure : réfectoire. Didier lui annonce sa grève de la faim. Le soir, un autre gardien lui apporte les médicaments prescrits par le psychiatre qui le suit à Saint-Dié, le Dr Jean-Pierre Odile : Lexomil et Valium.

À la prison de Montluc à Lyon, il est persuadé qu'il occupe la cellule même de Jean Moulin auquel il pense toujours, s'auto-héroïsant. Quand il entend un bruit de serrure, il pense à Jean Moulin. Il se dit que lui, le grand résistant, ne savait pas si c'était sa dernière minute que ce bruit annonçait… Didier, dans l'hypothétique cellule qu'occupa Jean Moulin, doit être un héros. Il ne peut déroger.

Au début de juin, après deux semaines de grève de la faim (il a perdu quatorze kilos et sa tension est tombée à huit), Didier apprend que sa mère, malade et âgée de soixante-dix ans, vient de passer sept heures en garde à vue au commissariat de police de Saint-Dié. La police a en outre perquisitionné rue Saint-Charles, s'emparant des carnets d'adresses, de la machine à écrire Brother, de manuscrits et de notes apparemment sans rapport avec l'affaire Barbie. Pour ajouter à son malheur, on le place en cellule d'isolement, puis on le transfère pieds et mains liés à l'hôpital Jules-Cournont de Pierre-Bénite.

Le 12 juin, Didier interrompt sa grève de la faim : le juge Hamy lui a promis qu'on allait lui rendre ses affaires. On le rapatrie à Montluc, et Didier attend vainement que la promesse du juge soit tenue. Il reprend alors sa grève, pour protester. Ses affaires, finalement, reviennent au greffe de la prison et Didier s'alimente de nouveau. Le 1er septembre, il cesse encore de s'alimenter, cette fois pour exiger la libération d'autres prisonniers, les otages français du

Liban, par ceux qu'il appelle « les fous furieux de Dieu ». Sans doute s'identifie-t-il alors à ces malheureux détenus de Beyrouth, injustement détenus. Comme lui... Il est toujours en prise directe sur l'actualité, sous perfusion télévisuelle continue... Et de lancer en ce sens des messages aux journaux, qui feront la sourde oreille. Il recommence à s'alimenter le 14 septembre. Il est de plus en plus sensible aux mauvais traitements dont sont victimes certains codétenus, et il en appelle à l'Inspection générale des prisons au ministère de la Justice. Un maton, notamment, D., exerce de véritables sévices sur un prisonnier, Noël P. « Ce surveillant, écrit Didier aux autorités, ne s'est pas trompé de lieu, il aura simplement confondu l'époque, car c'est en 1943 qu'il eût parfaitement rempli ses fonctions en tant que tortionnaire nazi sous l'égide de Barbie, dans cette même prison si tristement célèbre. » Cette lettre dénonciatrice trouvera cette fois un écho : l'administration ouvre une enquête.

Didier est jugé le 22 septembre 1987 par la sixième chambre correctionnelle du tribunal de grande instance de Lyon pour port d'arme et usage de faux. À l'audience, il est accueilli par des dizaines de flashes des photographes et les projecteurs des télévisions. Il n'a pas l'air de s'en plaindre, le contraire eût étonné : « C'est dingue, je ne me serais pas imaginé un tel déferlement médiatique, car il faut le dire, là, ils n'ont pas lésiné, ils y ont mis le paquet, ces fureteurs de l'info. C'est pas l'tout, à présent il va falloir assurer face au président et à toute cette smala. » Il déclare que tout est venu d'une réflexion de sa mère, alors qu'au début de janvier ils regardaient ensemble la télévision (en compagnie de Riri, le chat de Didier, qui le fera pleurer à chaudes larmes quand il viendra à mourir). Le journal de 20 heures annonçait les prémices du procès Barbie à Lyon. Pour illustrer les crimes de Barbie, on vit la résistante Lise Lesèvre, torturée treize fois en présence de Barbie puis déportée, parler des tortures que pratiquait le « boucher de Lyon ». Sa mère a alors lâché : « C'est quand même un monde que sur cinquante millions de Français, il n'y en aura pas un pour le descendre, cette ordure ! » Il déclare encore : « J'ai toujours navigué sur le plan mental en lisière des chemins battus. »

Une parenthèse sur Lise Lesèvre. Le 13 mars 1944, agent de liaison, elle attend dans une gare lyonnaise un contact de l'Armée secrète. Celui-ci est en retard. Mais elle attend, trop longtemps. Trois hommes surgissent : « Police allemande ! » Lise Lesèvre est transférée à l'École de santé militaire de Lyon. On a saisi sur elle un document adressé à un certain « Didier » – on a bien lu. Les Allemands ne doutent pas qu'il n'est autre que le chef de l'Armée secrète pour la région Sud. Sous la torture, les questions seront toujours les mêmes : Qui est Didier ? Où est Didier ? Lise Lesèvre ne parlera pas. Elle sera déportée à Ravensbrück.

Dans son mémoire rédigé à la prison de Montluc, « Barbie à bout portant !... ou presque », Didier restitue les propos de Lise Lesèvre. Le fait-il de mémoire ? Les avait-il notés textuellement ? Les invente-t-il selon leur vraisemblance ? On ne sait. À moins que, dernière hypothèse, ce ne soit Georges Péronne lui-même, rédacteur à *La Liberté de l'Est*, lui qui avait couvert le procès Barbie quelques mois plus tôt, en juillet 1987, qui ait inséré ces propos. « Le soir venu, témoigne aujourd'hui la vieille dame, les suppliciés étaient entreposés dans les sous-sols du fort de Montluc [là même, notons-le, où se trouve Didier retranscrivant ces mots], pour la plupart des cadavres ambulants, exsangues, jonchant les dalles. J'ai encore devant les yeux ce Barbie effectuant sa dernière ronde, les yeux luisants de cruauté et de haine inhumaine, la badine toujours prête à sévir. Chez cet "homme", le nom de "Juif" sifflait sur les lèvres comme sur la langue d'un serpent. Quelle n'était pas sa précipitation, lorsqu'il en reconnaissait un parmi les moribonds, pour de ses bottes lui écraser le visage à même le sol. Là, au fond de son regard, s'allumaient alors les lueurs d'un plaisir morbide et sadique qu'il ne dissimulait pas ! Je suis moi-même passée maintes fois entre les mains de Barbie, et lorsqu'au matin, sans forces, je n'étais plus en mesure de gravir les escaliers qui conduisaient à ses "bureaux" situés au deuxième étage de Montluc, les nervis de cette

créature immonde m'y conduisaient de force, quitte à me porter jusque-là ! Après plusieurs jours de ces "séances", n'ayant rien tiré de moi, Barbie s'adressa à son entourage en ces termes :
– "Débarrassez-moi de ça !" »

Lors de son jugement au tribunal correctionnel, le procureur, Mme Delaporte, lance à Didier : « Attention, votre besoin de publicité vous rend dangereux pour les autres ! » Elle voyait juste. À l'issue de son procès d'assises, en novembre 1995, le procureur rappellera pour l'accabler que Didier avait déclaré au médecin psychiatre qui le suivait depuis longtemps : « Si je tue ce type [Bousquet], ça me fera de la pub. »

Me François La Phuong rappelle que son client a été victime dans sa jeunesse d'un grave traumatisme crânien, et d'ajouter : « Il est avant tout sincère mais il a besoin d'être reconnu dans sa sincérité. Il n'a pas choisi sa cible gratuitement [...] Didier avait prédit que l'on parlerait de lui dans le monde entier. J'aimerais connaître un homme qui ne soit pas un peu narcissique. » Visiblement, Me La Phuong n'a pas encore pris alors toute la mesure de ce « narcissisme ». Il la prendra six ans plus tard, oui, mais il conservera toujours un souvenir positif de Didier. Le jour de l'assassinat de Bousquet, interrogé par un journaliste de TF1, il confiera de son ancien client : « C'était un homme très attachant qui avait beaucoup d'élan mystique, qui souffrait de ne pas être reconnu comme écrivain.»

En attendant, le verdict tombe : douze mois de prison dont huit avec sursis, peine assortie de trois ans de mise à l'épreuve judiciaire et obligation de soins (il séjournera un mois au centre psychiatrique Esquirol à Charenton). L'expert-psychiatre parle de «psychose narcissique», ajoutant : «Mais le discours n'est pas délirant puisque vous gardez le sens de l'humour.» Il n'est pas considéré comme ayant été «en état de démence au moment des faits» et il est reconnu «capable de gérer sa vie». Plus tard, en 1995, lors de son procès d'assises, il prétendra qu'il ne voulait pas vraiment tuer Barbie, mais lui tirer dans les jambes en lançant : «T'as le bonjour de Jean Moulin.» Humour de Christian Didier, comme le disait l'expert psychiatre lors du jugement de 1987. Mais probablement mensonge : il voulait vraiment tuer Barbie.

«Lâché à la barre! Quel bol! Ça vraiment je n'osais y croire. Je suis comblé.» Il rejoint Montluc pour faire son paquetage, se retrouve sur le parking de la prison au milieu d'un essaim de journalistes. Conférence de presse improvisée, qui lui en donnera le goût durable : c'est une répétition de celle qu'il organisera six ans plus tard, dans une chambre d'hôtel des Lilas, en de tout autres circonstances. Ça lui plaît d'ailleurs tellement qu'il sollicite le plus sérieusement du monde des autorités pénitentiaires de passer une nuit supplémentaire en cellule pour suivre les infos le concernant : «À la taule, j'avais demandé de rester jusqu'au lendemain pour regarder la télé et acheter les journaux au réveil. Ils n'ont même pas voulu me garder une nuit de plus, les vaches!» Que tous les Français vous voient à la télé, c'est beaucoup. S'y voir soi-même, en même temps que tous les Français, c'est énorme!

Dès le verdict rendu, un journaliste de *L'Est républicain* se rend chez sa mère pour recueillir son témoignage. Son fils était un enfant instable, dit-elle. Mais ses maîtres, à l'école, disaient qu'il était intelligent. Il était renfermé, pointilleux. Il est resté trop longtemps adolescent... Elle ne fait ici que rapporter une prédiction de son mari, selon laquelle Christian passerait directement de l'adolescence à la vieillesse... Marie-Thérèse craint en fait pour l'avenir de son fils, qui lui apparaît pour l'instant «sans issue». Elle voit juste. Elle condamne fermement sa tentative contre Barbie et n'ira jamais le voir en prison. Elle dira plus tard à un journaliste du *Parisien* : «À l'époque, il m'avait parlé de son projet et je l'avais supplié d'y renoncer. Il m'a pas écoutée...»

Une photo de l'agence Reuter que publiera *Le Parisien* le montre, en septembre 1987 à sa sortie de prison, en T-shirt de marin, son éternel sourire aux lèvres, comme s'il avait joué un bon tour – mais à qui au juste? Non pas à tel en particulier. Mais au monde entier. Me Arnaud Montebourg, plus tard, le dira :

«Moi et le monde, le monde et moi, au fond, Didier se résume à ça…» La caméra de TF1 nous le montrera de même sur le parking devant la prison, hilare, les bras en V, redoublant avec ses doigts le V de la victoire.

Entre la tentative par Didier de tuer Barbie et sa condamnation en septembre 1987, était intervenue celle de Barbie lui-même, le 4 juillet. Notons au passage que si Didier avait tué l'ex SS Obersturmführer, chef adjoint de la Gestapo de Lyon, il n'y aurait pas eu de procès Barbie. Ou plutôt il eût été définitivement interrompu car il était en cours, avec les plaidoiries des avocats des parties civiles. De même que, par son geste, il ne devait pas y avoir de procès Bousquet. Qu'il n'y eût pas de procès Barbie eût été certes regrettable, mais moins gênant pour la mémoire française de Vichy puisque Barbie, en procédant à la déportation des enfants d'Izieu dans l'Ain, agissait pour le seul compte des Allemands, et qu'en l'occurrence Vichy, dans cette affaire, n'avait pas eu de part.

Dans sa cellule n° 18 du rez-de-chaussée de la prison de Montluc, très tôt le matin («De leurs cris stridents les merles déchirent l'aube»), Didier écrivait. Il a rédigé un mémoire relatant les circonstances qui l'ont amené à vouloir abattre Barbie. C'est un manuscrit de deux cent cinquante pages intitulé *L'homme qui voulut tuer Barbie*. Lors de sa libération, il prend contact avec un journaliste de *La Liberté de l'Est*, Georges Péronne, pour le lui soumettre. Georges Péronne, c'est lui qui pour le journal a couvert toute l'affaire Barbie, de février 1983, lors de son expulsion de Bolivie, jusqu'au jour du verdict, en juillet 1987. Il connaissait en outre Christian Didier, par ses coups médiatiques et aussi par sa tentative rocambolesque de tuer Barbie, au printemps précédent. Le manuscrit de Didier pouvait au moins l'intriguer.

Lecture faite, la rédaction décide de publier une partie de ce texte en un feuilleton de sept épisodes dans ses éditions du 8 au 15 janvier 1988, sous le titre général : « Barbie à bout portant !... ou presque ». « Parce que ce témoignage, au reste assez émouvant, nous était apparu d'un grand intérêt. » Voici le portrait rétrospectif que Georges Péronne fera de Didier au lendemain de l'assassinat de Bousquet dans les colonnes de *La Liberté* : « Christian Didier m'est apparu comme un mystique à l'inébranlable volonté. Un homme auquel les grandes causes montent à la tête comme un "canon" de trop à celle de M. Dupont. Farfelu sans doute, dingue peut-être. Je l'avais trouvé en tout cas sympathique, car toujours prêt à aller jusqu'au bout de ses convictions, au prix de sa santé ou de sa liberté. »

Là encore, Didier va tenter de faire publier *L'homme qui voulut tuer Barbie*. En vain. Qu'il n'ait pas trouvé d'éditeur est d'ailleurs étonnant. Car le sujet est intéressant et la plume est alerte, pleine de verve et d'humour. Il confiera son manuscrit à son ami, l'écrivain et scénariste Maxime Benoît-Jeannin. En 1990, quand celui-ci rédigera sa préface aux poèmes de Didier, *Les Contes de l'eau qui dort*, il l'aidera dans ses démarches, envoyant le manuscrit à des personnalités dont par exemple Gilles Perrault ou encore Serge Klarsfeld. Voici ce que l'écrivain dit de son ami dans sa lettre à l'avocat :

Le 12 février 1990

Cher Maître,

J'aimerais vous soumettre le manuscrit d'un personnage étonnant, Christian Didier.

Il a été incarcéré de mai à sept. 1987 dans les prisons de Lyon, pour s'être introduit avec une arme à feu dans la prison où se trouvait le SS Klaus Barbie.

Son but, ainsi qu'il le déclara, avait été de tuer le tortionnaire.

C'est l'histoire, tourmentée, de cette décision, de sa tentative d'exécution, de son échec (prévisible), qui est racontée dans ce manuscrit, *L'homme qui voulut tuer Barbie*; mais, en outre, les rapports de Didier avec la police, l'administration, la médecine et la psychiatrie pénitentiaire, la justice et la presse, sans oublier, bien sûr les détenus. [...] C'est pittoresque et souvent émouvant.

L'homme est absolument solitaire [...]

À mon sens, l'avocat que vous êtes, le combattant qui lutte depuis des années pour que la vérité concernant les responsabilités françaises dans les atrocités commises dans notre pays soient connues, ne peuvent rester indifférents à l'opiniâtreté d'un qui s'est identifié à l'une des plus justes causes de ce temps. Quant à moi, par amitié déjà ancienne pour Didier, je tente de faire éditer ce texte, que j'ai quelque peu révisé et raccourci…

Christian Didier et son ami d'enfance Maxime Benoît-Jeannin nourrissent des rapports littéraires entachés pour le moins d'ambivalence. L'un, Christian, a visiblement quelque chose à dire, et la passion d'écrire. L'autre, Maxime, est un écrivain professionnel qui sait, d'expérience, ce que doit être un manuscrit susceptible d'agréer les goûts d'un éditeur. Les deux amis vont collaborer. Parfois gracieusement de la part de Maxime. Parfois au contraire, à la demande expresse de Christian, qui s'acquittera d'une indemnité raisonnable pour le travail de *rewriting*. Ce sera le cas, par exemple, pour *Sang fluide*, puis *Souvenirs d'Australie*, suivi de *So Long America*. Maxime va retravailler le manuscrit, moyennant une somme de vingt mille francs. Il va le toiletter, le « dégraisser ». Mais quand il soumet son travail à Christian, celui-ci sort de ses gonds, offusqué que son ami ait osé soustraire des pages à son œuvre. Ainsi cessera la coopération, et Christian exigera même d'être remboursé de son investissement. Quand je le rencontrai à la mi-juillet 2000, je me permis de lui faire remarquer qu'un regard extérieur, et professionnel qui plus est, était à même parfois de nous aider à y voir plus clair dans l'élaboration d'un travail. Il fit la sourde oreille, l'air de dire : Cause toujours, je me comprends.

# 5

# D'autres performances

Mais les médias, encore et toujours. Le 17 novembre 1987, il fait irruption sur le plateau en direct de Jean-Luc Lahaye. Il se présente comme l'auteur du coup de Lyon. Le public l'applaudit. C'est gratifiant. On le comprend, mieux, on l'approuve.

Didier intervient encore le 7 mai 1989 à la remise des Molières. Il s'introduit au théâtre du Châtelet muni de fausses autorisations à en-tête d'Antenne 2 et perturbe la cérémonie.

En 1989 toujours, il adresse une « supplique » à Mikhaïl Gorbatchev au sujet de Raoul Wallenberg, ce jeune diplomate suédois qui sauva des milliers de Juifs hongrois pendant la guerre en leur fournissant des passeports suédois, dits « passeports Wallenberg » et qui disparut mystérieusement le 27 janvier 1945 à Budapest, enlevé, dit-on, par les services secrets de l'Armée rouge : « Les problèmes de la vie quotidienne des humains comme les tiraillements internationaux, écrit Didier, font que son histoire s'est relativement estompée dans la mémoire du monde, d'où le but de ma supplique.» Pour qu'on n'oublie pas Raoul Wallenberg, Didier envoie des dizaines de lettres. À Amnesty International, à Khomeiny, à Simone Veil, à François Mitterrand. Et à la presse bien sûr. C'est ainsi qu'il écrit, entre autres, au *Nouveau Détective*, le 5 août 1989 : «Je vous adresse le double de ma supplique, afin que vous la publiiez dans vos colonnes. Soyez assurés, messieurs, de la profonde gratitude de ma plume ensoleillée. Avec mes vifs remerciements.» Il avait projeté de perturber le défilé du bicentenaire de la Révolution française sur les Champs-Élysées, le 14 juillet 1989, et de mettre à profit cette immense concentration de chefs d'État afin de leur rappeler le cas Wallenberg. Mais il n'atteindra pas les Champs. Il s'est trompé de sortie de métro…

Visiblement, Didier s'est identifié au diplomate suédois. Voilà quelqu'un qui, héroïquement, sauve des Juifs en danger de mort, et chacun d'en oublier même le souvenir. Singulière prémonition de ce qui allait se passer pour Didier lui-même, auteur d'un geste (dont il ignore encore la teneur) qu'il jugera héroïque et rédempteur, mais pour l'accomplissement duquel il ne rencontrera aucune gratification, qui lui vaudra au contraire la prison ignominieuse, et l'oubli dans un gros bourg des Vosges. Il aura confondu, probablement, héroïsme et messianisme.

Le 19 septembre 1989 encore, il réitère son assaut de l'Élysée qu'il avait déjà mené le

19 mars 1986. Les journalistes français et étrangers accrédités attendaient alors la venue de Jacques Chirac, désigné Premier ministre par François Mitterrand ; ils tombent sur la banderole d'*Early Bird* que Didier déployait devant les photographes. En 1989, à nouveau, donc, il pénètre, cette fois en escaladant les grilles, dans les jardins de l'Élysée où il se présente comme le « Zorro littéraire » en déployant sa banderole « Achetez mon livre ». Il fait un tour dans les salons du palais. Il y est interpellé alors qu'il caresse un des labradors du président. Il se retrouve un fusil à pompe dans le dos et aussitôt des menottes aux poignets. Il dira avoir voulu remettre à François Mitterrand un mémoire sur Raoul Wallenberg pour le persuader qu'il croupissait encore dans une geôle soviétique.

Remis au chef du protocole, Didier est placé en garde à vue au commissariat central du VIIIe arrondissement. Le préfet de police signe un arrêté d'internement à l'Institut psychiatrique de police de Paris à l'hôpital de Charenton. On diagnostique une « psychose paranoïaque sensitive, avec interprétation et activité délirante en passe à la chronicité [...] À l'infirmerie psychiatrique, discours inamovible par sa rigidité. Complaintes urologiques somatiques imaginaires... Connu des services de police et de justice pour théâtralisme et une conduite de scandale toujours orientée vers la revendication politique ou humanitaire et se plaignant d'être victime de divers complots ».

De quoi largement, comme on voit, lui valoir un internement d'un mois et demi à l'hôpital psychiatrique Esquirol, jusqu'au 16 octobre, avant de bénéficier d'un non-lieu, en raison de l'article 64 selon lequel « il n'y a ni crime ni délit lorsque le prévenu était en état de démence au moment de l'action, ni lorsqu'il y a été contraint par une force à laquelle il n'a pas pu résister ». (L'article 64 est devenu l'article 121 alinéa 1 dans la nouvelle version du Code pénal : on ne parle plus d'« état de démence », mais de « trouble psychique ou neuropsychique », nuance.) Mais ce non-lieu, ou plutôt son motif, ne le satisfait pas. Il en est même si révulsé qu'il attaque l'arrêté du préfet de police devant le tribunal administratif de Nancy et il obtient gain de cause. Quant aux services de sécurité de l'Élysée, ils seront refondus. Le geste de Didier leur a coûté tout de même quelques têtes.

S'il rejette de façon aussi déterminée le bénéfice de l'article 64, c'est que celui-ci ferait de ses actes, symboliques, politiques et éminemment moraux, de purs gestes déraisonnables d'insane trublion. En l'en faisant bénéficier, on le ramène au néant dont il entend précisément sortir. La publication de ses livres se révèle impossible. On n'a pour le moment parlé de lui que sous l'angle pittoresque. (C'est le mot qu'employait son ami Maxime dans sa lettre à Serge Klarsfeld.) Au fond de lui, il a cette certitude de valoir mieux que ça. Il y a une grandeur chez lui, méconnue, qui ne demande qu'à éclater.

*Mais, vrai, j'ai trop pleuré ! Les Aubes sont*
*[navrantes.*
*Toute lune est atroce et tout soleil amer :*
*L'âcre amour m'a gonflé de torpeurs*
*[enivrantes.*
*Ô que ma quille éclate ! Ô que j'aille à la mer !*

# 6

# Tuer Bousquet : une mission divine

Au début de 1993, il est « tourmenté par des forces obscures », « des phases de délire ». Il veut se suicider, mais n'en trouve pas la force. Quand sa mère lui pose une question, il répond : « Ne me parle pas. Laisse-moi me concentrer. »

C'est un jour du mois de mars où il va « méditer » dans la Forêt près de la Roche-Saint-Martin, que l'idée lumineuse lui vient : liquider Bousquet. Il racontera aux journalistes, lors de sa « conférence de presse », comment ça s'est passé. « J'ai entendu les gens s'indigner partout devant ce personnage qui continuait à narguer le monde en vivant comme un pacha. J'ai été marqué. Je me suis dit que je devais aller flinguer ce type. Que ce n'était pas possible autrement. Et comme moi-même je suis atteint d'un malaise psychique intérieur, je me suis dit que ce serait une façon d'exorciser le mal. Par substitution, en tuant Bousquet, incarnation du mal, je me libérerais aussi. »

Le 21 mars 1993, il rédige le « passeport » qu'il exhibera trois mois plus tard lors de sa « conférence de presse » à l'hôtel Paul de Kock. Cela se présente comme une lettre dactylographiée :

Christian Didier St DIÉ le : 21 mars 1993
ÉCRIVAIN
39 rue Saint-Charles
88100 Saint-Dié des Vosges
Tel. : 16. 29 56 33 80

SOS SPIRITUALITÉ MONDE

Je me suis servi du tremplin de cette
Action pour adresser ce message
Ma Mission sur terre Primordial au Monde
(manuscrit en rouge) (manuscrit en rouge)

FRÈRES HUMAINS,

André Malraux a dit : « Le XXI^e siècle sera spirituel ou ne sera pas ! » Or, à l'aube de ce XXI^e siècle, nous assistons à un mortel et vertigineux effondrement de la Spiritualité dans le Monde occidental, qui risque de le mener à sa perte irréversible et autre déréliction.

Chaque jour que DIEU fait à l'éveil comme avant le sommeil : Recueillez-vous en cherchant en vous-même le maximum de silence, en prenant conscience que ce Silence est LE SON DE L'ÉTERNITÉ SACRÉE DE L'ÊTRE SUPRÊME ! et que Dieu vous regarde dans votre humilité et reconnaissance de son essence; qu'il attend de vous que vous cessiez votre cynisme, votre mépris, votre rejet de l'autre, votre attitude du « chacun pour soi », votre recherche de la facilité robot-vidéotisée, de la frime et du fric...

Si vous avez une religion, gardez-la. Si vous avez au contraire perdu tout sens de la spiritualité, tenez compte du fait que le monde et l'homme ne sont pas le seul fruit du hasard et de la nécessité, mais l'œuvre d'un architecte… Le souffle de l'esprit de Dieu, le sens, s'est extériorisé dans la formation de l'univers…

Or, frères humains, pensez à ceci : Vous devez être humbles devant ce mystère, ne pas vous dire que parce que vous avez une BM, vous êtes le roi du monde. C'est de la merde… Vous n'êtes rien qu'un grain de sable sur la terre.

Une semaine avant de tuer Bousquet, Didier avait téléphoné au journal *Libération*. Il voulait connaître l'adresse de l'ancien chef de la milice de Lyon, Paul Touvier. En 1971, le président Pompidou avait jugé utile de lui accorder sa grâce au nom de la réconciliation nationale. « L'assassinat de Rillieux, se demandera Me Joë Nordmann, aurait-il vraiment divisé les Français entre partisans et adversaires de l'extermination des Juifs ? » Joë Nordmann avait déposé vingt ans plus tôt, en avril 1973, une plainte contre Touvier, notamment au nom de Georges Glaeser, le fils d'un des sept otages juifs fusillés à l'aube du 29 juin 1944 le long d'un mur du cimetière de Rillieux-la-Pape, avec Émile Zeizig, Claude Benzimra, Siegfried, Prock, Louis Krzyskowki, Maurice Schliesselmann et un jeune inconnu X. Le 2 juin 1993, soit six jours avant le geste de Didier sur Bousquet, et après avoir dans un premier temps bénéficié d'un non-lieu, Touvier était renvoyé devant la cour d'assises des Yvelines. « Je n'ai pas pu me procurer ses coordonnées, dira Didier, sinon j'aurais aussi essayé de tuer Touvier. »

En fait, à cette époque, nul ne connaît l'adresse de Touvier. D'après la rumeur, il est en cavale, quelque part au Québec selon le centre Wiesenthal. Information d'ailleurs démentie par ses avocats, Mes Jacques Trémolet de Villers et Françoise Besson, qui soutiennent qu'il réside tout simplement en région parisienne et se tient prêt à répondre à la justice. Seulement, il ne se montre pas, surtout après l'assassinat de Bousquet…

C'est une constance de Didier qu'à ma connaissance nul observateur, journaliste, avocat, psychiatre, ne releva : Didier se met en tête de liquider des « monstres », Barbie, Touvier, Bousquet, au moment même où ceux-ci sont désignés comme tels par la société et sur le point d'être jugés (pour crimes contre l'humanité) et nécessairement condamnés. Certes, alors, les médias en parlent beaucoup, et ça lui donne des idées, à Didier, ça l'incite à passer à l'acte. Enfin entendra-t-on parler de lui ! Mais les choses peuvent s'interpréter selon une autre logique, plus retorse. C'est du moins mon hypothèse : Didier ne voulait surtout pas que ces procès aient lieu, que ces « monstres » soient enfin jugés. Et condamnés. Car, *d'une certaine façon*, il est des leurs. Ce qui me le fait penser, c'est cette phrase qu'il a prononcée le quatrième jour de son procès, en novembre 1995 : « En tuant Bousquet, j'allais tuer le Mal. Par transposition, je voulais tuer le propre Mal dont j'étais la victime. J'ai pas pu résister ! » Il ne faut certes pas chercher à toute force une immense cohérence interne dans tous les propos de Didier. Mais quand même. Ce propos-là est bien révélateur. Il révèle qu'aux yeux mêmes de Didier, il y a un point commun, fût-il fantasmatique, entre Bousquet et lui : le Mal. Ainsi, en tuant Bousquet, « par transposition », il se tue lui-même. Ce meurtre est une savante rhétorique (de l'inconscient). Didier supprime quelqu'un qui lui ressemble par un point, du reste essentiel; voilà une première figure, de substitution (Didier dit « transposition », c'est la même chose) : une métaphore. Mais ce n'est pas exactement un suicide : il n'élimine, ce faisant, qu'*une part* de lui-même, la mauvaise part. C'est la seconde figure, une synecdoque : la partie pour le tout (le Mal en lui, qui n'est pas *tout* lui). Si bien que ce suicide « par transposition » n'est pas exactement un suicide. Il tient plutôt de l'opération chirurgicale : il s'ôte à lui-même un organe malade. Cet organe sera René Bousquet. C'eût pu être Barbie ou Touvier, ou…

D'aucuns mettront souvent en avant, s'appuyant sur les antécédents de Didier, combien son geste était suicidaire. Il faut prendre la mesure de cet homicide qui est un suicide. C'est un homicide *réfléchi*, dans le sens physique de la réflexion, au sens où la lumière se réfléchit. C'est un homicide en miroir. Il ira répétant qu'il avait voulu se suicider, mais en même temps, il disait : «Je voulais réserver une balle à plus salaud que moi.» Pourquoi «salaud»? Bousquet, on comprend. Mais lui, Didier? En quoi est-il si peu que ce soit un «salaud»? Il faut traduire. Salaud, dans sa bouche, signifie : qui porte le Mal. Or Didier, c'est évident, ne porte pas le Mal. C'est autre chose : il est *atteint* d'un mal. Quelque chose cloche en lui. C'est son «mal» à lui. Et il lui faut l'exorciser, l'extirper, comme il dit. Alors, il va l'objectiver, le reconnaître dans le réel. La chose est aisée. Le mal incarné, c'est ceux qui ont fait du mal aux Juifs. Pourquoi spécialement aux Juifs? dira-t-on. La question est abrupte mais légitime. Sans doute parce que le mal, singulièrement nazi, fait aux Juifs est des plus incompréhensibles. Dans cette configuration, le choix entre Barbie, Touvier et Bousquet est quasi arbitraire. L'un d'eux, n'importe lequel, fera l'affaire. Barbie, il échoue. Touvier, on a perdu son adresse. Reste Bousquet. *Last but not least* : le dernier de la liste, et non le moindre.

Tuant le Mal, il se tue lui-même (même si c'est une partie de lui-même, cette partie obscure qu'il déteste), ce qui est logiquement un suicide. Et, poursuivant cette logique et cette hypothèse, en se tuant lui-même, il évite d'assister à son propre procès, je veux dire le *vrai* procès. Celui à l'issue duquel le seul verdict redouté eût été celui-ci : la Folie. Un diagnostic et une sentence qui seraient tombés comme un couperet, une mise à mort. D'où son acharnement, lors de son procès, à réfuter cette thèse, pourtant judiciairement avantageuse, de la Folie. D'où aussi la véhémence, chaque fois, de Didier, à proclamer qu'il n'est pas fou. Ce sera le cas aussi bien lors de la tentative de meurtre de Barbie dans sa prison en 1987, lors de l'affaire de l'effraction de l'Élysée en 1989 et de l'assassinat de Bousquet à son domicile en 1993. Car c'est bien cela que Didier redoute, d'être étiqueté fou. Et il en convainc aisément les experts psychiatres. Par l'humour parfois, mais surtout par le choix même de ses victimes réelles ou potentielles : des hommes qui attirent contre eux l'hostilité universelle. Des hommes indéfendables, aux deux sens, moral et judiciaire, du terme. Des hommes qui, leur procès venant à échéance, étaient forcément et d'avance condamnés. En cela Didier appliquait cette belle logique : je tue des hommes voués au Mal, de quoi peut-on humainement m'accuser ? J'aurai nécessairement la morale de mon côté. Il y aura nécessairement des témoins pour dire que j'ai eu raison (et c'est exactement ce qui va se produire !). Mieux : dire que je me suis comporté en héros. En attendant, se verra définitivement écarté ce que je ne veux surtout pas entendre : que je suis fou.

Et les experts-psychiatres ? dira-t-on. Eh bien il n'en fait qu'une bouchée, utilisant la rationalité politique et civique d'un discours parfois teinté d'humour. Non, son crime n'est pas gratuit : il lui fallait tuer un monstre, que la justice française, dans son incurie ou dans sa subornation par le plus haut personnage de l'État, tardait à juger. Mes Montebourg et Lévy abondent dans ce sens comme un seul homme, tant la cause est légitimement plaidable. Car elle a toute l'apparence de la vraisemblance. Et de la grandeur. En tout cas vue de loin. En s'approchant, on voit que la construction est fragile.

En même temps, Didier est l'homme qui a *besoin* d'être jugé. Il le dira lors de son procès, justement : il considère son geste « comme un examen que j'aurais passé pour m'extirper de ma situation d'inanité dans le monde... ». Ce terme d'examen n'est pas neutre : examen, comme on dit examen de fin d'année scolaire ou examen médical... Sur ces deux plans, Didier est lui-même un expert : une carrière scolaire très tôt abandonnée, avec, je présume, une certaine humiliation à la clé, redoublée par celle que lui inflige son père, et un suivi médical constant, physique et psychique. Cet examen-là, cet ultime examen, aura pour fin de le blanchir. Non d'avoir tué Bousquet – cela n'est qu'une manière de prétexte (lui-même, dans son « Message primordial » rédigé en mars 1993, parle de « tremplin ») – mais le blanchir *de lui-même* : du mal qu'il porte en lui et qu'il faut publiquement « extirper ». Extirper, m'extirper, le mot revient souvent dans sa bouche et sous sa plume... Son désir de procès (ou d'examen), ses coups médiatiques tout autant que délictueux, pour se faire connaître et reconnaître, ne visent pas autre chose. Ils nous disent : je veux un procès. Je ne saurais y échapper. C'est mon lot, c'est pour moi vital. De quoi, dira-t-on, serait-il coupable ? Dans cette configuration mentale à la Joseph K., Didier est en effet coupable. Il se vit comme tel. Son père, enfant, le tenait pour un *monstre*.

Son procès retentissant pour l'assassinat de Bousquet lui sera ainsi une aubaine. Car, dans sa complexité, il aura cet heureux effet de déplacer d'un terrain à l'autre les enjeux d'un procès qu'il appelle de ses vœux. Le verdict ne pourra être que coupable ou non coupable de meurtre sur une personne par ailleurs « indéfendable » dans les années 1990 (alors qu'elle était « défendable » en 1949), une personne incarnant le Mal. Si Didier est reconnu coupable d'avoir tué le Mal, dans ce cas il n'est pas le Mal lui-même, ce « mouton à cinq pattes » que son père voyait en lui, et que tout le monde voyait et voit encore en lui. Mais son contraire, le Bien, l'agent du Bien. Il n'est pas le Mal, c'est-à-dire qu'on reconnaît qu'il n'est pas fou. Voilà pourquoi Didier devait tuer Barbie, ou Touvier, ou Bousquet. Il eût pu tuer Papon. Comme le fera remarquer avec pertinence l'avocat général Philippe Bilger, ce qui fera bondir Me Montebourg, Didier eût pu tuer le Dr Michel Garretta, inculpé pour empoisonnement dans l'affaire du sang contaminé. C'eût été dans la même logique. Sauf qu'avec les

Juifs, le multiplicateur du crime était considérable, et délibéré l'acharnement du criminel à en épurer la planète. En un mot, le Dr Garretta n'incarnait pas le Mal de façon suffisamment emblématique pour être à la hauteur de l'ambition rédemptrice de Didier : il lui manquait cette dimension de l'Histoire où Didier, par son geste, voulait s'inscrire.

En somme, en évitant que le procès de Bousquet ait lieu (ou, au choix, ceux de Barbie ou Touvier), « ces ordures », « ces monstres », comme il y insiste chaque fois qu'il en parle, Didier, en étant mis en *examen*, évite le sien propre, celui qu'il s'intente à lui-même, celui qui se déroule en lui-même, où dans le même temps il est le procureur qui s'accuse de folie et l'avocat qui s'en défend.

Didier n'est certes pas un « intellectuel », il n'en a pas le bagage scolaire. Mais c'est un grand lecteur, et notamment de Pascal. En tuant Bousquet, doit-il se dire, j'ai tout à gagner et peu à perdre. À perdre : ma petite vie obscure de Déodatien RMiste et d'écrivain raté. À gagner : la reconnaissance que je ne suis pas fou, que je suis quelqu'un de « bien ». Puisque, la preuve, j'ai tué le Mal. CQFD. Ses avocats, Mes Montebourg et Lévy, joueront cette carte, sans probablement être dupes. Mais cette carte, ils avaient eux aussi tout à gagner en l'abattant. Défendre un RMiste, obscur provincial *borderline* et supernarcissique, têtu comme un baudet, suspicieux comme un homme traqué, inlassable graphomane qui a passé à l'acte est une chose. Défendre une manière de justicier qui fait le travail que la justice républicaine, refoulant Vichy, « ce passé qui ne passe pas », n'a pas voulu faire est autrement valorisant et gratifiant. Eux aussi, à leur manière, s'inscrivaient dans l'Histoire.

Revenons sur le « jeu » de Didier. « J'essayais de jouer la carte des Juifs », dira-t-il au procès. Formule combien révélatrice. Pourquoi donc serait-il opportun de « jouer la carte des Juifs » ? C'est simple : parce que, comme chacun sait, ils ont beaucoup souffert pendant la guerre. Générosité, compassion, amour du prochain de la part de Didier ? Là, en revanche, c'est beaucoup moins simple. Jouer « la carte des Juifs », pour Didier, cela représente un comportement et un discours – un discours surtout – que chacun peut comprendre, que le plus grand nombre, même, peut approuver. Il ne s'agit pas tant d'un discours d'amour et de compassion (bien que sa sympathie, « souffrir avec », puisse être sincère; comme le disait un de ses psychiatres, ses affabulations mêmes sont sincères !), que d'un discours de raison absolue, d'une cohérence irréfragable. « Jouer la carte des Juifs », autrement dit, c'est attester sa raison, c'est établir aux yeux du monde : je ne suis pas fou; la preuve, je joue la carte la plus rationnelle qui soit, je me range du côté du Bien. Et le Bien est nécessairement rationnel. Personne ne pourrait me contester cette vertu, cette légitimité, cette grandeur. Je me rends incontestable. Serait-on fou d'aimer les Juifs ?

Le penser, oser même amorcer cette pensée vous classe *ipso facto* parmi les salauds.

Encore un mot, à propos de la phrase qu'il dira au procès : «J'ai reçu un coup de soleil dans les neurones», pour décrire l'hallucination, la vision, le message, etc. qu'il a reçu «de façon subliminale dans mon conscient» selon ses propres termes : tuer Bousquet. L'idée, en effet, était tellement lumineuse, évidente, «géniale», qu'elle s'est imposée aussitôt que «reçue». Il allait tuer le Mal. Donc il n'était pas le Mal lui-même. Tuant le monstre, il était le chevalier des contes («de l'eau qui dort»). Mais ces histoires de Bien et de Mal sont en réalité un écran de fumée destiné à brouiller les pistes. Derrière cette dichotomie vertueuse s'en cache une autre, qui lui est bien plus essentielle : fou ou pas fou. Les experts, un rien désemparés, avançant innocemment et savamment à la fois la notion de *borderline*, ne pouvaient que complaire à Didier : ils ne tranchaient pas. Ils restaient à la frontière. Or Didier, le promeneur rêveur et solitaire dans les bois vallonnés de Saint-Dié, l'arpenteur jamais las des rues, des jardins et des cimetières de Paris, le marin de la «Royale», le voyageur beatnik, le chauffeur de stars, le «Juif» et le chevalier errants, ne se bornait pas à cette frontière, même s'il peut dire : «J'ai toujours navigué à la lisière des chemins battus.» Cette lisière, il la franchissait à sa guise, à l'envi, tels le Dr Jekyll et Mr Hyde. Et manipulait tout le monde.

Un homme a parfaitement compris, à mon sens, et aussitôt, le «jeu» de Didier, et cependant sans l'avoir jamais rencontré, c'est le Dr Henri Grivois, psychiatre à l'Hôtel-Dieu à Paris, que *Le Figaro* interrogea le jour même du meurtre. Peut-être d'ailleurs, et paradoxalement, a-t-il pu comprendre Didier de ne l'avoir pas rencontré. Il a ainsi pu éviter d'être «embrouillé».

On lui demanda d'abord si l'on pouvait établir un parallèle entre Christian Didier et HB. «HB, diagnostiqua le médecin, était à une étape difficile de sa vie, possédait une personnalité très réservée, et a peut-être agi pour se faire reconnaître, pour se sentir exister. Le meurtrier de Bousquet, en revanche, a calculé son geste, il a choisi sa cible, il a tué et s'est ensuite servi de la télévision. Son geste a un aspect justicier et se réclame du «bien», un côté Robin des Bois en négatif. En s'en prenant à Bousquet, *l'homme n'a pris aucun risque* [je souligne]. Il savait que Bousquet ne pourrait pas être vengé. S'il avait tué une mère de famille innocente, il n'aurait jamais pu se faire mousser publiquement.» Didier est-il un malade? «Son geste, répond le médecin, peut être le signe d'une mythomanie, d'une psychose naissante ou d'une forme d'hystérie appelée histrionisme. Je pencherais plutôt pour la dernière solution, dans la mesure où hurler avec les loups (en l'occurrence *tuer un ennemi public désigné*) est une des composantes de ce type de personnalité. Les histrions, mauvais acteurs, sont agressifs, enclins à l'exagération, jouent le rôle du héros ou de la victime sans en avoir conscience. Ils sont plutôt séduisants et manipulent leur entourage par le suicide, des manifestations de faiblesse ou de dépendance.» Cette analyse nous semble lumineuse. Elle ne contredit en rien celles des experts qui ont dûment examiné Didier, ce qui n'est pas, encore une fois, le cas du Dr Grivois, et qui avancent eux aussi les notions de mythomanie, de théâtralisme, de manipulation. Mais ils ne mettent pas le doigt sur l'essentiel : l'identité de la victime que Didier s'est choisie dans le seul but de faire parler de lui : un «ennemi public désigné». De quoi pourrait-on en effet l'accuser puisqu'il éradique le Mal ? Il hurle avec les loups, il va dans le sens de la *vox populi*, il s'inscrit dans la *doxa* la plus difficilement contestable. S'il est fou, alors tout le monde est fou. Et comme «tout le monde» n'est pas fou... Mieux, il est celui de la meute qui a assez de courage pour se dévouer et faire le travail de salubrité et de sauvegarde que les autres, trop pleutres, n'osent entreprendre. Comme sa mère, en profonde résonance avec Christian, le lui disait à propos de Barbie : «C'est quand même un monde que sur cinquante millions de Français, il n'y en aura pas un pour le descendre, cette ordure!» L'indignation de Marie-Thérèse, nous le verrons bientôt, agit comme une suggestive incitation sur son fils.

D'où la télévision et le rôle ambigu des médias en général, qui ont, au dire du

Dr Grivois, « décriminalisé son geste », qui l'ont en quelque sorte légitimé. On n'imagine pas HB tenir une « conférence de presse » sous l'objectif fasciné des caméras. Cela n'aurait pas passé la rampe : prenant en otages de jeunes enfants et leur institutrice dévouée, il était *ipso facto* du côté du Mal. Dit autrement, HB a mal choisi sa cible; il se punit lui-même, il se désigne sans conteste comme un salaud. Il est un salaud, qui le sait, le fait savoir, et attend qu'on l'achève. Cet homme, Érick Schmitt, ne peut être un héros. Il ne peut être, au contraire de Didier, qu'un objet de répulsion. Il ne méritait, de la part des policiers du RAID, qu'une balle expéditive, ce qu'il a obtenu, ce qu'il voulait. Voilà un vrai suicide. Son utilisation des médias, là aussi, est essentiellement différente de ce à quoi on assiste avec Didier. Lui, Érick Schmitt, doit, par un « odieux » chantage, faire pression sur les médias afin qu'ils rappliquent. Christian Didier n'a nul besoin d'exercer chantage ni pression. Il téléphone, ils accourent à toute vitesse. Car c'est à tous égards un bon client.

Et puis, il y a Mme Marie-Thérèse Didier, sa mère. Elle aussi le comprend bien. Relisons cet étrange dialogue entre elle et lui, qui précéda son expédition à la prison Saint-Joseph de Lyon pour tuer Barbie. « Que veux-tu, je ne peux vivre avec ce conflit intérieur qui me ronge [...] et finirait par me conduire à la folie si je n'agis pas... – De toute façon, au point où tu en es [...] Je le sais, tu ne peux plus reculer, il en va de ta santé ! » Ces propos de Marie-Thérèse, pris à la lettre, sonnent en effet de façon très étrange. Aller tuer un homme dans sa prison, fût-il un ancien tortionnaire SS, semble naturellement constituer aux yeux de cette mère une médication à la fois idoine et légitime pour la santé fragile de son fils. En profondeur, pourtant, cela veut dire autre chose, un texte de rêve ou de conte, un conte qu'on croirait tout droit sorti de Chrétien de Troyes : « Je le sais, tu as un grain de folie. Pour te guérir, te désensorceler, il te faut aller tuer un Dragon, là-bas, loin de chez nous, dans la grande ville, un dragon qui fait du mal. La Voix de la Forêt te l'a dit. Et cela te guérira car nul homme lui-même sensé, dès lors, ne pourra te tenir pour fou. Tu seras un second Robin des Bois. Un Justicier, un Juste. Tu seras consacré Chevalier. TF1 se chargera de t'adouber. »

Ce discours, tel que nous l'imaginons, et qui concerne la première tentative de meurtre, celle de 1987, vaut pourtant davantage encore pour la seconde. La première n'aura été qu'un coup d'essai. Un premier examen passé avec succès. Avec brio et panache, même. Didier a joué la Folie, puis il a déjoué la Folie. Mais la Folie, de son côté, a aussi joué avec lui. Elle est passée tout près, comme une balle perdue en temps de guerre. Il s'en est fallu d'un rien pour que Didier ne soit atteint, c'est-à-dire que la société, et non plus son seul père, le désigne comme fou. Souvenons-nous qu'après son escalade des grilles de l'Élysée, en 1989, il obtenait un non-lieu en application de l'article 64. Or, pas fou, il contesta l'arrêté du préfet de police, et obtint gain de cause ! Un non-lieu, pour vous et moi, c'eût été une chance. Mais pas pour Didier. Cette chance-là ne faisait pas son affaire. Car elle supposait la caresse au moins furtive de la Folie. C'est pourquoi il trouva opportun de refuser en bloc ce jugement favorable de la société, représentée ici par le préfet de police. Et, juridiquement, il obtint gain de cause. *La Liberté de l'Est*, au début de 1988, publiait les bonnes feuilles du récit de sa « folle équipée » à Lyon. Folle équipée, certes, et picaresque et combien romanesque. Mais non l'équipée d'un fou. Comme le dira le Dr Grivois après le meurtre de Bousquet, « les médias ont décriminalisé son geste ». En 1988, s'agissant cette fois de son geste (avorté) sur Barbie, ces mêmes médias l'avaient désimpliqué de toute suspicion de Folie.

Restait donc, pour Didier, à passer la seconde épreuve. Comme, encore une fois, le Chevalier impétrant des romans de Chrétien de Troyes. Sa seconde tentative serait la bonne. La preuve : cette fois, il n'en dit rien à sa mère. Car il n'a pas, il n'a plus besoin de son approbation. En un sens, il est déjà guéri : il n'y a plus de conflit en lui. L'Appel (de la Forêt) est cette fois trop pressant. Le message est trop lisible : *Just do it*, la vision trop lumineuse. C'est pourquoi, contrairement à ses allégations, à celles de son frère, à celles de ses avocats et à celles de ses médecins, Didier ne pouvait rater Bousquet. Il ne pouvait réitérer le coup de bluff de l'époque Barbie. Il lui fallait cette fois aller jusqu'au bout. Quitte ou double. Il fallait, il allait tout miser. Comme le libertin de Pascal, il avait tout à gagner et rien à perdre. Croyait-il.

# V

# Je m'voyais déjà

# 1
# Le procès

Dès l'après-midi du 8 juin 1993, Me Arnaud Montebourg, du barreau de Paris, est commis d'office par le bâtonnier Flécheux pour défendre Christian Didier. Quand il apprend la mort de Bousquet, comme tout le monde, en fin de matinée, son premier réflexe est de se dire : « Voilà une bonne nouvelle ! » Il ne se doute évidemment pas que quelques heures plus tard son destin rencontrera celui du meurtrier.

Au milieu de l'après-midi, il reçoit un appel du bâtonnier Flécheux : « Tenez-vous prêt, Montebourg. Didier n'a pas d'avocat et j'ai l'intention de vous commettre d'office. » Montebourg expliquera plus tard que nul hasard ne présidait à cette désignation. En raison de sa particulière éloquence, il venait alors d'être élu premier secrétaire de la Conférence du stage, un concours de plaidoiries disputé chaque année. L'usage veut que le bâtonnier commette d'office l'un des douze secrétaires de la Conférence dans les affaires criminelles particulièrement graves et quand la personne qui va être mise en examen n'a pas les moyens de se défendre. Une aubaine pour le jeune avocat. Une occasion de s'illustrer.

Le 12 juillet 2000, pour la première fois, je rencontrai Arnaud Montebourg, devenu député de Saône-et-Loire, dans son petit bureau du Palais-Bourbon. Il m'énuméra avec un brin de fierté, comme pour me persuader qu'être premier secrétaire à la Conférence du stage c'était quelque chose de bien prestigieux, les avocats célèbres qui l'avaient été : Jean-Denis Bredin, Jean-Marc Varaut, Jacques Vergès, Georges Kiejman… Ah non, lui avait été deuxième…

S'illustrer, ainsi, semble bien le désir au monde le mieux partagé, de Didier à Montebourg. Comme le disait Me François La Phuong, pour excuser la tentative de son client d'abattre Barbie dans sa prison : « J'aimerais connaître un homme qui ne soit pas un peu narcissique. » Certes. Mais visiblement, certains ont davantage ce droit que d'autres. Quand on a quitté l'école à la fin de la cinquième, la reconnaissance sociale est tout de même bien plus improbable que lorsqu'on a pu poursuivre de brillantes études supérieures. Le tort de Didier est aussi de n'avoir pas admis cette réalité, cette commination sociale : savoir garder sa place. Cet homme de peu, déjà sujet à de mirifiques fantasmes, ne pouvait donc que rêver. En regardant plus que de raison la télévision. En s'y abîmant. Pourquoi ceux-là et pas moi ? a-t-il dû se dire. Mais la barrière était infranchissable. Alors, Didier a voulu passer en force. Crever l'écran, « littéralement et dans tous les sens ». Cet écran qui lui barrait la visibilité. L'époque était d'ailleurs propice à ce genre de fantasme. Celle qui l'avait précédée était au désir de Révolution. Celle-ci, à compter du milieu des années soixante-dix et durant toute la décennie quatre-vingt, tourna au désir de célébrité. À ne pas confondre avec celui, caduc, de gloire, qui perdura sur un long temps, de Racine à Sartre. Ce furent les années qui avaient vu la montée en puissance du spectacle et de la starification accélérée, y compris des « intellectuels », chose impensable, chose méprisable une décennie plus tôt. La télévision était le passage obligé. On y était reconnu des siens. On y était reconnu socialement. Ce furent les grandes années Pivot... Mais pourquoi y eût-on invité un obscur Christian Didier ? *Minus habens*, il lui avait fallu s'y inviter lui-même. Tout le monde en rigola.

La juge Chantal Perdrix demande un examen médical qui devra dire si l'état de Didier est compatible avec une garde à vue. Cet examen est effectué par le Dr Odile Diamant-Berger, directrice du service de médecine judiciaire, attachée à l'Hôtel-Dieu. Elle atteste de cette compatibilité mais recommande que Didier prenne bien, ce soir, ses médicaments : 1 Havlane, 1 Valium 5, 1/2 barre de Lexomil, 1 Augmentin, 1 Ultra-Levure...

Me Arnaud Montebourg rencontre Christian Didier pour la première fois le lendemain du meurtre, le mercredi 9 juin, à l'issue de sa garde à vue au Quai des Orfèvres, avant le débat contradictoire, le parquet ayant requis un mandat de dépôt. Là, surprise du jeune avocat. Il s'attendait à un illuminé, un maniaque des coups médiatiques. Or l'homme qui lui fait vis-à-vis lui parle de son geste avec beaucoup de sérénité, de conviction, bref, avec une grande rationalité. « C'est vraiment un homme », dira Montebourg. La question que je me pose en ce point, c'est celle de la sincérité de Montebourg, de sa bonne foi. Cette « grande rationalité » qui aurait émané de Didier, à ce moment-là en tout cas, me semble peu vraisemblable. Il est vrai que le jeune avocat n'a pas assisté à la « conférence de presse » que Didier a tenue dans son hôtel et à l'issue de laquelle tous les journalistes se sont spontanément forgé l'image d'un personnage largement dérangé (certains, pour le connaître, le savaient déjà, tel Benoît Duquesne, de TF1). En ce sens, Montebourg présente une autre image de Didier pour corriger la précédente, qu'il n'ignore pas car il a évidemment lu les journaux et regardé la télévision : celle d'un homme rationnel, donc d'un acte qui ne l'est pas moins. C'est dans ce sens, justement, qu'il sait dès à présent qu'il mènera sa stratégie de défense. Didier avait tout intérêt, pour sa propre défense comme sur le plan personnel, à tomber d'accord avec son avocat. Dans ce sens, il y aurait d'entrée une certaine duplicité chez Montebourg : il savait fort bien à quoi s'en tenir, s'agissant de la personnalité pour le moins ambiguë et trouble de son client, mais il tenait délibérément un autre discours, plus conforme aux intérêts de la défense et à la noblesse supposée de sa cause. D'un autre côté, il est possible que Didier ait réellement fait cette « bonne impression » sur l'avocat. Didier a dû se dire : foin à présent de la mystique, de ma mission sur terre, de SOS spiritualité, de mon message primordial au monde et autres billevesées par lesquelles je prétendais rédimer l'humanité en perdition, des hallucinations sylvestres de la Roche-Saint-Martin. Il s'agit maintenant d'être un peu sérieux, d'être un homme. De ne pas jouer au con. Ce jeune et brillant avocat, Arnaud Montebourg, va parler pour moi, va me représenter aux yeux du monde. Il va me défendre contre moi-même, cette partie de moi-même qu'il me faut « extirper », contre mon père, contre mon frère, contre mes professeurs, contre les curés des institutions où l'on m'a placé, contre les psychiatres et leurs pronostics de schizophrénie, contre tous ceux qui m'ont humilié, m'ont battu, ont ri de moi, m'ont traité de fou. Il me faut jouer cette carte, et il faut que ce jeune homme, qui n'est pas de mon monde, joue la mienne. Je mets le paquet sur la scandaleuse impunité dont bénéficiait Bousquet, et la justice immanente de mon geste. Cette belle cause, que je lui offre toute cuite sur le plateau des assises et des médias, un avocat peut non seulement l'entendre, mais elle peut même l'enthousiasmer. Il est vrai que mon passé médiatico-psychiatrique l'entache, cette cause, d'une grande part d'ombre. Mais, décidément, il ne faut plus jouer au con. Je change mon fusil d'épaule. Je me présente comme un homme véritable, un Juste… Et Didier, plus que quiconque, est capable de ça, de ce discours. Les psychiatres le diront : Didier est manipulateur. C'est cela, la lisière. Se tenir à la frontière, et observer le champ de part et d'autre : la lumière et la nuit, et choisir. D'où l'image qu'il entend aussitôt donner de lui à Me Montebourg : la sérénité, la conviction, la rationalité. Et, en l'occurrence, cette image passe la rampe. « C'est vraiment un homme », dit Montebourg. Lequel me répétera souvent : « Je voulais en faire un homme ». Me Thierry Lévy, le second avocat de Didier était, semble-t-il, dans les mêmes dispositions.

L'avocat demande que le débat soit différé de quatre jours pour pouvoir organiser la défense et aller voir la mère de Didier chez elle, à Saint-Dié. La juge Chantal Perdrix délivre alors une ordonnance d'incarcération provisoire.

Le lendemain jeudi, Arnaud Montebourg prend l'avion pour Strasbourg. Là, il loue une voiture pour se rendre à Saint-Dié. C'est la première fois qu'il met les pieds dans les Vosges. Il va très vite y saisir deux paramètres essentiels à sa future défense : l'atmosphère particulière propre à cette Lorraine « martyrisée », et le soutien spontané qu'apporterait la population à l'un des siens, fût-il un homme égaré.

À Saint-Dié, Marie-Thérèse et son fils cadet Dominique Didier l'attendent, désemparés. « Pour l'instant, leur dit-il, nous sommes seuls. Nous tâcherons de rompre cette solitude. Ce sera long et difficile. » Ils lui confient un paquet de vêtements pour Christian.

Montebourg, de retour à Paris, rend aussitôt visite à Didier dans sa cellule. Il lui remet ses vêtements, et ils ont leur premier grand entretien. Montebourg doit comprendre Didier. Didier doit l'y aider. L'estime réciproque entre les deux hommes s'installe dès ce moment. Ils sont aussitôt sur la même longueur d'onde. Montebourg me dira plus tard que s'il a le sentiment d'avoir échoué à l'égard de Didier, il lui conserve un indéfectible sentiment d'amitié.

En 1993, Me Arnaud Montebourg est un homme jeune, sinon un jeune homme. C'est un premier de la classe : mention « très bien » au bac, etc. Né en 1962 à Clamecy dans la Nièvre, il a trente et un ans. Ambitieux (il sera en juin 1997 député socialiste de Saône-et-Loire, sa terre d'origine, membre et secrétaire de la commission des lois), c'est aussi un homme de gauche, issu d'une famille militante. Malgré ce que tout le monde croit spontanément parce qu'il s'appelle Montebourg, il n'est pas d'ascendance aristocratique. On croit entendre la particule. Mais non, il est roturier. « Mon arrière-grand-père était vide-pot chez un marquis », se plaît-il à avouer. L'aristocratie n'est malgré tout pas loin. Il occupe le bureau qu'occupait auparavant Me Georges Kiejman, ancien ministre délégué à la Justice, rue de Tournon, non loin du palais du Luxembourg. Il est, entre autres, l'avocat du *Canard enchaîné*, le journal qui a révélé l'affaire du loyer de Laurent Juppé, fils du Premier ministre, et le conseil de Christine Villemin, la mère du petit Grégory retrouvé noyé dans la Vologne en 1984, cette rivière qui se trouve prendre sa source à vingt kilomètres au sud de Saint-Dié.

Me Montebourg s'est fait récemment connaître du grand public en portant plainte contre le Premier ministre, Alain Juppé, au nom de l'Association de défense des contribuables parisiens, une structure qu'il a créée de toutes pièces, dans une sombre affaire de loyer au montant insuffisant que payait son fils, locataire de la Ville de Paris. « Je viens de faire échec au roi. Il me reste à faire échec et mat », confie-t-il à une journaliste du *Nouvel Économiste*.

À ses yeux, s'agissant de Christian Didier, la chose est entendue : on a affaire au « geste d'un homme contre la façon dont l'institution judiciaire a organisé l'impunité d'un autre. Car ici la machine judiciaire française est en cause : c'est elle qui a laissé Darquier de Pellepoix s'enfuir en Espagne, laissé Legay mourir tranquillement dans son lit, le milicien Paul Touvier bénéficier d'un non-lieu puis d'une liberté conditionnelle [ce qui fut vrai dans un premier temps mais l'affirmation est aujourd'hui, en juin 1993, abusive : Touvier, dès avant l'assassinat de Bousquet par Didier, exactement six jours plus tôt, avait été renvoyé devant la cour d'assises de Versailles], Bousquet de cinquante ans d'impunité. »

Pour Me Montebourg, « à l'évidence, il y a dans le monde judiciaire un certain nombre de personnes pour qui la solution de l'article 64 serait avantageuse ». Ainsi, Christian Didier et son avocat tombent au moins d'accord sur un point : pas question d'invoquer le trop commode article 64. Sort-on plus facilement d'un hôpital psychiatrique que d'une centrale pénitentiaire et y jouit-on d'un régime plus doux ? c'est en tout cas le sentiment de Didier. Mais ce serait dénaturer le sens même du geste de Didier, qui est un crime politique, un crime civique. Ce geste n'est pas « la lubie matinale d'un malade mental » mais un geste réfléchi, mûri pendant six mois. « Peut-être un geste fou, mais pas le geste d'un fou. » Ils ont choisi, et c'est un choix assumé, d'affronter la sentence de la cour d'assises. C'est plus noble pour l'avocat. C'est une nécessité fondamentale pour le Déodatien. Ces deux hommes sont faits pour naviguer un temps de conserve.

Je ne sais si c'est à l'initiative de Me Montebourg ou de Didier lui-même, mais là encore il y a convergence de vues. Il faut un second avocat à Christian Didier, et il faut qu'il soit juif. Une ruse de Sioux. Un avocat juif, c'est en effet, dans l'esprit de Didier, un bonus de départ. Ils avaient bien pensé, un temps, à

Me Vergès. Mais Montebourg est réticent. Pour trancher, il rend visite à Me Klarsfeld pour recueillir son avis. Celui-ci est on ne peut plus réservé. Sans doute Me Vergès fut-il au moins approché, puisque sa collaboratrice se propose spontanément d'assurer la défense de Didier aux côtés de Montebourg. Didier hésite. Il écrit lui-même à Serge Klarsfeld :

Didier Christian Écrou : 254365J le 11/09/93
Bloc : A-334
Maison d'Arrêt de la Santé
42 rue de la Santé
75014

Cher Maître,

Je suis l'auteur de l'homicide de René Bousquet le 8 juin 93. Auriez-vous l'amabilité de me mettre en rapport avec un avocat juif pouvant assurer bénévolement ma défense. J'éprouve une grande admiration pour votre personnage ainsi que vos entreprises et vous prie d'excuser mon geste que vous n'avez pas dû apprécier. [...] Or, avant de prendre une décision définitive [sur l'opportunité de prendre Me Marie-Louise Megrelis, collaboratrice de Me Vergès, comme second avocat], je vous demande votre avis, à savoir si cela n'est pas préjudiciable à ma défense. Si oui j'attendrai que vous me mettiez en rapport avec un avocat juif [...]

Didier

PS : De toute façon j'aimerais entrer en contact avec un avocat juif. Cela me semble plus conforme à mes aspirations. J'attends donc votre aide afin que je puisse en rencontrer un...

Montebourg est rejoint, en septembre 1993, avant que la juge Chantal Perdrix n'ouvre l'instruction contre Didier prévue pour la fin du mois, par Me Thierry Lévy, cinquante ans. Le premier avocat juif sollicité avait été Me Libman, qui, avec Serge Klarsfeld, avait porté plainte contre Bousquet. Mais il se déroba. Arno Klarsfeld entendit, un temps, prendre part au dossier. Montebourg et lui se rencontrèrent. Le jeune et bel Arno suggéra aussitôt qu'ils fissent une déclaration au journal télévisé. « Tout ce qui l'intéressait, me dira Arnaud Montebourg, c'était de passer à la télé ! » On pensa alors à Me Thierry Lévy. Lévy, nul doute, c'était un nom juif.

C'est un « ténor du barreau », un pénaliste qui a défendu antérieurement Claude Buffet, Roger Knobelspiess, des membres d'Action directe puis, plus récemment, Bernard Tapie et Alain Boublil, ancien directeur de cabinet de Pierre Bérégovoy au ministère de l'Économie et des Finances. Les deux hommes se connaissent bien, et pour cause. En juin 1993, Me Montebourg venait tout juste d'ouvrir son cabinet après avoir travaillé quelques années dans celui de Me Lévy. « C'est Thierry Lévy, me dira-t-il, qui m'a formé en 1989, quand j'étais préstagiaire. Quand j'ai prêté serment, le 12 janvier 1990, c'est chez lui que je suis allé travailler. Je lui dois tout. Nous avons collaboré pendant trois ans. Quand il est arrivé pour défendre Didier à mes côtés, ç'a été des retrouvailles. Il m'a dit : "Arnaud, vous allez en faire un homme. Moi, je m'occupe du reste." Le reste, ça voulait dire la dimension politique et historique. Vichy, en un mot. Ç'a été facile pour lui, mais moins pour moi. D'ailleurs, je considère que j'ai échoué. On a souffert le martyre pendant toutes les audiences. Pour Lévy, c'était moins grave… Il ne s'occupait pas de l'homme Didier, il s'occupait de l'Histoire. »

Avant le procès, M[es] Montebourg et Lévy ont rencontré l'ami intime de Didier, Maxime Benoît-Jeannin. Ils se sont vus dans une brasserie en face du Palais de Justice. Maxime avait en main le livre qu'il était en train de lire, *Le pitre ne rit pas*, de David Rousset. Il signala à Thierry Lévy qu'il y avait là un document significatif qui touchait le rôle de Bousquet dans l'action antijuive de la politique collaboratrice de Vichy. Me Lévy s'empara avidement de l'ouvrage et l'emporta. Voici le document en question. Il s'agit d'une lettre en date du 12 février 1943, adressée par le SS Knochen à son supérieur à Berlin, Müller, et qui, en un paragraphe, dit tout sur la politique et l'action de René Bousquet :

*Objet* : Solution définitive de la question juive en France

[…]

Des Juifs de nationalité française, arrêtés pour n'avoir pas porté l'étoile juive ou pour d'autres infractions, devaient être déportés. Bousquet déclara qu'on pouvait déporter ces Juifs, mais que la police française ne se prêterait pas à l'exécution de cette mesure. À notre réponse que celle-ci serait effectuée par des forces allemandes, la police française répliqua en organisant une rafle et en arrêtant 1 300 Juifs de nationalité étrangère. Ces Juifs furent remis à la police allemande avec l'indication de les déporter à la place des Juifs de nationalité française. Il va sans dire que les deux catégories de Juifs, dans ce cas, vont être déportées.

J'avais écrit à Me Lévy, au début du mois de juillet 2000. Puis j'ai joint sa secrétaire. Puis lui-même. Il refusait de me rencontrer. Il n'avait rien à me dire. Comme j'insistais un peu, il m'assena : « Je ne suis pas un témoin. J'ai été l'avocat de Didier. J'ai fait mon travail et c'est tout. Je n'ai pas d'informations à livrer au public. C'est mon point de vue. – C'est un point de vue que je respecte, ai-je dit, bêtement. – Oui, car c'est un point de vue respectable. Comme tous les points de vue », a-t-il conclu. Nous nous enfoncions dans la bêtise. Alors, j'ai lâché prise, et lui ai dit au revoir. Cet au revoir était un adieu. J'ai repensé à sa façon de mener ce procès, cinq ans plus tôt. De manière strictement politique. Son souci avait-il été, au fond, de prendre en charge l'homme Didier ? Ne l'avait-il pas confondu avec un autre, un militant de je ne sais quelle grande cause ? Il aura été abusé. Mais par là, c'était croire que cet avocat manquait de discernement. Cette éventualité, je la repoussai aussitôt car, pour l'avoir parfois entendu à la télévision (j'avais ce point commun avec Didier de regarder la télévision), je ne pouvais juger Me Thierry Lévy que comme doté d'une rare intelligence. En tout cas, quelle différence avec cette chaleur communicative de Me Montebourg ! Et quelle compassion, aussi, chez Arnaud Montebourg, dont je ne crois pas qu'elle ait été feinte, pour Didier et les siens. C'est quelques minutes après avoir raccroché, après cette fin de non-recevoir que m'opposait Me Lévy, que je pris ma décision de rencontrer Didier, chez lui, à Saint-Dié. Et très vite.

Octobre 1994. Depuis juin 1993, Didier est à la Santé, dans une cellule qu'à sa demande il occupe seul. Il est seul en prison comme il était seul en liberté. C'est un trait constant de Didier. À l'inspecteur Kirsch qui l'interrogeait le lendemain du meurtre, il avait déclaré : « Je vis seul, en reclus, comme un ermite. Je ne bois pas, je ne fume pas, et je ne me drogue pas. Je n'ai pas eu de relations sexuelles depuis cinq ans et je ne cherche pas à en avoir. » En prison, il montre un profil bas : au début il croit sincèrement qu'il prendra un ou deux ans. Puis des bruits lui parviennent, parlant de perpétuité. Son moral en prend un coup. Il écrit sans arrêt à son avocat, aux experts-psychiatres, au procureur de la République, et surtout à la juge d'instruction Chantal Perdrix. Il maigrit à vue d'œil. Il descendra à cinquante-deux kilos pour un mètre soixante-douze. Cet été 93, il a subi une délicate opération chirurgicale à la vessie au centre hospitalier de Fresnes. C'est un homme diminué. Il a perdu cinq kilos. Il correspond régulièrement avec sa mère. « Je ne sais plus si c'est un rêve ou la réalité », lui écrit-il. Quant à sa mère, qui lui rend visite à la Santé au début de novembre 1993, elle déclare : « Christian ne s'alimente plus normalement, il est très amaigri. Le médecin de la prison ne lui donne pas les médicaments dont il a besoin [veut-elle parler des somnifères et des anxiolytiques ? La phrase suivante le laisserait entendre]. J'ai l'impression qu'on veut le faire passer pour fou afin qu'il n'y ait pas de procès. Une chose est sûre, Christian va très mal. » Il est probable que le sentiment de Marie-Thérèse Didier qu'on « veut le faire passer pour fou » vient de Didier lui-même. Pour les raisons que nous avons déjà supposées, il tient absolument à ce que tel ne soit pas le cas. Même si c'est une solution commode : il lui faut à tout prix son procès, son « examen ».

Me Montebourg lui rend visite une fois par semaine, le samedi matin. Il y sera allé cinquante-cinq fois en tout, m'a-t-il dit. Ils ont de longues conversations. Montebourg tente de l'amener à la rationalité. Il ne cherche pas seulement à le défendre, mais à l'aider. « Ç'a été dur, me dira-t-il, il était suicidaire. Il n'était pas à la hauteur de son acte. Sa personnalité fragile a littéralement explosé sous l'énormité de son geste. » Mais parfois, Montebourg rate une visite. Didier est alors accablé, plein de ressentiment.

« Didier, déclare Me Montebourg au journaliste de *L'Est républicain*, est hanté par son affaire. Elle le perturbe au plus profond de lui-même. Il est complètement immergé dans la réflexion, la rumination, la torture morale. » Pour alimenter sa réflexion et sa torture, il lit la presse et des livres, il regarde sa télé de location. Le 9 octobre 1994, il ne manque pas de regarder sur France 2, dans le cadre de l'émission « Première ligne », cette séquence intitulée « La télévision en otage » en partie consacrée à sa folle journée du 8 juin 1993. C'est, pour France 2, une façon intelligente à la fois de réparer l'erreur d'appréciation de juin 1993 et de faire une enquête en profondeur. Cette fois, c'est la caméra de France 2 qui revient sur les pas de Didier dans son modeste hôtel des Lilas, Didier *in absentia* bien sûr mais qu'on entend en voix off.

Interview d'un des héros de ce jour-là : Benoît Duquesne de la Une. Il nous dit quelle fut alors sa stratégie de journaliste : empêcher coûte que coûte Didier de lire son message préparé, dont Duquesne eut vite le sentiment qu'il ne présentait aucun intérêt que psychiatrique, mais qu'il réponde à ses questions précises. Ce qu'il pense aujourd'hui, avec le recul, de la façon dont TF1 couvrit l'affaire ? « On a en a fait trop, dit-il. On a eu raison de diffuser ce témoignage, mais on a fait trop long. »

Interview de Me Montebourg. « La télévision a présenté Didier comme quelqu'un qui a d'abord commis ce geste pour le retentissement qu'il aurait et non pas pour le geste lui-même. Ce qui est de la folie. On ne va pas en prison pour se faire de la publicité. C'est de la folie de penser ça, qu'on puisse risquer de perdre la liberté pour simplement devenir célèbre. C'est une idée absurde. Il faut restituer la véritable dimension de ce geste, qui est d'avoir tué René Bousquet. » Nul doute que devant son petit écran, Didier n'ait applaudi des deux mains. La Folie n'est pas en lui, Didier, elle est dans ce qu'on dit de lui. Pourtant, en répétant deux fois le mot folie, Montebourg sent bien que la Folie, même s'il estime qu'elle n'est pas là où on croit, en tout cas rôde dans les parages. Montebourg et l'opinion publique, devant un Didier cette fois spectateur, semblent jouer ici au jeu de la patate chaude qu'on se repasse de mains en mains pour ne pas se brûler. La patate chaude, c'est ici la Folie. Car oui, Didier a mis en jeu sa liberté, et non seulement sa liberté, mais sa vie même, pour le « retentissement » de son geste. Et d'un autre côté, il est non moins vrai qu'il n'a pas choisi sa cible au hasard. Il a choisi le Mal : pour se faire reconnaître comme un homme *bien*. Autrement dit, Montebourg pointait deux motivations qu'il lui eût fallu non disjoindre, comme il le fait, mais au contraire relier. Il ne pouvait le faire, ce n'était pas son intérêt ni celui de son client. D'ailleurs, le rôle d'un avocat n'est pas de faire toute la lumière (c'est plutôt ma tentative ici). Mais d'éclairer les choses selon une certaine focale, partielle, orientée mais toutefois crédible…

Interview, dans la même émission toujours, de Maxime Benoît-Jannin, son ami d'enfance et préfacier des *Contes de l'eau qui dort*, qui vit aujourd'hui à Bruxelles. Il évoque le vertige dans lequel Christian a très tôt basculé : l'idée que la télévision était regardée par des millions de gens. « C'est quelqu'un qui s'est senti nié toute son existence [...] Aussi bien par son père [...] La télévision était pour lui presque un être avec qui il communiquait et qui communiquait avec lui [...] »

Enfin, interview par la journaliste de France 2 de son frère Dominique Didier, au cours d'une promenade le long de la Roche-Saint-Martin sur les hauteurs de Saint-Dié, là même où Christian allait méditer et où il reçut l'Appel de la Forêt. Voix posée de Dominique, homme d'une grande sobriété de geste et de ton, très différent de son frère aîné. Il dit que son premier sentiment, quand il découvrit l'affaire en ouvrant un journal à Lyon où il se trouvait alors, ce fut de la rage. « Rage de mon impuissance à aider mon frère. Je m'étais rendu compte qu'il n'allait pas bien. Parce que j'étais passé une semaine avant à Saint-Dié, pour aller dire bonjour à ma mère. J'avais senti chez lui une aggravation de son état, une espèce d'urgence, un désarroi un peu plus important que d'habitude. Je comptais bien revenir à Saint-Dié la semaine suivante. Il était très nerveux. Il a toujours été fragile depuis son enfance, depuis toujours. Ça se manifestait par une instabilité continuelle, par un état d'âme de quelqu'un qui est anxieux. Je n'ai jamais vu mon frère bien dans sa peau. Je pense qu'il cherchait d'abord à combler un vide intérieur, à se construire un personnage. Parce qu'il était en manque de personnage. Il cherchait une notoriété, à se faire reconnaître... » Comment Didier reçoit-il ces confidences de son frère à la télévision, alors qu'il croupit à la Santé dans l'attente de son procès ? Mal, j'imagine. J'imagine que ces deux frères ne se sont jamais bien entendus. Ils étaient trop différents. Leur mésentente devait alimenter et creuser l'écart qui les séparait, et réciproquement. Le rôle du père, en outre, jouant sans cesse de la comparaison entre ses deux fils, devait accuser entre eux le ressentiment mutuel, pour ne pas dire plus. J'imagine que Christian a dû penser que dans son discours Dominique mettait trop l'accent sur son psychisme. C'est-à-dire sur sa Folie. Il a dû bondir, gueuler dans sa cellule, maudire son frère qui n'avait pour tout tort que, sinon de dire la vérité, en tout cas d'être sincère. De quoi se mêle-t-il, celui-là, qui ressemble si banalement à tout le monde ? Que peut-il comprendre à un poète comme moi, à un Voyant, lui, cet homme ordinaire, rangé, normal, père de famille ? Et on eût dit que là, en ce jour d'octobre 1994, face à la journaliste qui chemine à ses côtés sur la féerique Roche-Saint-Martin, dans la Forêt, Dominique dut lui aussi, à ce moment, entendre une Voix : la protestation lointaine de son frère dans sa geôle, Christian qui clame son désaccord, qui gueule, qui lui ordonne d'arrêter là ses confidences oiseuses, de s'occuper de ses propres affaires, de ne pas se mêler de ce à quoi il n'a jamais rien compris et ne comprendra jamais rien, de la boucler ! Et l'on entendit Dominique Didier changer de discours, comme s'il prenait soudain conscience que son frère regarderait cette émission de télévision, lui qui ne vibre que par son écran interposé, et surtout qu'il allait être jugé d'ici quelques mois : « Mais Christian, poursuit-il, n'aurait pas commis d'acte gratuit. Il n'aurait jamais tué quelqu'un d'innocent. Dans le personnage qu'il se construisait, il y avait une dimension de justicier. Le fait qu'il ait tué Bousquet… il a raté son coup. Il pensait qu'il n'y arriverait pas. Moi, ça m'a beaucoup surpris qu'il soit allé au bout de son geste. Il s'est trouvé seul en face de Bousquet, ce qui n'était pas forcément prévu de sa part… » Voilà, de la part de Dominique Didier, autant d'arguments en défense, qui viennent probablement de ses conversations avec Me Montebourg. Enfin, une autre dimension apparut en bout d'interview : « Il y avait aussi chez lui un côté suicidaire, surtout vers la fin et je pense que ce n'était pas du tout exclu dans son esprit qu'il risquait sa peau. » « Vers la fin », dit Dominique Didier. « Vers la fin », et non : ces derniers temps, ni : récemment, ni : juste avant son geste. « Vers la fin » sonne étrangement : Christian Didier, pour Dominique, a accompli son destin. Prévisible fatalité pour qui vit au pays des Fées.

Didier, j'imagine, a dû cependant vite passer outre. Il se divertit avec les rebondissements de l'affaire scandaleuse de l'amitié que François Mitterrand continua longtemps d'entretenir avec l'ex-secrétaire général de la police sous Vichy, bien au-delà des « années noires ». Ce ne sont plus d'ailleurs les « années noires », ce sont les années grises, en demi-teinte, où les oppositions sont à peine tranchées, où elles tendent à se confondre, celles où l'on pouvait, comme le préfet Papon, comme Bousquet, comme Jean-Paul Martin, comme Henry Cado, comme tant d'autres, efficaces « collaborateurs » de Pierre Laval, diligenter l'arrestation et la déportation des Juifs, et rendre dans le même temps des « services » à la Résistance. Une nouvelle catégorie apparut, forgée par les historiens, celle de « vichysto-résistants »…

Christian Didier, du fond de sa cellule, suit toute cette actualité, par la presse et la télé. Et son avocat de même, de plus en plus passionné : l'histoire si provinciale, si marginale d'un Didier issu de la France profonde et silencieuse vient se loger de façon de plus en plus visible dans la grande Histoire et la politique nationale, celle d'une peu glorieuse fin de règne mitterrandienne. Lui, Arnaud Montebourg, le jeune militant socialiste, est profondément remué, interpellé, comme on dit alors. Quand il vient rendre visite à Didier, les deux hommes évoquent évidemment cette actualité où la politique est rattrapée par l'Histoire. Auprès du journaliste de *L'Est républicain*,

Me Montebourg projette probablement sur Didier ses propres préoccupations de citoyen, d'homme de gauche, d'avocat de la défense. Il parle pour Didier, et après tout c'est son rôle. « Ce qu'il découvre aujourd'hui, dit-il de son client, sur les relations entre Mitterrand et Bousquet le conforte dans sa certitude que le jeu judiciaire a été truqué et il réalise à quel point son propre geste a été démonstratif, à quel point il a mis le doigt sur quelque chose d'énorme, d'inconcevable. Issu d'une région, les Vosges, où la Résistance a gardé un caractère mythique que la présence du Struthof suffirait à entretenir s'il en était besoin, il a vu successivement le président Pompidou gracier Paul Touvier puis le président Giscard d'Estaing faire de Maurice Papon un ministre. Et voilà qu'il découvre, ou tout au moins qu'on lui confirme, que le président Mitterrand entretenait des relations amicales avec Bousquet alors que tout le monde, au moins à son niveau, était au courant de son rôle dans les menées antijuives de Vichy en général et dans la rafle du Vel'd'Hiv' en particulier. Comment ne peut-il pas penser que, décidément, la machine judiciaire montre une étrange obstination à s'enrayer dès qu'il s'agit de tels individus ? » Ce beau discours est en effet probant. Mais il vaut, par sa rationalité toute pédagogique, pour son auteur, Me Arnaud Montebourg, bien davantage que pour le pauvre Didier, malade et torturé.

En février 1994, le travail de la juge d'instruction est achevé, de même que l'expertise des psychiatres, rendue le 17 janvier. À leurs conclusions, dans un premier temps, Didier souscrit volontiers. Ou plutôt, il s'en remet à la volonté de Dieu. Quinze jours plus tard, revirement. Il demande une contre-expertise pour annuler le rapport des experts Michel Dubec et Jean Martel. « Je n'étais pas dans mon état normal, écrit-il à la juge Chantal Perdrix, j'étais en proie à des hallucinations. » Chantal Perdrix ne donnera pas suite, jugeant la demande irrecevable.

On murmure de plus en plus qu'il n'y aura pas de procès Christian Didier : il relèverait de l'article 64 du Code pénal dont il a déjà bénéficié, à son corps défendant, en 1987. Mais ce ne sont là que rumeurs. Lesquelles – signes « subliminaux » ? – atteignent Didier au fond de sa cellule. Dans le procès-verbal d'interrogatoire que la juge Chantal Perdrix rédige en date du 4 février, on peut lire : « Des gens ont intérêt à ce que ce procès n'ait pas lieu car ce sera aussi le procès de Bousquet. On me fait une guerre psychologique, on a voulu que je joue le jeu de l'article 64, j'ai reçu des lettres de menaces de mort de la part d'une vingtaine d'amis, des gens habiles leur dictaient ces lettres sous la menace, je ne peux pas les produire pour ne pas mettre en danger la vie de ces personnes. » On a bien lu : « des menaces de morts de la part d'une vingtaine d'amis ». Il se trouve que Didier est familier des menaces de mort. Dans le passé, il a déjà porté plainte au commissariat de Saint-Dié pour cette raison…

À la mi-mars, il se livre, toujours à l'adresse de la juge, à une étrange confession : « Pendant mon séjour en Australie j'ai participé à un viol collectif sans consommer personnellement car nous fûmes interrompus par des gens. J'ai eu de nombreuses expériences pédophiles avec attouchement sans violence sur des fillettes de six à douze ans, notamment avec une certaine […], fille d'une infirmière de l'hôpital de […], une autre expérience pédophile avec […], une copine de la fille de mon ami […] J'ai giflé une fois ma mère lorsque j'étais adolescent […] Je suis un monstre et j'en demande pardon à Dieu. » Comme pris de réel remords d'avoir fantasmé un remords fictif, il rectifie dans la lettre suivante : « […] J'ai tout inventé en m'accablant de tous les péchés de la terre […] Je suis sous l'emprise de forces occultes […] Je ne suis plus moi-même. »

Toute l'année 1994, il envoie dès lors chaque jour des courriers, souvent les mêmes, recopiés les uns sur les autres, aux psychiatres, à la juge Chantal Perdrix, au procureur de la République, à la terre entière. Les forces occultes y sont omniprésentes. Il est, comme il l'écrit, « terrorisé ». C'est qu'approche l'échéance du procès. Et son ampleur historique, politique. Aura-t-il les épaules assez larges pour soutenir ces forces sismiques qui secouent les médias et la classe politique et dont les ondes ingérables vont l'atteindre et l'atteignent déjà, de façon subreptice, lui, pauvre Didier, cet homme seul, absolument seul ?

« La vie dans cette prison devient pour moi un réel enfer car je suis la cible des surveillants la plupart d'extrême droite [...] »

« C'est l'extrême droite qui veut tuer ma mère. Leur stratégie consiste à me faire faire de nouvelles fausses déclarations pour salir l'image du peuple juif au procès et tuer ma mère pour faire croire que ce sont les juifs qui se sont vengés ce qui est ignoble [...] »

« [...] Faisant suite à mon précédent courrier du 24.3.94 je vous informe que les menaces de mort de l'extrême droite s'étendent à présent à mon entourage, famille de mes amis comprises [...] »

« [...] il n'y a jamais eu de menaces de mort, c'était un prétexte pour revenir sur une confession et cacher ma honte [...] »

« [...] Il ne faut pas tenir compte de ma lettre du 4.4.94. J'ai cédé à de terribles pressions de menaces de mort sur mon entourage et moi-même et cela continue, je le jure. Je suis terrorisé [...] »

« [...] Ces menaces de mort sur moi-même et sur mon entourage persistent [...] Les auteurs de ces menaces de mort veulent que je dise que je n'ai jamais eu de menace de mort [...] »

« [...] Je n'ai pas eu de menaces de mort, je traversais seulement des périodes d'angoisse exacerbées et de fatigue de mon imagination. Je me suis simplement égaré [...] »

Comme on le voit, la Raison (ou son avocat ou le psychiatre de la prison) lui souffle qu'il n'est pas victime de menaces de mort. Mais la Folie revient, qui n'a de cesse de lui suggérer le contraire, que ses ennemis le menacent de mort s'il s'avise à prétendre qu'il a reçu des menaces de mort ! D'où la succession sempiternelle d'allégations et de dénégations, flux et reflux de la Raison et de la Folie, l'une tour à tour recouvrant l'autre.

Mais ce délire pourtant manifeste n'entache pas pour autant la conviction des experts psychiatres : Didier est responsable de ses actes. Comme me l'a suggéré Serge Klarsfeld, le Dr Michel Dubec avait de bonnes raisons de repousser *a priori* l'hypothèse d'un Didier psychotique. Juif polonais, son père avait été sauvé pendant la guerre par les Soviétiques qui le déportèrent en Sibérie. Lui aussi, comme Mes Montebourg et Lévy, comme Christian Didier, veut un procès en bonne et due forme. Pas question d'invoquer l'article 64. Faire en sorte que Didier ait son procès, c'est, du même coup, expliciter publiquement, dans le cadre des assises, l'identité de sa victime, largement révélée il est vrai, un an plus tôt, par la biographie de Pascale Froment. Établir que Didier est pleinement responsable de son acte, c'est affirmer qu'il n'a pas tué Bousquet par hasard, mais au contraire en toute connaissance de cause, pour des raisons liées à la composante antijuive de la politique collaboratrice de Vichy. Et puis, soit que l'idée leur fût venue toute seule, soit qu'elle leur fût soufflée par un magistrat du Palais, les experts-psychiatres redoutaient de tomber dans un piège politico-criminel. En le décrétant psychotique, ils disculpaient Didier et du même coup écartaient trop vite une possible manipulation policière de l'Élysée. On manipule un *borderline*, quelqu'un qui sait, quand ça l'arrange, jouer de sa folie, non un psychotique. D'où leur réticence à déclarer purement et simplement Didier fou. En diagnostiquant prudemment le *borderline*, ils n'encouraient aucun risque de ce côté; ils ne se «mouillaient» pas. De ce point de vue, les avocats, les experts-psychiatres et Didier lui-même formaient une alliance objective. Mais les uns et les autres pour de tout autres raisons.

Car elle court, la rumeur : le geste de Didier aurait été télécommandé par des personnages «haut placés» qui ont intérêt à ce que le procès de Bousquet n'ait pas lieu, à ce qu'on ne procède pas au grand déballage politico-historique. Sur quels éléments cette version s'appuie-t-elle ? D'abord sur ceci que la police, depuis la tentative de Didier sur Barbie qui provoqua des perquisitions chez lui à Saint-Dié, connaissait à peu près tout sur le personnage, et avec elle la cellule «antiterroriste» de l'Élysée depuis l'escalade de ses grilles. Didier était l'individu rêvé pour débarrasser le président d'un procès qui risquait d'être fort compromettant. Autre détail qui étaie cette thèse, que certains croient pouvoir mettre en avant : l'absence, ce jour-là, de Nam, l'omniprésent majordome des Bousquet. Or, ce jour-là comme les autres, Nam est présent au 34, avenue Raphaël : il poursuit même l'assassin jusqu'au métro La Muette... Autre élément, enfin, qui joue dans le même sens : l'extrême facilité avec laquelle Didier s'est introduit jusque chez Bousquet, alors que des journalistes importuns avaient tenté vainement de le rencontrer, Nam étant une fois pour toutes chargé de répondre que M. Bousquet était absent. Pourtant, là où d'aucuns s'interrogent encore sur ces épais mystères politico-policiers qui auraient présidé à la réussite de Didier, il faut plutôt saluer la ruse de Sioux, une fois de plus, du personnage et sa détermination impavide. Ainsi, l'adresse de Bousquet figurait tout simplement dans l'annuaire du téléphone et nul journaliste ne l'ignorait... La même adresse à l'époque que celle aujourd'hui de son fils Guy Bousquet...

Enfin, et c'est un point sur lequel Pascale Froment attira mon attention : l'arme et les balles dont s'est servi Didier. Il n'avait réussi à abattre sa victime qu'à la quatrième balle, s'étonnant que le bonhomme fût d'une résistance peu commune. Or, d'après sa biographe, ce n'était nullement le cas : l'individu était gravement malade; il était en train de mourir. Cette conviction était partagée par Serge Klarsfeld. S'il avait paru à Didier d'une résistance de « mutant », c'est surtout que l'arme de Didier n'était pas d'une redoutable efficacité. Pascale Froment employa ce terme : « une arme de Prisunic». Quant aux balles, elles étaient «merdiques». Or, si le bras de Didier avait été armé par l'Élysée, il eût pour le moins disposé d'un revolver ou d'un pistolet autrement efficace... À moins que... À moins que l'Élysée n'ait aussi prévu cela, et qu'on n'ait jugé que même si Didier ne tuait pas Bousquet à cause de cette «arme de Prisunic», il le blesserait assez sérieusement pour de toute façon empêcher la tenue du procès. Et là était le but recherché.

L'actualité «vichyste», en cette année 1994, est pour le moins pléthorique. L'année précédente, d'ailleurs, ne l'était pas moins, avec par exemple la sortie de deux films consacrés à Vichy, celui, en mars, de Claude Chabrol, *L'Œil de Vichy*, et celui, en mai, de Jean Marbœuf, *Pétain*. Alors que, dès octobre 1992, chacun pouvait lire dans *La Part d'ombre*, sous la plume d'Edwy Plenel, l'analyse essentielle des relations précoces que la politique avait tissées entre Mitterrand et Bousquet, ce n'est qu'en septembre 1994 qu'éclate à proprement parler et scandaleusement l'affaire Mitterrand-Bousquet, avec la parution du livre de Pierre Péan, *Une jeunesse française, François Mitterrand 1934-1947*. L'ouvrage était précédé un mois plus tôt par le livre d'Éric Conan et Henry Rousso, *Vichy, un passé qui ne passe pas*. Il sera suivi, le mois suivant, par la biographie exhaustive que Pascale Froment consacre à René Bousquet. En cette même année 1994, sont parus un livre d'Arno Klarsfeld sur Touvier, de Gérard Boulanger sur Papon, et tant d'autres.

Sur le plan judiciaire et politique, le 20 avril précédent, Paul Touvier était condamné à la réclusion perpétuelle pour crimes contre l'humanité. C'est alors que certaines associations ont réclamé l'ouverture du procès de Maurice Papon. Aussitôt après la sortie du livre de Pierre Péan, le lundi soir du 12 septembre 1994, à 20 h 45, le président Mitterrand, visiblement très affaibli par sa maladie et les traitements lourds qu'il subit, accorde un entretien sur France 2 à Jean-Pierre Elkabbach, le P-DG de France Télévision, qui l'interroge sur sa maladie, son passé vichyste et ses relations avec René Bousquet jusqu'en 1986. Le président répète ce qu'il a dit ailleurs : d'abord il ignorait tout des lois antijuives de Vichy; ensuite il n'a connu René Bousquet qu'après le procès de ce dernier, en 1949, procès à l'issue duquel, insiste-t-il, Bousquet fut blanchi. Il était alors secrétaire général à la Banque de l'Indochine. Enfin, Bousquet était devenu une personnalité à Paris et à Toulouse. « Il a fréquenté des gens, que je n'ai pas à citer, mais enfin qui ont accepté d'être dans le même conseil d'administration. » Les initiés décrypteront aisément l'allusion. Voilà tout. Ce lundi soir, TF1 donnait *Navarro*. C'était alléchant, mais Didier n'a pas hésité : il a choisi France 2.

Après la publication du livre de Pierre Péan et l'entretien de François Mitterrand avec Jean-

Pierre Elkabbach, Élie Wiesel, l'ami du président, est sollicité de toutes parts pour prendre position et ses distances. Élie Wiesel veut d'abord comprendre. Il prend rendez-vous avec l'Élysée pour la semaine de Soukkot (les Cabanes) qui marque la fin des grandes fêtes juives d'automne. Voici ce qu'écrit Wiesel dans le volume 2 de ses *Mémoires* (1996) : « Il me dit carrément qu'il n'a commis aucune erreur. Aucune ? Aucune. Donc, ni remords ni regrets. Les lois antijuives de Vichy ? Pas au courant. » Wiesel évoque l'amitié du président avec Bousquet. « Avec un haussement d'épaules, il répond que, quand il fit sa connaissance, Bousquet était déjà réhabilité par la justice et très bien introduit dans le Tout-Paris de la finance; il y avait, dans son entourage, des personnalités juives fort connues et respectées. » L'allusion, on le voit, est insistante, qui vise à dédouaner le président de son amitié avec le Diable en compromettant un tiers. C'est patent : François Mitterrand a alors en tête Antoine Veil, époux de Simone Veil et P-DG. de la compagnie UTA au conseil d'administration de laquelle figurait Bousquet. Il y représentait la Banque Indosuez dont il était le censeur (titre purement honorifique) depuis 1975.

En octobre 1978, à la parution de l'interview de Darquier de Pellepoix dans *L'Express*, Antoine Veil, selon sa propre version, demande et obtient aussitôt le départ de Bousquet. Celui-ci annonce en effet sa démission dans une lettre datée du 4 décembre 1978, que le président d'UTA, Francis Fabre, lit en conseil d'administration le 14 : sa décision, précise René Bousquet, a été prise en raison de la campagne dont il a été l'objet. Le même Francis Fabre exigera deux ans plus tard la démission d'Antoine Veil.

Bousquet dut de même démissionner de tous ses titres de P-DG. et d'administrateur, notamment du conseil d'administration des Cristalleries de Baccarat ou d'autres fonctions plus exotiques puisqu'il était président du Crédit foncier de la Nouvelle-Calédonie et de la Société des plantations réunies de l'Ouest africain, ça ne s'invente pas. Le *Who's Who* le fait également disparaître de ses pages. Le voici grillé.

De l'homme qui siégeait au conseil d'administration de la compagnie UTA, en vérité, on ne connut le passé qu'en ce mois d'octobre 1978. Antérieurement, nul ne songe à associer, en tout cas publiquement, les noms de Bousquet et de Mitterrand. Ainsi, dans la biographie que le journaliste Franz-Olivier Giesbert consacre au futur président de la République, publiée en mars 1974, le nom de Bousquet ne figure pas dans l'index. La question, en fait, ne se pose pas. Pour personne. Ni pour Franz-Olivier Giesbert, ni pour Manuel Bidermanas, ni pour Antoine Veil. Ce dernier, ainsi, savait bien qui était le Bousquet de la police de Vichy et le Bousquet qu'il voyait au conseil d'administration d'UTA, mais n'avait jamais fait le lien entre ces deux homonymes... Voici ce qu'il écrit au début de son livre, *La Mémoire longue* (1991) :

> [...] la découverte que le Bousquet, Légion d'honneur, administrateur bon chic bon genre d'UTA, que je dirige, était le même Bousquet appelé par Pierre Laval [...] sera pour moi un électrochoc. Ainsi ai-je, en toute sérénité, régulièrement serré, pendant des années, la main d'un homme coupable de crimes contre l'humanité. Humiliante révélation !

Ces lignes me faisaient irrésistiblement penser à Swann qui se réveille de son amour pour Odette comme on se réveille d'un mauvais rêve : « Dire que j'ai gâché des années de ma vie, que j'ai voulu mourir, que j'ai eu mon plus grand amour, pour une femme qui ne me plaisait pas, qui n'était pas mon genre ! »

L'entrevue entre le président et son ami Élie Wiesel a duré une heure et demie. Le président et l'écrivain conviennent d'une prochaine rencontre où, en vue du livre d'entretiens dont ils avaient le projet commun, ce dernier l'interrogera plus précisément sur ses relations au passé. François Mitterrand demande alors à Élie Wiesel de lui poser ses questions par écrit. Ce à quoi l'écrivain s'emploie. Il lui envoie par fax « des questions gênantes sur Vichy et Pétain, la gerbe [déposée chaque année par François Mitterrand sur la tombe de Pétain] et

Bousquet, sa collaboration à une revue antisémite et la francisque». Toutes questions abordées par le livre de Péan. Il n'y aura pas de réponse. Les deux hommes ne se reverront plus.

Le 7 décembre 1994, la chambre d'accusation de la cour d'appel de Paris décide le renvoi de Didier devant la cour d'assises. Le procès aura lieu à l'automne 1995. On estime qu'il devrait durer deux semaines. Il ne durera que six jours.

Tout le printemps 1995, Arnaud Montebourg tente de comprendre Didier en profondeur. Marie-Thérèse Didier l'aide autant qu'elle peut dans cette tâche. C'est ainsi qu'en avril ils se rendent tous deux au camp de concentration du Struthof, à trente-cinq kilomètres de Saint-Dié, sur le versant alsacien des Vosges. C'est le seul camp de concentration nazi installé en territoire français, à ceci près que ce territoire était à l'époque annexé au Reich. Pour préparer la défense de Christian, Montebourg tente de comprendre «l'atmosphère dans laquelle il a grandi, dans une région très marquée par la guerre, l'Occupation et les crimes nazis». «Sa petite enfance, dit-il, s'est déroulée dans une période d'horreur.» Ce qui est la stricte vérité.

Quant à Mme Didier, l'état de délabrement de son fils l'inquiète de plus en plus. «Mon fils, confie-t-elle à un journaliste de *L'Est républicain*, est épuisé moralement et physiquement.

Il ne pèse plus que cinquante-huit kilos. Il ne lit plus, il n'écrit plus.»

La veille du procès, Lionel Raux, journaliste à *L'Est républicain*, recueille un entretien exclusif avec Me Montebourg. «Christian Didier, déclare l'avocat, a aujourd'hui cinquante et un ans. C'est un homme diminué et meurtri qui a déjà fait deux ans et demi de prison, exactement autant que René Bousquet durant toute sa vie, et sans jamais déposer la moindre demande de mise en liberté provisoire alors qu'il a perdu douze kilos en détention. Il porte en lui la culpabilité d'avoir tué un homme, fût-il un *salaud* au sens sartrien du terme [...] et il souffre beaucoup d'avoir fait du mal à sa mère. Pour ma part, je me battrai jusqu'à mon dernier souffle pour le lui ramener le plus vite possible.»

Le procès s'ouvre le lundi 6 novembre 1995 dans l'après-midi. Le président de la cour est Yves Jacob, l'avocat général Philippe Bilger. Guy Bousquet, le fils de la victime, qui s'est constitué partie civile, est représenté par Me Jacques Chanson, soixante et un ans. C'est un ancien membre du conseil de l'ordre des avocats de Paris. Il a notamment défendu l'association SOS-Attentats. Il est prévu six audiences, une semaine de débats, jusqu'au lundi suivant, le 13 novembre. Le cadre juridique du procès est défini par les cinq pages que constitue l'arrêt de renvoi. La défense, Mes Thierry Lévy et Arnaud Montebourg, entend, c'est leur intérêt, que l'affaire Bousquet soit intimement jointe aux débats. Mais ce souhait est récusé : « Il convient d'apprécier la responsabilité de l'accusé en fonction de ses seules motivations et de la perception qu'il avait lui-même du personnage de sa victime. » En clair : Didier ignore d'évidence le détail des charges précises qui pèsent sur Bousquet. Et encore plus l'état d'avancée de l'instruction, s'il est sur le point ou non d'être enfin jugé. Mais, pour la défense, précisément, on ne saurait comprendre le geste de Didier si on le dissocie de ce qui est reproché à Bousquet. Cette exigence d'annexer le dossier Bousquet au dossier Didier est refusée, d'abord par la juge Chantal Perdrix, ensuite, à deux reprises, par la chambre d'accusation, au motif que « Christian Didier, né au moment de la Libération, ne s'était déterminé à tuer René Bousquet qu'en raison de la présentation que les médias donnaient à l'époque de ses activités passées et que la connaissance précise de celles-ci n'était donc pas nécessaire à l'examen des charges pesant contre l'accusé ». Traduisons : Didier n'est ni juriste, ni victime de Bousquet, ni témoin de l'époque, ni historien. Sa connaissance du dossier n'est pas plus profonde que celle de tout téléspectateur. Le curieux, et même l'incompréhensible, c'est que Didier aussi, du moins dans un premier temps, s'opposera à ce qu'on joigne l'instruction Bousquet à sa propre affaire. Il écrit à Chantal Perdrix dans ce sens. C'est pourtant son intérêt le plus urgent ! Mais, pour

Didier, il convient de se méfier de l'évidence elle-même. Un excès de lumière peut être l'œuvre diabolique de qui a intérêt à l'aveugler… Autre motivation possible chez lui : l'énormité de l'affaire Bousquet elle-même, qui, si elle venait à être trop évoquée, engloutirait la sienne de l'ombre épaisse de l'Histoire, ferait de lui la mouche du coche, adventice, superflue…

Pourtant, cette fois comme les autres, une autre lettre de sa part, le lendemain, annule la précédente. Raison recouvrée, paranoïa en reflux…

Contournant ce rejet de la chambre d'accusation, Mes Montebourg et Lévy vont cependant convoquer à la barre des personnalités susceptibles de nous dire qui est Bousquet et surtout ce qu'il en est de l'avancée de son procès. Un ancien garde des Sceaux sous Mitterrand, de 1990 à 1992, Henri Nallet, et Me Georges Kiejman, ancien ministre délégué à la Justice. Et des victimes de Bousquet, déportés ou enfants de déportés. Une quarantaine de témoins, dont une douzaine de Déodatiens.

La toute première question est de déterminer si l'accusé est accessible à une sanction pénale. C'est la juge d'instruction, Chantal Perdrix, qui, deux ans plus tôt, dès l'arrestation de Didier, avait posé la question à un collège d'experts, les docteurs Jean Martel et Michel Dubec. Le Dr Dubec, dès le 11 juin 1993, soit trois jours après l'arrestation de Didier, est le premier à l'avoir examiné. Il dira, lors du procès : « Son discours était décousu, incohérent et cependant rationnel. Il était encore en état de choc et il était pratiquement impossible de l'interrompre... » Le Dr Dubec avait parlé, chez Didier, d'« exaltation verbale » et d'« excès épistolaire » (Didier lui écrira au total une quarantaine de lettres. Il avait des choses à dire sur la Folie et celle-ci des choses à dire sur sa proie.) À la question de l'accessibilité de Didier à une sanction pénale, les psychiatres avaient répondu par l'affirmative. Selon leur expertise, le tableau clinique que présentait Didier correspondait au concept de personnalité-limite ou d'état-limite, le fameux *borderline* des Anglo-Saxons. Ils émettent une hypothèse assez retorse, et un peu gratuite aussi, il faut bien le dire. Voici en substance leur raisonnement : Didier avait échoué, antérieurement, en 1987, à tuer Klaus Barbie dans sa prison Saint-Joseph à Lyon. Il devait donc penser qu'il échouerait de même à tuer Bousquet. Il le pensait et devait même le prévoir, et, au fond de lui, le souhaiter. Il imaginait probablement que Bousquet serait protégé par une nuées de gardes du corps qui le tiendraient hors d'atteinte. Autrement dit, la réussite de Didier à tuer Bousquet est en réalité, du point de vue de Didier, un échec car il ne prévoyait pas d'y parvenir. Et même, il ne le voulait pas.

Quant à Didier, justement, il n'entend pas pénétrer dans ces méandres psychiatriques. D'autant que lui-même est très fluctuant dans le discours qu'il tient. Car il est capable de proférer en même temps ou successivement les propos les plus opposés. Capable, c'est-à-dire qu'il dispose de la capacité intellectuelle pour le faire. Mais capable aussi, comme on dit capable du pire. Aujourd'hui, il entend s'en tenir à l'essentiel de sa vérité. Il veut donner à son geste tout son poids de sens, si l'on peut dire : une « punition divine ». Oui, il a été la main de Dieu devant une justice humaine archilente et finalement impuissante. De ce point de vue et sur ce terrain, et Dieu mis pour le moment entre parenthèses, ses avocats, Mes Montebourg et Lévy, le rejoignent : il faut faire le procès post mortem de Bousquet lui-même. Ce que la cour voulait justement éviter.

À la veille du procès, et deux ans après l'assassinat de Bousquet, Serge Klarsfeld ne décolère pas. Il est toujours aussi scandalisé par le geste de Didier qui « nous a privés d'un débat judiciaire plus important pour la France que celui de Barbie et de Touvier ». D'un autre côté, l'apaise la certitude qu'il existe désormais « un réquisitoire définitif, une pièce de justice précise qui constitue une prise de position de la justice française ». Or, précisément, ce n'est pas aussi patent que voudrait le croire Me Klarsfeld.

Un autre militant de la mémoire est d'ailleurs d'un avis diamétralement opposé. Dans un « Rebonds » de *Libération* du 2 novembre 1995, il écrit : « Le 8 juin 1993, Christian Didier nous a délivrés de René Bousquet et il risque de payer cet acte de salubrité par une lourde peine de prison [...] Ai-je eu raison, la Libération venue, de ne pas régler son compte au policier Marcel Mulot qui, le 16 juillet 1942, m'a arrêté avec mes parents et ma sœur ? Mes parents ne sont jamais revenus du voyage à Auschwitz mais, après la guerre, Mulot a pu poursuivre une carrière honorable dans la police [...] Bien que moins impliqué que moi, Christian Didier a eu le courage, ou l'éclair de raison indispensable, pour faire disparaître un homme qui n'aurait sans doute jamais été jugé pour ses crimes. » L'auteur de ces propos est Maurice Rajsfus, qui avait quatorze ans pendant la guerre, au moment où ses parents furent déportés à Auschwitz.

Un an plus tôt, Maurice Rajsfus, au nom de l'organisation antifasciste Ras l'Front, décidait de monter une manière de happening politique devant le domicile de René Bousquet, le 16 juillet 1992, pour le cinquantenaire de la rafle du Vel'd'Hiv'. Le « coup » avait été préparé de longue date. Il fallut d'abord trouver l'adresse de Bousquet. Rajsfus la dénicha dans un vieux *Who's Who*. Bousquet était « logé », comme on dit dans la police. Ce jour-là, au matin du 16 juillet 1992, les militants de Ras l'Front, au grand dam de la gardienne, ceinturent l'immeuble du 34, avenue Raphaël, près des jardins du Ranelagh, de fils de fer barbelés, censés évoquer les camps. La presse, évidemment, est largement convoquée, devant laquelle Maurice Rajsfus prend la parole. Un peu auparavant, il a sonné à l'Interphone de l'immeuble aux initiales RB, mais personne n'a répondu : Bousquet avait dû être averti du coup et a choisi de prendre le large. Parmi les journalistes qui piétinent les belles pelouses des jardins du Ranelagh, ce jour-là, un photographe indépendant se trouve déjà sur les lieux. Il «planque» là depuis des semaines, prenant des clichés clandestins de Bousquet arrosant ses plantes sur son balcon, parfois en compagnie de Nam. Mais, à cette époque, ainsi qu'il l'explique à Maurice Rajsfus, nul organe de presse ne réclame ces clichés. Bousquet n'intéresse pas grand monde. Ce n'est qu'un an plus tard, en juin 1993, que ce photographe, paparazzi d'un genre spécial, connaît la «chance» de voir Bousquet assassiné. Du coup, il vend ses photos aux agences de presse...

L'après-midi de ce même 16 juillet 1992, Maurice Rajsfus se joint aux Édudiants juifs de France pour faire le «procès» par contumace de Bousquet devant l'esplanade du Palais de justice... Tout cela, faut-il le dire, est couvert par les caméras de télé. Didier, téléspectateur assidu, et déjà concerné par le personnage de Bousquet, n'a pas dû rater ces images qui l'auront fait vibrer.

Au moment de l'assassinat de Bousquet, un an plus tard, en juin 1993, Maurice Rajsfus se trouve à Bologne en Italie. Il achète ce jour-là par hasard *La Repubblica* et tombe sur les deux pages relatant l'événement. Première réaction : «On est enfin débarrassé de

Bousquet ! » De retour à Paris, il redoute un peu d'être inquiété pour ce meurtre car un an plus tôt, lors de la commémoration de la Rafle, il s'est livré sur toutes les chaînes de radio à d'innombrables interviews pour le moins hostiles à la victime, et la police peut logiquement le suspecter…

Maurice Rajsfus, journaliste et historien indépendant, est un vieil ami de Jean Baumgarten. Ils se sont connus après guerre autour du Mouvement des auberges de jeunesse et de la très trotskiste IVe Internationale. C'est par l'intermédiaire de Baumgarten que Rajsfus entre en relation avec Me Montebourg. Convoqué par la défense, il attend sagement son tour dans la salle des témoins en compagnie de Christian Pierret, maire socialiste de Saint-Dié…

Et à Saint-Dié, au pays, quel est le pouls ? Le conseil municipal se réunit le vendredi 3 novembre 1995. La onzième question de l'ordre du jour porte sur le procès à venir de Christian Didier. À l'issue du débat, le conseil lance un appel à la clémence. Il a rédigé et adopté, dès le 2 novembre, un texte, largement inspiré par Me Montebourg, par lequel est demandé au jury de faire « preuve de compréhension et, s'il l'estime possible, de clémence, à l'égard de celui qui a mis fin à l'existence du collaborateur des nazis, René Bousquet. Le conseil municipal de la ville de Saint-Dié, tout en désapprouvant la justice privée, assure au jury de la cour d'assises de Paris que nombreux sont les Déodatiens qui sont prêts à comprendre le geste de Christian Didier et à accueillir celui-ci dans sa ville natale lorsqu'il aura recouvré la liberté». Christian Pierret déclare : «Ce n'est pas la défense de Christian Didier que nous assumons, c'est la volonté digne et grave d'empêcher qu'on efface l'Histoire, qu'on oublie le tribut payé par la région de Christian Didier à la barbarie nazie.» Autrement dit, si nous lisons bien, le geste de Didier contribue, selon les Déodatiens, à faire l'Histoire et à entretenir la mémoire douloureuse de l'Occupation. Beau paradoxe, alors qu'on peut considérer de façon plus légitime et surtout vraisemblable que c'est exactement l'inverse qui s'est produit : par son geste, Didier a précisément empêché que prenne place le jugement de l'Histoire. Reste que c'est un beau cri d'amour que lancent ici le maire et le conseil municipal de Saint-Dié pour cet enfant du pays, cet enfant perdu certes, mais cet enfant qu'on aime, et qu'on est même prêts à «recueillir».

Pourtant, ce texte des Déodatiens ne fait pas l'unanimité au sein du conseil municipal. Cette même séance du vendredi 3 novembre est particulièrement houleuse. L'opposition de droite se fait entendre, notamment par la voix de l'avocat Jean-Loup Roussel, conseiller régional, qui voit là une «immixtion écœurante et intolérable du conseil municipal déodatien dans les affaires de justice». «Il ne faudrait pas oublier, ajoute-t-il, qu'en abattant René Bousquet, Christian

Didier a non seulement empêché la lumière de se faire sur une période trouble de l'Histoire mais aussi privé les parties civiles du droit à la parole.» Quant au chef de file de l'opposition, le député gaulliste Gérard Cherpion, il exige purement et simplement le retrait de ce texte municipal qu'il juge comme une manœuvre électoraliste.

Certains trouvent que le maire se met trop en avant. Dans le public, un participant y va de son commentaire : «Christian Pierret-Christian Didier même combat. Le maire et l'assassin de René Bousquet ont un point commun. Ils ont toujours besoin d'occuper le devant de la scène.» Les journalistes locaux interrogent à n'en plus finir les Déodatiens. Le père André Lemasson, vicaire épiscopal, qui estime qu'«il faut pardonner le geste de Christian Didier tout en laissant la justice accomplir son rôle. S'il revient un jour dans sa ville natale, il faudra l'accueillir normalement». Ou Robert Adolphe, quatre-vingt-un ans, ancien prisonnier de guerre en Allemagne, qui va volontiers se recueillir devant le monument dédié aux déportés sur la place éponyme. À ses yeux, «Christian Didier mérite une médaille». Ou Henri Marsal, professeur à la retraite qui connaissait bien Didier et sera appelé à la barre par la défense : «Il faut se méfier des mégalomanes, des mythomanes et des fanatiques qui se croient investis d'une mission divine pour combattre ce qu'ils appellent le mal. C'est ce qui vient de se produire en Israël avec l'exécution du Premier ministre Yitzhak Rabin. Le Déodatien Christian Didier voulait être reconnu comme écrivain, d'où ses nombreux coups médiatiques pour devenir célèbre. La tentative d'assassinat contre Klaus Barbie puis l'exécution de René Bousquet ont été pour lui les degrés supérieurs de ce désir de reconnaissance. Quant à la position du conseil municipal, elle s'explique sans doute par le fait que la Déodatie a subi la barbarie nazie. La mort brutale de Bousquet n'a pas fait pleurer dans les chaumières vosgiennes. Mais nul n'a le droit de faire justice lui-même. Il faut laisser la justice légale suivre son cours sans faire pression. C'est à elle d'apprécier si Christian Didier mérite ou non des circonstances atténuantes. »

## 2

## Lundi 6 novembre 1995. Premier jour

Didier n'a pas de chance. En ce jour d'ouverture du procès d'assises, la vedette lui est volée par l'information dont les journaux sont pleins, à la une : l'assassinat du Premier ministre israélien, Yitzhak Rabin, par un jeune extrémiste religieux. Cela s'est passé à Tel-Aviv, à l'issue d'une immense manifestation en faveur de la paix. Il y sera d'ailleurs fait allusion au cours du procès de Didier.

Cheveux coupés en brosse, Christian parlera les yeux clos, comme il l'a fait lors de sa « conférence de presse » en juin 1993. Il se tient droit dans un blazer bleu marine, une écharpe blanche nouée sur un pull à grands losanges gris et jaunes.

Quelle impression donne-t-il, en ce premier jour d'assises, ce lundi après-midi du 6 novembre 1995 ? Celle d'un homme accablé. Impression de Sorj Chalandon, qui couvre le procès pour *Libération* : « Jamais un box n'a paru aussi vaste. Jamais un accusé n'a semblé aussi seul. Christian Didier est éparpillé. Un petit homme labyrinthe, égaré, dévasté, qui délivre ses mots pour la forme, essayant de rassembler les morceaux pour dire ce qu'il reste de lui. »

Le président Yves Jacob ouvre la séance. Il ne s'agit pas pour le moment d'examiner le crime, mais de tenter de comprendre l'homme que nous avons devant nous, dans le box des accusés. On donne la parole à Didier : « La prison est horrible, inhumaine, commence-t-il. Elle a irrémédiablement affecté ma structure psychique et mes facultés mentales. » Il en vient à se définir lui-même : « Tout petit j'ai été marqué par la guerre. On ne parlait que de ça à la maison. Notre rue avait été baptisée rue des Fusillés parce que des parents de mes copains de l'époque y avaient été passés par les armes. Ça revenait dans toutes les conversations et, comme j'étais déjà hypersensible, ça m'a énormément traumatisé... » Et aujourd'hui ? Didier poursuit : « Je suis un mouton à cinq pattes. Mon existence est une dégringolade en cascade. Mon enfance était tumultueuse et malsaine. Je suis un bon à rien. Tout ce que j'ai tenté, j'ai raté. Je suis un échec total. Un désastre. Un bateau ivre. Je suis un instable, monsieur le Président. – Vous donnez l'impression d'un garçon qui cherchait sa voie, dit le président Yves Jacob. – J'ai fait ça toute ma vie. Et si je la trouvais, j'en rendrais grâce au Ciel parce que là, vraiment, j'ai basculé. J'ai fait une chute terrible. » On en vient alors à son geste. Didier dit qu'il le regrette. Il en explique la genèse : « J'ai horreur de faire souffrir et de souffrir moi-même. Mais j'ai été hanté par cet homme qui n'avait eu aucun scrupule à envoyer des milliers d'hommes, de femmes, et surtout d'enfants dans les camps de la mort. J'avais fait une fixation sur lui. C'est dans une forêt que j'ai eu l'illumination de ma mission sur terre. Dieu m'a dit : "Tu as un message à transmettre au monde..." Mais à l'époque, j'étais panthéiste. Et c'est en prison que j'ai retrouvé le Dieu de mon enfance. Alors, je me suis souvenu de "Tu ne tueras point" et je me suis aperçu de mon erreur. Même la pire des ordures, il ne faut pas la tuer. J'étais persuadé qu'en tuant Bousquet, j'effaçais une tache sur la France, que je vengeais les Juifs martyrisés et que je faisais le bien. Mais j'ai eu complètement tort. C'est la dérive de mon mental qui m'a conduit à ce geste. Je le regrette, bien sûr. Tuer un être humain, quel qu'il soit, même le pire monstre ou la pire ordure, c'est une chose horrible, avant, pendant et après. J'ai vraiment commis un acte mauvais. C'est la plus grave et la plus mauvaise chose que j'aie faite dans ma vie.» Mais les Juifs. Comment explique-t-il cette obsession ? «Je suis né quand la guerre n'était pas achevée. Dans une ville martyrisée par les Allemands, où on déportait les Juifs, on fusillait les résistants, on brûlait les maisons. Un fœtus peut être affecté par l'ambiance environnante. J'étais dans le ventre de ma mère quand on tirait encore. Mon état fœtal a été sensibilisé par cette violence.» Il parle du lourd tribut qu'a payé le maquis vosgien à la Résistance. Il a déplacé ça sur les Juifs, pour qui ce fut encore bien pire. Il y a à Saint-Dié une rue des Fusillés. Dans son enfance, on en parlait beaucoup, ça l'a marqué. Un jour, un soldat a tiré tout près. Alors, la guerre, il était « dans le coup ». Le président : « Mais personne, si j'ai bien compris, dans votre famille, n'a souffert de l'occupant ?

– Il y a eu des milliers de déportés juifs, et ça a été atroce. Moi, j'aime les Juifs, poursuit-il, esquivant la question après tout pertinente du président Jacob. J'ai toujours eu une grande admiration pour ce peuple. Les arts, la musique, la culture, la littérature. J'ai très rarement vu des Juifs cons. On va me dire qu'ils sont envahissants mais eux, au moins, ils se tiennent les coudes, pas comme les autres qui se tirent dans les pattes. J'essayais de jouer la carte des Juifs dès que je pouvais les aider. » Dans le prétoire, le journaliste de *Libé* le note, on est pris entre le malaise qui s'approfondit et les « rires retenus ». On a visiblement affaire à un dérangé. Le héros, si tant est qu'on ait jamais pris au sérieux cette catégorie s'agissant de Didier, a aujourd'hui totalement disparu.

## 3

## Mardi 7 novembre 1995.
## Deuxième jour

Le système de défense repose sur l'établissement que Bousquet *n'allait pas* être jugé. Qu'il y avait en tout cas un fort doute sur ce point. Et que c'est là la raison majeure, ce déni de justice, qui explique et en partie justifie que Didier ait agi. Pour qu'enfin justice soit faite. Au fond, tout ça, c'est la faute de l'ex-président de la République François Mitterrand. Il a tout fait pour retarder le procès, et donc entraver le déroulement normal de la justice. Le geste de Christian Didier s'inscrit tout entier sur ce fond-là, qu'on ne peut ignorer. Son geste n'est pas un crime crapuleux ni insane. C'est un crime politique. Un acte courageux, un acte civique. Un acte éminemment moral. D'ailleurs, tout l'atteste, le Bien et le Mal, Didier ne connaît que ça, depuis toujours. C'est son tourment de tous les instants. Pour la défense, on ne peut statuer de Didier sans parler de sa victime. Or c'est justement ce que, pour la partie civile, il s'agit d'éviter. D'où les protestations de Guy Bousquet, le fils de René

Bousquet : « Il y a des limites, monsieur le Président ! On essaye d'obtenir par la bande une condamnation relative de la victime. Nous sommes très loin de l'Histoire et très proches de la falsification. » Le président Yves Jacob va tenter de naviguer dans cette tension.

Défilé des témoins de la défense. D'abord, les intimes. Hier, nous avons vu la mère, Marie-Thérèse Didier, accablée, désemparée. Elle était venue dire à la barre, avec beaucoup de dignité, de bon sens, de clarté, les souffrances de son fils. C'est une vieille dame très digne, âgée de soixante-dix-sept ans. « C'était un bon garçon, dit-elle de son fils, très droit, franc comme l'or et bon cœur. Chacune de ses journées était pareille : promenades, lectures, un peu la télé le soir. Quand Touvier a été renvoyé devant les assises [le 2 juin 1993, soit, rappelons-le, six jours avant l'assassinat de Bousquet], il m'a dit qu'il en connaissait un qui était encore bien pire et qui devrait payer, le responsable de la rafle du Vel'd'Hiv' qui menait la grande vie dans les beaux quartiers de Paris. La guerre, l'exode, les ravages de la milice, ah oui ! on en a bien souffert à Saint-Dié ! Tout le monde en parle encore aujourd'hui et personne ne peut croire que Christian puisse être sévèrement puni pour cet acte. Pour lui, c'était la vengeance des victimes de cette époque. »

Après la déposition de sa mère, Christian est visiblement très ému. « Je te remercie beaucoup, maman, tu as fait tout ce que tu as pu.

C'est vrai que, pour moi, Bousquet était l'incarnation du mal.»

Mme Didier a pu, par sa logique, impressionner un certain nombre de gens dans le prétoire. C'est ce que me dira plus tard l'ancien déporté Henry Bulawko, que la défense appellera bientôt à la barre : «Il y avait une très grande différence entre la mère et le fils. Autant celui-ci était plutôt confus et ses explications ne passaient pas la rampe, autant la mère était d'une logique impressionnante.» Ce qu'il pensa à l'époque du geste de Didier ? «J'étais partagé. Comme individu, ça ne me dérangeait pas qu'on ait liquidé Bousquet. Comme responsable de l'Amicale d'Auschwitz-Birkenau, on me sollicitait beaucoup, et il me fallait avoir une attitude cohérente, dire que cela nous privait du grand procès qu'on attendait.» Autrement dit, en son for intérieur, Henry Bulawko partageait la position de Maurice Rajsfus. Simplement, il ne pouvait l'exprimer à voix haute. Serge Klarsfeld nous avouera avoir été dans la même situation.

Maurice Rajsfus s'est présenté à la barre. Il a exhibé de sa poche une étoile jaune marquée de l'inscription «juif». «Elle nous était donnée par la police française dirigée par Bousquet», explique-t-il. Ce qu'il pense du crime de Didier ? «Franchement, je me suis senti libéré d'un poids énorme. Certes, on ne peut faire justice soi-même, mais Bousquet n'était pas un justiciable comme les autres.» Intervention de Guy Bousquet, protestant avec véhémence qu'on cherche à salir la mémoire de son père. Le président rappelle à l'ordre le témoin en signalant qu'on ne faisait pas ici le procès de Bousquet mais de Didier.

Témoignage d'Henry Bulawko qui raconte dans un silence impressionnant son arrivée à Auschwitz et conclut : « Je n'ai jamais entendu ni Bousquet ni sa famille s'excuser. » Applaudissements du public. Un autre témoin évoque les enfants parqués à Pithiviers, un camp du Loiret, avec Beaune-la-Rolande, et expédiés à Auschwitz. Me Lévy entend mettre à profit ces témoignages pour approfondir le cas Bousquet. Protestation de Me Chanson qui se lève : « On sort du dossier ! Le procès de René Bousquet ne peut se faire maintenant. Il n'a pas eu lieu et n'aura jamais lieu. » Intervention du président Jacob à l'adresse de la défense : « Ce procès ne peut être exclusivement celui de Vichy. » Et il se tourne vers les jurés, six hommes et trois femmes, tous nés après la guerre (moyenne d'âge de trente-six ans) : « Parce qu'il n'a pas été jugé, M. René Bousquet bénéficiera de la présomption d'innocence. » Mais qui le croira ?

Aujourd'hui, 7 novembre, ce sont les proches, ceux de Saint-Dié qu'on va entendre jusqu'à une heure avancée de la soirée. Ils sont venus (en autocar), ils sont tous là. D'abord M. Jean-Louis, l'ami Jeannot, responsable du comité de soutien à Didier, sis au 34, rue Saint-Charles. C'est le boulanger-pâtissier des Didier, qui a recueilli plus de mille signatures en faveur du Déodatien. Sa boutique se trouve en face de chez eux. C'est là que Christian, chaque matin, va chercher son pain. Un journaliste de *L'Est républicain* l'a déjà interrogé, le jour même du meurtre : « C'est un brave garçon, a dit le boulanger, mais à près de cinquante ans, il était malheureux de se savoir RMiste. » Puis Henri Marsal, cinquante-neuf ans, un prof à la retraite : « Didier était beaucoup moins délirant que certains professeurs de philosophie bien connus. » Puis, un agent de sécurité. Puis Gilles Laporte, le président de l'Association des écrivains de l'Est, dont Didier faisait partie : « J'ai le même âge que lui, dit-il. À l'époque, nos terrains de jeux, c'étaient des champs de ruines. » Et Jacky Bonnaire, son copain depuis l'âge de quinze ans : « On apprenait toujours quelque chose avec lui. Il était absolument pas violent. Pour moi, ce qu'il a fait, c'est pas un assassinat, c'est une exécution. » Et Pascal Barbe : « C'était un bon garçon jovial et cultivé avec qui il était tout à fait intéressant de discuter. » Et Danielle Prieto : « Je suis venue pour l'aider car je suis sûre qu'il l'aurait fait pour moi si jamais j'avais été moi-même dans l'embarras. » Et Mariette Pierson : « Je le connais depuis toujours. S'il a tué Bousquet, c'est parce qu'il ne pouvait pas supporter qu'il mène une vie tranquille après ce qu'il avait fait. » Et Gérard Pierson, mari de la précédente, son ami et le cousin de son père, animateur à Vandœuvre-lès-Nancy, qui dit avoir été toujours impressionné par sa « soif de justice ». Et Mme Thomas-Mougeotte, quatre-vingt-deux ans, rescapée de Ravensbrück où on l'a envoyée en juin 1942 avec ses quatre frères et son mari et qui, dès le 9 juin 1993, a pris elle aussi l'initiative d'une pétition en faveur de Christian : « En quittant Ravensbrück, je m'étais juré de témoigner un jour pour mes camarades qui y sont restées. Je suis ici pour tenir ce serment. Bousquet, responsable de la déportation de milliers de Juifs, a vécu quarante-cinq ans de trop. » Et bien d'autres encore : Mauricette Licari, Jean-Marc Moulin, Jean-Pierre Lainte, grâce auquel il avait trouvé une clé de bronze, naguère, dans un château en ruine... Des anonymes, des Vosgiens, tous venus dire à la barre que Christian était un « bon garçon »...

Un journaliste en préretraite, Hubert Bernard, de *L'Est républicain*, évoque d'abord Didier qu'il compare à un « destrier fougueux à qui il a manqué quelqu'un pour le brider ». Puis il remet sur le tapis le martyre qu'a enduré Saint-Dié et sa région durant la guerre, ville rasée et incendiée par les Allemands en novembre 1944, « labourée jusqu'aux ruines ». Didier, tout comme les autres enfants de l'époque, n'a pas échappé à cette mémoire douloureuse. Il rapporte un propos du général de Gaulle, extrait de son discours d'Épinal en 1946 : « Nul sol ne fut mutilé plus profondément que le vôtre... » Pour Hubert Bernard qui fut présent lors du jugement en correctionnelle en 1987 à Lyon, Didier, enfant du pays, « porte en lui la profonde, la gigantesque cicatrice d'une brûlure de l'Histoire. Il est né sept mois avant le déluge de fer et de feu qui a fait de Saint-Dié le monde lunaire que découvrent les GI. Ensuite, pendant dix ans, les enfants comme Didier ont vécu dans des baraques. Pendant dix ans, ils ont assisté à la reconstruction de Saint-Dié. Ces enfants demandent des comptes».

Mais l'avocat général Philippe Bilger ne semble pas convaincu par ces mots un rien ronflants. Il voudrait qu'on lui dise en quoi tous ces gens sont si certains «que l'accusé a agi au nom de ce paysage-là». Comment le sauraient-ils ? «C'est le fond du problème», lâche l'ancien journaliste qui visiblement est à bout d'arguments et qui conclut : «Il a administré la mort par défaut de justice !

– Elle allait être rendue ! rétorque l'avocat général Philippe Bilger.

– Mais lui ne le savait pas !» lui répond-on.

Le maire, Christian Pierret, renchérit. Il signale, comme Hubert Bernard, «le climat particulier de cette région, que l'on ne retrouve pas dans le reste du pays». Il cite le texte adopté finalement par le conseil municipal de Saint-Dié, en date du 3 novembre : «C'est le vœu d'une assemblée populaire qui s'adresse à une autre assemblée populaire. Nous voulons éviter qu'à travers le procès de Christian Didier, on efface la nécessaire accusation de René Bousquet et une fois de plus, dans la plus pure hypocrisie, le procès du pétainisme et de la collaboration.» A-t-il conscience que ce n'est pas tout à fait la question dont on débat ?

Mais la défense attrape la balle au vol, mettant le maire et ancien député en difficulté, en porte-à-faux. Me Thierry Lévy l'interroge :

« Vous avez été parlementaire socialiste pendant plusieurs années. Vous avez donc naturellement soutenu l'arrivée et le maintien au pouvoir de François Mitterrand et vous n'ignorez pas les accusations qui ont été portées contre lui. Que pensez-vous de ce qu'il a fait pour retarder les procès de certains anciens dignitaires de Vichy ? »

Pierret est désarçonné.

« – Je vous laisse la responsabilité de ce que vous venez de dire.

– Cela signifie donc que, pour vous, François Mitterrand a fait tout ce qu'il fallait ? insiste l'avocat.

– Je pense qu'il a accompli tout ce qu'il estimait devoir faire en son âme et conscience.

– Pourquoi, à votre avis, la politique criminelle de Vichy n'a-t-elle toujours pas été jugée, pas suffisamment en tout cas, et cela vous faisait-il un devoir de vous saisir du procès de Christian Didier pour le dire ?

– On rencontre toujours des réticences lorsqu'il s'agit de remuer ces choses-là parce qu'elles ne sont pas glorieuses et qu'elles attentent à l'image que nous voulons nous faire de notre pays, dit le maire. Une sorte d'interdit collectif nous empêche trop souvent d'évoquer ces questions.

– Aviez-vous vraiment l'impression que Bousquet allait être jugé au moment où il a été tué ?

– Non. Il avait fallu près de cinquante ans pour qu'il ne soit pas encore jugé et il en faut maintenant plus de cinquante pour que Papon ne le soit toujours pas.

– Ce témoignage est affligeant », conclut avec sévérité Me Chanson de la partie civile.

Pour y voir plus clair, on convoque alors le substitut général Marc Domingo, celui qui rédigea le réquisitoire à l'encontre de René Bousquet et le transmit au parquet. Ce qu'on attend de lui, et notamment la défense, c'est qu'il vienne nous dire que, contrairement à tous ceux qui ont résolument condamné le geste de Didier, tel Serge Klarsfeld par exemple, en alléguant que le procès de Bousquet était imminent, que tout était en place pour que la France ouvre enfin cette grande page de son histoire, page occultée depuis près de soixante ans, eh bien ! non, ce n'est pas si clair, tout n'était pas encore établi noir sur blanc pour qu'enfin ce procès s'ouvre. Et, dans ce contexte, le geste de Didier était sinon excusable, en tout cas compréhensible : il faisait en effet justice, là où la justice ne se faisait pas.

Et les propos de Marc Domingo abondent dans ce sens. Il se montre prudent à l'extrême, sinon hésitant et sceptique. Il dit qu'il a rédigé son réquisitoire dans le dernier trimestre de 1992, soit au moins six mois avant l'assassinat de Bousquet par Didier, le 8 juin 1993. Et de qualifier lui-même ce réquisitoire de « simple ébauche », de « projet ». Et de préciser que « d'autres actes de justice devaient y être ajoutés ». Mes Lévy et Montebourg marquent un point. Me Lévy veut enfoncer le clou : « Avez-vous jamais subi des pressions ? demande-t-il à Marc Domingo.

– À aucun moment. Pas la moindre pression qui aurait pu m'inciter à ralentir le cours de la procédure ou infléchir mes réquisitions.

– René Bousquet a-t-il eu recours à des procédés dilatoires ? demande Me Chanson.

– Absolument pas. Le parquet général avait estimé que le procès de 1949 ne s'opposait pas à un nouveau procès. Toutefois, une note interne de la Chancellerie était venue rappeler que l'autorité de la chose jugée devait jouer à fond et qu'un second jugement n'était pas forcément souhaitable.

– Finalement, oui ou non, le procès de René Bousquet était-il en bonne voie au moment de la mort de René Bousquet ?

– J'ai le sentiment que l'information touchait à sa fin et qu'on était malgré tout sur le point de choisir une solution. Je pense que nous étions très près d'une issue à cette affaire. Mais c'était le rôle de la chambre d'accusation.

– Bref, on n'était pas à la veille d'un procès ? poursuit Me Lévy.

– Disons à l'avant-veille d'un procès probable. »

Les débats, comme on voit, deviennent techniques. Du moins si l'on se met un instant dans la peau de Christian Didier. Techniques, c'est-à-dire politiques. Le procès de Bousquet pour crimes contre l'humanité allait-il avoir lieu ? Pour la défense, il fallait montrer que non, qu'au « Château » on s'y opposait, qu'on ne le voyait pas d'un bon œil en tout cas. Qu'on voulait préserver la « paix civile », politique qui avait d'ailleurs été celle de tous les présidents de la République avant Mitterrand. Cette expression de « paix civile », Me Georges Kiejman, ancien ministre délégué à la Justice et ami de François Mitterrand, l'avait imprudemment reprise à son compte, dans une déclaration faite à *Libération* le 22 octobre 1990. On allait l'entendre le lendemain, ainsi que l'ancien garde des Sceaux, Henri Nallet.

Dans cette histoire un peu compliquée, le pauvre Didier, évidemment, disparaît tout au fond de son box de solitude. Pourtant, ce jour-là, on l'a entendu. Il a demandé « pardon au peuple juif » parce que, par sa faute, il était privé du grand procès de la collaboration qu'il était en droit d'attendre. Ce justicier demande pardon un peu trop souvent.

# 4

## Mercredi 8 novembre 1995. Troisième jour

C'est le constat, d'ailleurs patent, que fera le journaliste Sorj Chalandon dans *Libération* du 9 novembre : « Oublié Christian Didier. L'étrange personnage qui occupe le box de la cour d'assises de Paris depuis lundi après-midi. Oublié le poète chaotique, le nomade, l'écorché [...] tout ce qui se fait et ce qui se dit dans le prétoire semble n'avoir qu'un lointain rapport avec cet homme-là. » Même constat chez son confrère du *Monde*, Laurent Greilsamer, qui écrit : « On a compris que son procès lui échappait. »

Pourtant, c'est avec attention que Didier écoute les témoignages à la barre de Juifs survivants, parfois enfants pendant la guerre, et qui ont vu rafler et déporter les leurs. Jean Baumgarten qui avait dix ans lors de la rafle du Vel'd'Hiv' (il avait porté dix jours l'étoile jaune puis, pris de honte, l'avait rageusement jetée dans le caniveau), Joseph Weissmann qui en avait sept, Michel et Annette Muller, elle-même raflée à neuf ans et auteur d'un témoignage bouleversant, *La Petite Fille du Vel'd'Hiv'* paru en 1991 : « Moi, ce sont les cris de ma mère quand on m'a arrachée à elle que j'ai encore dans les oreilles. Je n'ai pas tué Bousquet. Je n'ai pas eu ce courage. Entre deux cauchemars, il m'est arrivé de rêver que je le faisais. Pendant des années, j'ai eu l'impression que justice ne m'avait pas été faite pour toutes les privations, toutes les violences que nous avons subies. Je regrette d'avoir à dire que le jour où j'ai appris la disparition de Bousquet, j'ai mieux respiré. J'aurais, bien sûr, souhaité son procès mais j'ai la conviction personnelle qu'il n'aurait jamais eu lieu. » Le matin de l'assassinat de Bousquet, deux ans plus tôt, elle avait déclaré devant la caméra d'Antenne 2 : « C'est un geste qui ne m'étonne pas du tout. Devant la lenteur de la justice... Après tout, il y a une certaine justice qui s'est faite, c'est mon opinion... »

Même son de cloche chez son frère Michel Muller, rare enfant rescapé du Vel'd'Hiv' parmi les 4 115 enfants raflés : « Si j'avais tué Bousquet, on m'aurait sans doute accordé des circonstances atténuantes, alors j'espère qu'on en accordera à Christian Didier. Je suis personnellement contre la peine de mort, même pour les assassins d'enfants, mais il m'est arrivé souvent de rêver que je le tuais. Pendant les quatre mois de mon internement, je n'ai pas vu un seul Allemand, rien que des gendarmes français. J'entends encore le rire de l'un d'eux quand, me maintenant fermement entre ses cuisses, il me tondait le crâne en me disant qu'il allait me faire une coupe à la dernier des Mohicans ! » Et chez Joseph Weissmann, qui fut raflé à onze ans : « Il a bien fait. Très souvent j'ai voulu tuer Bousquet, mais je n'ai pas eu ce courage ou ce cran. Ce qu'il a fait, il a bien fait de le faire. Je regrette de ne pas l'avoir fait moi-même. Je voudrais être à sa place dans ce box. Au nom des enfants qui ne sont jamais revenus, je le remercie. »

Mais on appelle aussi un vieux monsieur, Pierre Jonte, qui fut réquisitionné pendant l'Occupation pour ravitailler le Vel'd'Hiv' : «Je me pose la question, dit-il. Que fait M. Christian Didier dans le box des accusés ? Pourquoi il a agi comme ça ? Au fond, ça m'intéresse pas. La seule question, c'est : qui a ordonné les ignominies auxquelles j'ai assisté ? »

Vient ensuite à la barre le bâtonnier Roger Souchal, ancien député de Nancy : « J'ai été déporté à dix-sept ans avec beaucoup d'autres élèves de mon collège dont je suis le seul survivant. Quand je suis rentré chez moi sur une civière, j'avais de la haine dans le cœur. J'ai changé depuis, mais c'est vrai que quand on a vécu dans les Vosges, à cette époque, on peut comprendre : 648 déportés rien que pour la petite ville de Saint-Dié, toute la vallée de Rabodeau en flammes, des familles entières anéanties [...] Jamais dans mon collège on n'a chanté "Maréchal nous voilà" [...] S'il n'y avait pas eu autant de collaborateurs, il y aurait eu beaucoup moins de morts dans les rangs de la Résistance. J'ai plus de mépris pour eux que pour les Allemands eux-mêmes ! Dans ce secteur, le climat était à la haine à l'égard des nazis et des collabos. On n'apprenait pas le pardon aux jeunes qui avaient tous eu des copains fusillés et déportés. Moi, je pense qu'on peut pardonner mais sûrement pas oublier car ce serait un crime contre la mémoire. »

C'est à ce moment-là que Didier a spontanément pris la parole, alors qu'on ne lui demandait rien. Il entend expliquer ses sympathies passagères pour Le Pen et le Front national. Et aussitôt, encore une fois, son amour pour le peuple juif. « Quelle formidable capacité d'adaptation ! » s'écrie l'avocat général Philippe Bilger. Très mauvais effet.

*

Après l'audition des petits et des sans-grade, vient celle des politiques. Pour l'appréhender, il nous faut procéder à une brève généalogie de l'affaire Bousquet, dans ses plus récents rebondissements. Bousquet, inculpé le 1er mars 1991, était renvoyé devant les assises pour « s'être sciemment rendu complice des arrestations et séquestrations arbitraires [...] à l'encontre d'individus apatrides ou étrangers d'origine juive [...] des enlèvements de mineurs avec violence en zone occupée et en zone libre [...] » Mais la chose, pour diverses raisons juridiques, fut injugeable. On soupçonna vite alors le gouvernement d'entraver la procédure. Ainsi, alors que Bousquet devait venir en cour d'assises, le parquet opta brusquement pour une introuvable Haute Cour, institution créée en 1944 et complètement tombée depuis en désuétude, en fait depuis 1950. Pierre Arpaillange, le garde des Sceaux d'alors, avait démissionné le 1er octobre 1990 pour marquer son refus des pressions politiques. C'est du moins ce qu'il voulait qu'on crût.

Le matin même du jour de sa démission, celui qui était encore garde des Sceaux « s'invitait » à un colloque au Sénat. Le colloque s'intitulait : « Il y a cinquante ans : le statut des Juifs de Vichy ». Il était organisé, sous la direction de Serge Klarsfeld, par le CDJC. Le ministre de la Justice se présenta discrètement à l'entrée, fut accueilli comme les autres participants par Beate Klarsfeld auprès de qui il dut décliner son identité. « Je suis Pierre Arpaillange, le garde des Sceaux. » Beate Klarsfeld est allée annoncer sa présence à son mari et à Me Badinter...

Pierre Arpaillange donna une très brève allocution, ce qui n'était pas prévu, où chaque mot était dûment pesé : « Je ne pensais pas intervenir ce matin, commençait-il. J'étais venu pour écouter, puis me fondre en vous. Ma présence n'est pas simplement symbolique [...] Il y a cinquante ans j'avais seize ans [...] J'avais dès cette époque le souci de ne pas perdre la mémoire [...] Je crois que depuis cette époque une grande partie de mes actes importants ont été guidés par ce que j'ai vécu et par les sentiments que j'avais vécus à cette époque; parce qu'à partir de ce moment-là, j'ai su qu'il y avait dans la vie des choses essentielles sur lesquelles on ne devait jamais transiger [...] » Ces mots, qui pourraient paraître un peu creux en d'autres circonstances, ont tout leur poids de sens si l'on considère le contexte politico-judiciaire du jour où Pierre Arpaillange les prononce : le 1er octobre 1990. Contexte dont il nous faut dire un mot.

Le 22 février précédent, on avait rédigé une note au président pour l'informer de la situation judiciaire concernant l'avancée de la plainte contre Bousquet. Sur cette note, celui-ci rédige le commentaire suivant : « Les événements d'il y aura bientôt un demi-siècle, aussi tragiques qu'ils aient été, ne doivent pas être remués aujourd'hui et le plan judiciaire n'est pas adéquat. Je demande une extrême réserve. » Voici Arpaillange averti. Il obéit, il temporise sept mois. Soudain, le 21 septembre 1990, sans en avertir le président, il demande que la chambre d'accusation mène l'instruction contre René Bousquet pour crime contre l'humanité. Il est vrai que le président ne le lui avait pas formellement interdit. Une fois la chose faite, il présente ses excuses au président pour avoir omis de lui en parler. Jean-Louis Bianco, le 26 septembre, confiera à Georgette Elgey : « Le président est furieux contre le garde des Sceaux qui a relancé contre sa volonté l'affaire Bousquet. » (Selon les *Verbatim III* de Jacques Attali, Michel Rocard aurait demandé à Arpaillange si le président lui avait formellement interdit de poursuivre. La réponse était négative. « Alors, poursuivez », a dit le Premier ministre.)

Le lendemain de sa démission, le 2 octobre 1990, Pierre Arpaillange était remplacé par le tandem Henri Nallet-Georges Kiejman. Quinze jours plus tard, le parquet demandait, au nom de la Chancellerie, que la chambre d'accusation se déclare incompétente pour instruire ce dossier. Les faits, comme on dit, parlent d'eux-mêmes, et l'intervention volontaire et non prévue d'Arpaillange au colloque du Sénat en dit long sur sa pensée profonde en regard de ce que lui-même est en train de vivre : la véritable forfaiture dont se rendrait coupable Mitterrand, et dont Pierre Arpaillange, au nom de la mémoire et de l'honneur, ne saurait être complice plus longtemps.

Pour Klarsfeld, en tout cas, nul doute : c'est François Mitterrand lui-même qui, pour d'obscures raisons privées et inavouables, détourne la justice. Edwy Plenel l'avait clairement laissé entendre en octobre 1992 dans *La Part d'ombre*. Un journaliste de *L'Événement du jeudi*, Stéphane Denis, le confirmera en juin 1993 : « L'enlisement du dossier fut confié, entre autres, à Georges Kiejman, ministre commis au retardement. »

En 1991, Stéphane Denis avait le premier signalé les liens étroits et publics entre François Mitterrand et René Bousquet. Mais beaucoup de gens, dans l'entourage mitterrandien, étaient au courant. À titre d'exemple significatif, Stéphane Denis, proche de l'Élysée au moment des faits, répondant aux questions de Pascal Krop dans *L'Événement du jeudi*, rapportait une rencontre après l'élection présidentielle : «Je me souviens qu'après mai 1981, dit Stéphane Denis, un collaborateur du nouveau président, appelons-le X, fut invité à le rejoindre dans un restaurant [...] avec une dizaine de proches. X arrive en retard et reconnaît tout le monde sauf le vis-à-vis du président. Il demande de qui il s'agit : c'est René Bousquet. Dans la voiture qui les ramène à l'Élysée, X, abasourdi, questionne Mitterrand : "Vous savez avec qui vous avez déjeuné ?" Alors Mitterrand avance la main comme il le fait souvent pour sceller un pacte : "René Bousquet ? Ne vous inquiétez pas, c'est un ami : il a rendu des services." »

Quels services ? Ils avaient été de deux ordres. Pendant l'Occupation, Bousquet avait renseigné le réseau de François Mitterrand. Par la suite, les services en question avaient consisté, entre autres, pour Bousquet, à soutenir la campagne présidentielle de François Mitterrand en 1965 contre le général de Gaulle. Et Stéphane Denis de mettre déjà en cause Me Georges Kiejman qui, selon lui, « a tout fait pour empêcher le procès, et maintenant pour le retarder [...] avec cette fébrilité particulière des serviteurs de Mitterrand lorsqu'ils expliquent : "C'est un ami du président." »

Klarsfeld était allé dans le même sens, déclarant, le 21 octobre 1990, dans *Libération* : « On avait fait venir un fils de déporté juif, Robert

Badinter, pour juger Barbie; on a fait venir un fils de déporté juif, Georges Kiejman, pour ne pas juger Bousquet. » Me Kiejman se défendit (ou défendit Mitterrand) en arguant qu'il fallait « préserver la paix civile » : « Il y a d'autres moyens qu'un procès pour dénoncer la lâcheté du régime de Vichy. »

Pascale Froment a évidemment interrogé Georges Kiejman sur son éventuelle intervention. Il a nié en bloc : il n'était qu'un sous-ministre. Il n'aurait eu, quand bien même il l'eût souhaité, aucun pouvoir de le faire. Pascale Froment terminait son livre. Nous étions en 1994. Elle devait avoir une ultime entrevue avec François Mitterrand. Elle osa lui poser nettement la question : Georges Kiejman est-il intervenu dans ce dossier ? « Oh, a dit le président, il ne l'a pas fait de gaieté de cœur... » La jeune journaliste se retourne alors vers l'intéressé qui s'offusque à peine et met tout bonnement cet « aveu » sur le compte de la sénilité de son ami. Un peu plus tard, Pascale Froment eut la surprise de les apercevoir, à Belle-Île, bras dessus, bras dessous...

Voilà des gestes et des mots qu'il faut traduire. D'abord, l'« aveu » de François Mitterrand n'atteste nullement que Kiejman soit intervenu. Si ç'avait été le cas, Mitterrand, évidemment, n'en eût rien dit. Dans cet « aveu », alors, il faut voir autre chose : un mensonge. Mitterrand voulait « mouiller » Kiejman, dont il n'ignore pas que le père est mort à Auschwitz parce que juif. Kiejman est par conséquent au-dessus de tout soupçon. Seul, un autre fils de déporté, Serge Klarsfeld, peut se permettre de le mettre en cause, et c'est à peu près tout. En somme, Mitterrand voulait jouer Kiejman *versus* Klarsfeld. Ce qui est assez malin et politique. Et Kiejman, dans cette affaire, était consentant. Et c'est bien cela le plus surprenant : l'absence totale de rancune de Kiejman à l'égard de son présidentiel ami. Il le comprenait à demi-mot, et même sans mots du tout. Il acquiesçait à tout. Mais cela, encore une fois, ne signifie pas qu'il soit matériellement intervenu. Peut-être même, soyons assez retors pour l'imaginer, a-t-il laissé entendre que ç'avait été le cas, tout en jurant ses grands dieux que ce n'était là qu'une rumeur éhontée. Dans quel but ? C'est simple : donner à Mitterrand des gages patents de fidélité et, pour le reste, faire rempart. Jusqu'au sacrifice de soi et à celui, apparent, de son honneur.

Durant le procès de Didier, en 1995, Kiejman va jurer « sur la mémoire de son père gazé à Auschwitz » n'être pas intervenu dans le dossier d'instruction Bousquet. Après la mort de Mitterrand, le 8 janvier 1996, l'attitude de Kiejman va se durcir. Son ami parti, l'heure n'est plus à la complaisance ni au sacrifice. Il n'y a plus de raison de laisser bafouer son honneur. Qui s'avise de ressortir encore cette vieille et douloureuse affaire de « paix civile » à préserver à tout prix et de rumeurs d'immixtion dans des dossiers judiciaires supposés gênants pour Mitterrand, se voit menacé par

Kiejman de plainte en diffamation. Ce sera le cas pour le journaliste et ancien conseiller au cabinet de Pierre Mauroy de 1981 à 1984 Thierry Pfister, lequel sera condamné en première instance à la suite de son livre *Lettre ouverte aux gardiens du mensonge* paru en 1998. Cette condamnation sera confirmée en appel le 7 février 2001.

Quelle connaissance Christian Didier a-t-il de ces péripéties politico-judiciaires ? Une connaissance très sommaire, à n'en pas douter. Il fallait pourtant que nous les rappelions pour établir la genèse de l'affaire Bousquet, et même qu'il eût surgi, à un moment donné, une affaire Bousquet. Mais Didier, par la presse qu'il lit attentivement, sait l'essentiel. Il sait de quoi Bousquet est coupable. Il sait qu'une instruction est en cours. Il sait que le renvoi devant les assises est sans cesse différé. Et que ce sont les plus hautes instances du pouvoir qui freinent la procédure. De ce déni de justice, Didier fait une affaire personnelle.

Mais pourquoi ? Pourquoi lui, Christian Didier ? De quel *déplacement*, pour lui, la figure de Bousquet, monstre impuni, est-elle l'objet ? En quoi est-il, lui, si peu que ce soit, victime innocente de ce monstre pour nourrir le projet, à première vue si déraisonnable, de le condamner à mort et de procéder à son exécution ?

En ce troisième jour du procès Didier, on en vient maintenant aux politiques dont on attend qu'ils éclairent la déposition de Marc Domingo. Henri Nallet, ancien garde des Sceaux, témoigne le premier. Pour lui, le dossier d'instruction de René Bousquet n'a souffert d'aucune pression d'aucune sorte. « Jamais le président Mitterrand ne m'a demandé d'empêcher ce procès ou d'en infléchir le cours, et ses considérations personnelles sur l'affaire n'ont eu aucune incidence sur la procédure judiciaire. » Mais Henri Nallet entend vider l'abcès. Il nous fait des confidences, révèle le dessous des cartes. Il évoque notamment une séance du Conseil des ministres, du temps où il n'était pas encore garde des Sceaux (c'était Pierre Arpaillange), mais ministre de l'Agriculture. Ce jour-là, le président Mitterrand se pencha sur les années noires : « On ne peut pas vivre tout le temps sur des souvenirs et des rancœurs... » Puis il en vint à Bousquet : « Comment juger un homme, un vieillard, cinquante ans après ? À quoi bon ? » Telle était la position, connue, de François Mitterrand. Devenu ministre de la Justice, Henri Nallet eut à s'occuper du dossier Bousquet. Il rencontra alors Pierre Truche, procureur général de la cour d'appel de Paris, l'homme qui, en 1987, avait obtenu la perpépuité contre Klaus Barbie. Pierre Truche était favorable à la solution que représentait la Haute Cour de justice. Solution à laquelle se rangea Henri Nallet. Il en prévint l'Élysée et Matignon. À la fin du Conseil des ministres qui suivit, le président Mitterrand retint un moment Henri Nallet, se bornant à lui rappeler : « Vous connaissez ma position... » Commentaire de l'intéressé, à la barre, ce mercredi 8 novembre 1995 : « Nous en sommes restés là. Jamais il ne m'a demandé de retarder la procédure. »

Puis c'est le tour de Georges Kiejman, ancien ministre délégué à la Justice, bête noire de Serge Klarsfeld qui l'avait mis en cause *ad hominen* le 23 octobre 1990 dans *Libération* (« Un fils de déporté juif a été nommé ministre délégué à la Justice pour assurer l'impunité du chef de la police de Vichy »), et qui partage avec le président de l'Association des Fils et Filles de déportés juifs de France d'avoir eu son père mort à Auschwitz. La propre sœur de Georges Kiejman, déportée survivante, confie-t-il au tribunal, lui a alors demandé des comptes au moment de la si discutable et malencontreuse petite phrase sur la « paix civile »...

J'avais écrit à Georges Kiejman. Au début de juillet 2000, il m'appelait, m'annonçant son départ prochain pour Belle-Île. Il me parla d'abord de la position générale de Mitterrand, guère différente de celles, bien connues, de Pompidou ou de Giscard. Et puis, me dit-il, « Mitterrand était sensible à la fidélité, c'étaient ses valeurs quasi droitières ». Kiejman avait été surpris qu'on le cite comme témoin au procès Didier. Il ne comprenait pas pourquoi. C'est Thierry Lévy qui l'interrogea, alors que

Me Montebourg ne lui posa aucune question. Il est resté une heure à la barre, le dernier de la séance, comme il l'avait expressément demandé.

Il commence par balayer cette grave accusation, d'autant plus quand on s'appelle Kiejman, de s'être en quelque façon immiscé dans la procédure contre Bousquet, pour différer le procès, voire le compromettre. Il jure n'avoir « jamais joué aucun rôle, ni de stimulation ni de frein ». « Que Nallet et moi, dit-il, ayons pu paralyser la procédure relève de la légende. Chaque fois que l'on évoque l'affaire Bousquet, on tient pour acquis que je serais intervenu. L'action publique n'entrait pas dans mes fonctions. » Deuxième temps, la dimension personnelle de ce dont certains l'accusent. Georges Kiejman se fait solennel : « Je jure ici, sur la mémoire de mon père gazé à Auschwitz, que je n'ai pas levé le petit doigt dans la procédure de René Bousquet. » Il s'était fait apporter les pièces du procès de René Bousquet de 1949 : « Hélas ! hélas ! Il y a tout dans ce dossier pour justifier la répulsion que l'on peut éprouver à l'égard de Bousquet. Si l'on se demande comment la justice a fonctionné en 1949, il faut répondre : extrêmement mal. » Toutes les accusations portées contre lui, dit-il, furent « la seule vraie blessure de sa vie politique ».

Me Thierry Lévy en vient au nœud politique de notre affaire : la position du président Mitterrand en regard du dossier Bousquet, position que nul n'ignore et qu'on ne peut nier.

Il interroge Georges Kiejman : se démarque-t-il, lui, aujourd'hui, de cette attitude de temporisation, de réticence, de sauvegarde à tout prix de la fameuse « paix civile » dont il a parlé dans la réponse qu'il fit à Serge Klarsfeld, disant qu'il fallait qu'on « prenne conscience qu'au-delà de la nécessité de lutter contre l'oubli, il peut paraître important de préserver la paix civile » ? Kiejman confie à la cour qu'il ne partageait nullement les mêmes convictions que le président s'agissant du passé vichyste de la France. Son erreur, c'est simplement d'avoir repris cette expression à son compte, et aujourd'hui il se le reproche. Il s'en explique : « Cette expression montrait, paraît-il, que j'étais le poisson pilote du président de la République. Ami, oui, trois fois oui, fidèle, bien sûr. Mais poisson pilote... »

Georges Kiejman tient aussi à revenir sur Vichy qui à ses yeux ne devait pas être appréhendé de façon monolithique. Pour exemple et pour preuve, il fait retour sur une scène qui à l'époque avait mis aux prises sa propre mère et un tribunal de Vichy. Mme Kiejman et son fils, âgé alors de dix ans, étaient réfugiés dans une petite ville du Cher, à Saint-Amand-Montrond. La mère de l'avocat fut arrêtée : ses papiers d'identité, sa carte d'alimentation ne comportaient pas le tampon « juif ». La voici devant le tribunal de grande instance, déclarant avec un fort accent yiddish qu'elle n'est pas juive, mais d'origine polonaise. Dans le doute, le président du tribunal l'a relaxée. « Voilà pourquoi, me dit

Georges Kiejman, mon copain de seconde fut jeté dans le puits de Guerry et moi pas.»

(Un mot sur le puits, ou plutôt les puits de Guerry, une ferme abandonnée comportant trois puits profonds. Cet épisode atroce de la guerre fut raconté par Tzvetan Todorov (*Une tragédie française*, 1994). En juillet 1944, des miliciens raflèrent des Juifs réfugiés à Saint-Amand. Ils les conduisirent en camion vers un lieu où ils pourraient les liquider car, pour des raisons techniques, aucun convoi n'était disponible pour les acheminer au camp de Drancy. Là, ils les jetèrent vivants, un à un, dans les puits, recouvrant chaque fois leurs corps de moellons et de sacs de chaux.)

Ce qu'il pense du crime de Christian Didier ? demande l'avocat général Bilger. «Je suis de ceux, répond Georges Kiejman, qui regrettent que le geste de l'accusé, à mes yeux dénué de sens, ait privé les Français d'une leçon pédagogique beaucoup plus importante que la mort de René Bousquet.» C'est là, évidemment, un coup pour Didier, un de plus. Mais, au fond, quelle crédibilité accorder à cette profession de foi ? Bousquet est mort. Il n'y aura donc pas de procès. Cela n'établit pas qu'avant, du temps où précisément il aurait pu avoir lieu, Georges Kiejman l'eût appelé de ses vœux. Puisqu'il prétendit alors exactement l'inverse.

Nous nous connaissions un peu, Georges Kiejman et moi. Nous avions au moins ceci en commun d'être originaires de Belleville, alors un quartier de Paris d'immigrés prolétaires juifs polonais. En juillet 2000, je bavardais donc avec lui au téléphone, revenant sur son attitude indéfectiblement mitterrandienne et sur toute cette histoire qui, selon ses propres termes, « lui était restée en travers de la gorge ». Nous parlâmes du « lobby juif », comme Mitterrand l'avait fait auprès de Jean d'Ormesson, formule qui, à juste titre, avait scandalisé. Mais pas tout le monde. Et, devant mon silence : « Quitte à passer encore pour un Juif antisémite... »

À cette même époque, au début de juillet 2000, ma femme, l'historienne Annette Wieviorka, reçut en service de presse un curieux petit volume préfacé par Pierre Vidal-Naquet et intitulé *Auschwitz graffiti*. L'auteur, Adrien Le Bihan, avait été quelque chose comme attaché d'ambassade ou attaché culturel dans différents pays de l'Est. Dans ce court ouvrage, il s'était « amusé » à relever les signatures et les commentaires que différentes personnalités en visite au musée d'Auschwitz avaient inscrits sur le « Livre d'or », plus justement nommé « Livre du souvenir », de ce lieu de mémoire, et à les commenter à son tour, parfois avec un humour cruel. Feuilletant distraitement ce singulier essai, me promettant de le lire plus tard, je tombai sur une page pour moi des plus intéressantes, dont voici un extrait :

Certaines épitaphes, estimait Ramón Gómez de la Serna, sont plus hiéroglyphiques que d'autres

[...] À Auschwitz, j'en ai relevé une qui le fut volontairement, et qui le reste. Nous sommes le 10 octobre 1992. Survient un ministre ou secrétaire d'État français du gouvernement Bérégovoy, qualifié par les gardiens polonais du Livre de vice-ministre des Affaires étrangères de la France. Il y dépose une signature aussi illisible que les causes du suicide de son Premier ministre. Le prénom pourrait commencer par un *J*, et les quatre premières lettres du nom semblent faire « Licq », mais je n'en mettrai pas ma main au feu. En parcourant les journaux officiels français de 1992, j'ai envisagé plusieurs hypothèses [...] La logique nous inviterait à désigner Georges Kiejman [...] mais ou bien les lettres lisibles ne correspondent pas à ce nom, ou bien la signature de ce monsieur a rompu toute attache avec l'alphabet.

Le ministre inconnu écrit distinctement

« Pardon ! »

comme s'il venait de se brouiller avec quelqu'un, suivi de quatre mots de son gribouillis [...]

Ne reste plus à nous mettre sous la dent que « pardon »...

Et Adrien Le Bihan, avec un zeste d'ironie, de se demander qui est vraiment l'auteur de ce « pardon » et de quoi au juste il se sent coupable. Il termine sa page ainsi : « Nous conseillons à ce ministre : si vous avez quelque chose à vous reprocher, vous ôtez le masque et vous nous en racontez plus long; sinon, abstenez-vous de demander pardon à des absents de crimes que vous n'avez pas commis. »

J'étais certain quant à moi d'avoir conservé un mot de Georges Kiejman. Je consultai mes archives, y trouvai en effet un mot de lui, datant d'avril 1993 et posté de Belle-Île, déjà, « où je suis pour quelques jours et... pour oublier ». (Oublier quoi ? je ne le saurai jamais, voilà encore un beau hiéroglyphe.) Maintenant la signature. Le Bihan a bien raison : je lis, à moi adressé, « votre fidèle J. Licq ». Enfin, pas tout à fait. Je ne lis « J. Licq » qu'une fois que Le Bihan me dit qu'il lit lui-même J. Licq. Car, au bas de la lettre que Georges Kiejman m'envoie de Belle-Île, ce n'est pas J. Licq qui m'apparaît, mais bien Georges Kiejman, puisque je sais qu'il sagit de lui. Alors que Le Bihan, lui, n'en sait rien.

Bref, voilà Georges Kiejman identifié comme l'auteur de ce pardon inscrit, seul mot lisible de sa plume, sur le Livre d'or d'Auschwitz, ce 10 octobre 1992. Mais « pardon » de quoi ? Cette demande, adressée à qui ? n'était pas tout à fait un hiéroglyphe pour moi. Sauf sans doute dans le sens étymologique de ce mot : *un signe gravé sacré*. Non, contrairement aux hypothèses de l'auteur, ce monsieur n'est pas un ancien nazi ou un collaborateur repenti. Il n'est pas non plus un Français regrettant de n'avoir pas combattu assez l'occupant (puisqu'il n'avait que dix ans en 1942). Il s'agit bien de Georges Kiejman, fidèle entre les fidèles de François Mitterrand. S'en voulait-il d'avoir dit quelque chose d'impie du point de vue de l'éthique ? Cette histoire de « paix civile », ce dont sa sœur, elle-même déportée à Auschwitz, mais heureusement survivante, lui avait fait l'amer reproche... Pis encore, s'en voulait-il d'avoir agi, comme d'aucuns, à tort ou à raison, le supposaient, et d'ailleurs sans jamais en apporter la moindre preuve, pour retarder, voire empêcher le procès de René Bousquet, cela par obéissance toute d'amitié à Mitterrand ? Devait-il pour cela, en ce lieu même où son père était mort, à Auschwitz, hiéroglypher ce mot « pardon » et ces quatre autres mots à jamais chiffrés, signant illisible J. Licq ?

Ce terme de hiéroglyphe qu'utilisait Adrien Le Bihan me renvoyait évidemment à mon cher Proust et à certains de ses meilleurs commentateurs : Gilles Deleuze, Jean-Noël Vuarnet. Je ne sortais pas de la littérature. C'était dans *Le Temps retrouvé* :

> Je me souvins [...] que déjà à Combray je fixais avec attention devant mon esprit quelque image qui m'avait forcé à la regarder, un nuage, un triangle, un clocher, une fleur, un caillou, en sentant qu'il y avait peut-être sous ces signes quelque chose de tout autre que je devais tâcher de découvrir, une pensée qu'ils traduisaient à la façon de ces caractères hiéroglyphiques qu'on croirait représenter seulement des objets matériels. Sans doute ce déchiffrage était difficile, mais seul il donnait quelque vérité à lire.

En octobre 1992, paraissait le livre-réquisitoire d'Edwy Plenel contre François

Mitterrand, *La Part d'ombre*, dont le chapitre VI, « Le trou de mémoire », analyse pour la première fois de façon approfondie « la relation complexe du mitterrandisme au passé ». Georges Kiejman y est nommément mis en cause : « Sous la pression de l'Élysée, dont Georges Kiejman se faisait l'instrument, écrit Edwy Plenel, le dossier Bousquet a donc bien failli ne jamais être rouvert. » Octobre 1992, c'est le mois même où Georges Kiejman se rend à Auschwitz. Peut-être a-t-il lu ce livre juste avant son voyage-pèlerinage. J'imagine même qu'il a fort bien pu l'emporter avec lui pour le lire pendant son séjour en Pologne. Et qu'il a dû passablement fulminer contre Plenel, le trouvant excessif, injuste, de mauvaise foi. Mais qu'en même temps des choses dites là l'ont atteint au fond de lui, des choses dont il ne pouvait et ne pourrait parler à personne, des choses impartageables.

Georges Kiejman, plus tard, en février 2001, devait me raconter son voyage à Auschwitz-Birkenau d'octobre 1992. Il redoutait cette visite et en même temps s'exhortait à l'affronter. Il craignait de s'effondrer sous le poids de la mémoire. « Tu es adulte, se disait-il, tu es ministre, tu dois rester convenable. »

Dans une cour ensoleillée, on lui présenta un lutrin avec le Livre d'or. Il trouva cela absurde. Mais il le signa. Puis, sans bien comprendre ce qu'il écrivait tant son émotion était intense, il porta le mot « pardon ». Et ajouta en plus petit : « d'avoir survécu ». « J'étais, à ce moment, me dit-il, redevenu un petit garçon hoquetant de neuf ans – celui que j'étais quand on prit mon père – et en même temps j'étais ministre. J'aurai neuf ans le jour de ma mort... À ce moment-là, je me foutais bien de l'affaire Mitterrand-Bousquet ! »

Dont acte.

Posons-nous la question rituelle, fût-elle un peu schématique ou plutôt parce qu'elle l'est : À qui profite le crime ? À qui profite le geste de Didier ? Répondre à cette question induisait la théorie selon laquelle Didier était le bras armé de l'Élysée, manipulé par la cellule « antiterroriste ».

Il y avait eu en effet, on ne pouvait le nier, au moins un contact entre Didier et le service d'ordre du « Château » : le jour où, en 1989, le Déodatien exalté en franchit les grilles. On ressortit probablement son dossier. On ne tarda pas à situer le personnage : celui qui avait voulu tuer Barbie dans sa prison. Pourquoi ne pas lui suggérer d'en faire autant du côté de Bousquet ? Avec le procès Bousquet, c'est la figure de François Mitterrand qui eût été définitivement éclaboussée. Certains n'étaient pas loin d'ajouter foi à ce scénario, cette théorie purement spéculative. Sans l'ombre d'une preuve, cependant. En juin 2000, je téléphonais à un ami, un bibliothécaire érudit versé dans l'histoire de France, dont ma femme m'avait dit qu'il ajoutait foi à cette version policière, preuve qu'elle n'était pas si aberrante que je le croyais. Il se montra d'une conviction inébranlable : sa religion, visiblement, était faite. « Je ne dis pas, me confia-t-il, que Mitterrand ait directement et au sens propre armé le bras de Didier, mais il est certain qu'il voulait se débarrasser de Bousquet et pour ce faire, il a intoxiqué Didier, dont ses services connaissaient la fragilité d'esprit... Didier m'a toujours fait penser à Jacques Clément. » J'avouais ma totale ignorance. Il me donna alors une leçon d'histoire. « C'était un moine cordelier [dominicain] exalté, cinglé, qui fréquentait les milieux de la Ligue favorable aux Espagnols et qui fut intoxiqué par ces gens pour qui Henri III était l'Antéchrist. Circulaient à l'époque des pamphlets prônant l'assassinat du tyran... Voilà de belles similitudes avec Didier. Mitterrand redoutait terriblement l'éclaboussure que représenterait le livre de Péan. En se débarrassant de Bousquet, il évitait d'en rajouter. Quand Bousquet est mort, Mitterrand s'est dit que le pire n'aurait pas lieu... » Je restai sans voix devant l'énormité de cette hypothèse. Moi qui ne voyais jamais le mal, mon imagination la plus débridée ne parvenait à se hisser jusqu'à ces turpitudes... Et puis, comment l'homme pour qui j'avais voté en mai 1981 pouvait-il ressembler à ça ?

En cherchant plus avant, j'appris d'Henri III qu'il avait gagné la bataille de Jarnac, dans les Charentes, le 13 mars 1569, contre les protestants du prince de Condé qui fut tué lors de la bataille. Jarnac, lieu de naissance de François

Mitterrand, et où il est inhumé… Peut-être, lui qui aimait l'histoire, la France, l'histoire de France, s'était-il intéressé à Henri III et à l'homme qui l'assassina, un homme sur lequel, en raison de son exaltation et de sa porosité particulière à l'égard des « médias » (les pamphlets de l'époque), on pouvait avoir prise…

Je voulais être moi-même un peu objectif. Cette version policière de l'assassinat de Bousquet, je n'y croyais pas une seconde. Mais j'entendais aller au bout de cette logique. Elle tenait la route, après tout. 1989 : Didier pénètre dans les jardins de l'Élysée. La police le connaît fort bien depuis au moins deux ans, avec sa tentative sur Barbie et n'ignore pas en particulier ses antécédents psychiatriques. 1991 : la plainte contre Bousquet pour crime contre l'humanité est déclarée recevable. En 1993, deux ans plus tard, Péan commence son enquête sur la jeunesse « trouble » du président : sa liaison avec la Cagoule dans les années trente, puis son passage à Vichy aussitôt après son évasion du stalag, en 1941. Mitterrand lui donne son accord pour coopérer, dit que cette entreprise, qu'avec modestie ou pour d'autres raisons il juge un peu inutile, ne le gêne en rien. Il n'a rien à cacher. Imaginons autre chose : il aurait des choses, au contraire, à cacher. Il ne peut en aucune façon empêcher Péan de procéder à son enquête et de rédiger son livre. Reste Bousquet lui-même, le point faible du dispositif. Bousquet et le procès probable qui, au train où vont les choses, même à faible allure, même avec Nallet et Kiejman, « commis au retardement », risque fort de venir malgré tout à échéance. Il faut trouver quelqu'un pour liquider Bousquet, ce vieil ami devenu compromettant, pour empêcher le procès scandaleux. Didier apparaît soudain comme le personnage idoine. Un exalté, *borderline*, obsédé par la télé, perméable aux échos qui n'en finissent pas de nous venir des « années noires », une « tête de mule » capable d'aller au bout d'un projet dément... Un *profiler* muni de ces paramètres fût tombé infailliblement sur Didier. Bref, l'assassinat de Bousquet était un beau crime politico-policier, comme chez Costa-Gavras ou Francesco Rosi... Autre élément qui courait dans le même sens : le cambriolage non élucidé dont avait été victime Pascale Froment, qui en vue de son livre enquêtait sur Bousquet. Or, parmi les choses volées, m'avait-elle dit, elle devait constater la disparition d'un dossier de justice, soigneusement rangé dans sa chambre. Ce dossier consistait en une liasse de photocopies qui concernait le personnage de Jean-Paul Martin, cet homme de Vichy, ami, pendant l'Occupation, et de Bousquet et de Mitterrand et qui avait présidé à leur rencontre et à leur amitié supposées ultérieures.

Bizarre, bizarre. En tout cas, cette version politico-policière de l'assassinat de Bousquet constituait à n'en pas douter un scénario béton. Mais sur le papier. Restait, à mes yeux, la faiblesse du mobile. En quoi, si Bousquet passait en cour d'assises, Mitterrand serait-il davantage éclaboussé qu'il ne le serait avec la sortie du livre de Péan ? Mais nous étions encore en 1993. Étaient déjà parus l'année précédente, sur François Mitterrand, les ouvrages d'Edwy Plenel, *La Part d'ombre*, et de Stéphane Denis, *L'Amoraliste*. La question des relations prolongées de Mitterrand et de Bousquet était dans toutes les conversations, elle s'étalait sur la place publique. Est-ce que tout, dès le début, n'avait pas été dit ? Au moins depuis l'interview de Stéphane Denis dans *L'Événement du jeudi* du 18 avril 1991 « Quand René Bousquet finançait les amis politiques de Mitterrand ». Quels détails scabreux, encore plus compromettants, pouvait-on mettre sur la table ? Enfin, si les flics du président avaient manipulé Christian Didier, l'avaient inspiré, s'ils étaient cette Voix que Didier a cru entendre dans la Forêt, alors pour quelle raison, au procès de Didier, alors qu'il fut abondamment question de François Mitterrand, cette hypothèse ne fut-elle, même de loin, jamais mise sur le tapis ? Autrement dit, pourquoi Didier n'en souffla-t-il pas un mot à ses avocats, à sa famille, à ses amis, à ses médecins, aux médias ? De quels moyens coercitifs ou incitatifs la garde rapprochée de Mitterrand disposait-elle pour empêcher Didier de parler, lui, ce parleur invétéré ? De l'argent ? Des menaces ? Quoi d'autre ?

Cette thèse, c'était celle aussi du capitaine Paul Barril, ancien responsable du GIGN. Il écrit en 1996 (*Guerres secrètes à l'Élysée*) : « Parmi les disparitions opportunes, il faut encore rappeler le meurtre du sieur Bousquet René, la face Vichy rose de l'"ambivalent" Mitterrand si résistant... aux rumeurs. Un "dérangé" manipulé, un "fou" tombé du ciel, mais miraculeusement renseigné sur les habitudes de sa victime, est venu la soustraire, au dernier moment, à la curiosité des juges. Frustrant, après plus de trois décennies d'attente... » Tout cela est bien dit, avec l'ironie qu'il faut, mais ce qu'avance l'ex-gendarme de l'Élysée Barril semble malgré tout un peu court. « Rumeur » pour « rumeur », ses propos n'en restent pas moins une rumeur.

Pour en avoir enfin le cœur tout à fait net, j'appelai, à la fin de juin 2000, Henry Rousso (que Me Montebourg sollicita comme témoin de la défense, invite que l'historien déclina). Je lui mentionnai cette version policière, c'est-à-dire cette rumeur. « Oui, me dit-il, il s'agit bien d'une rumeur, qu'il serait d'ailleurs intéressant de reconstituer. Elle est vraisemblablement partie du Palais de justice, de la bouche d'un magistrat de droite extrêmement hostile à Mitterrand... Il est vrai que Didier avait le profil d'un homme que la police pouvait manipuler. Mais cette histoire ne tient pas debout, continuait Rousso. Il était facile, au fond, de tuer Bousquet. Quant à l'amitié prolongée de Mitterrand avec ces hommes du Vichy antijuif, la véritable erreur de Mitterrand, c'est, dans les années 1990, de n'avoir rien compris à l'état de l'opinion publique touchant cette question. S'il avait tenu le même discours vingt ans plus tôt, on n'aurait rien eu à redire. Dans les années 1990, ça ne passait plus. Ça, Mitterrand ne l'a pas compris.»

Le curieux, c'est que Didier lui-même ajouta foi, à partir d'un moment, à la thèse de la manipulation. Mais dans un tout autre sens. Avec *Just do it*, les prétendus messages l'exhortant à passer à l'acte (dans le double sens héroïque et psychiatrique du terme), Didier était, dans un premier temps, c'est-à-dire avant son geste, fermement convaincu que c'était Dieu qui l'envoyait tuer Bousquet. C'était sa «mission divine sur la terre». Quand il se retrouve en prison, se sentant coupable d'avoir tué un homme, fût-il une «crapule», torturé, ayant fait retour vers le Dieu de sa fervente enfance catholique, il comprend que, par principe, ce ne pouvait pas être Dieu : une autre instance que Dieu, nécessairement, s'était servie du paranormal pour agir sur son cerveau. (À moins qu'on ne reprenne ici, dans l'ironie, l'appellation longtemps appliquée au président : Dieu, précisément…) Bref, Didier aura été téléguidé. Par qui ? Par ceux qui avaient intérêt à ce qu'il tue Bousquet pour que son procès n'ait pas lieu. L'extrême droite antisémite, nostalgique de Vichy, voire du nazisme, ou bien la famille de Bousquet, ou bien enfin Mitterrand et les siens. De cela, Didier m'a dit avoir parlé à la juge d'instruction, et avoir regretté que rien n'en eût transpiré lors du procès. Il est vrai que le paranormal est une catégorie peu probante en cour d'assises. Et puis, à aucun moment

Didier n'a soupçonné, parmi toutes les sources virtuelles de la « manipulation », l'entourage de Mitterrand. Souvenons-nous que de sa cellule de la Santé, les nombreuses lettres qu'il adresse sans cesse à la juge d'instruction ne mentionnaient de « menaces de mort » autres que celles émanant de l'extrême droite, et d'elle seule... Il y fera encore allusion devant la cour, le lendemain.

À l'audience, on entendra encore ce jour-là Daniel Mayer, ce vieux compagnon de Léon Blum, ancien président du Conseil constitutionnel. Il regrette et condamne les lenteurs de la justice dans ce dossier et s'étonne à son tour des relations que François Mitterrand continuait d'entretenir avec Bousquet : « Si je les avais connues avant, dit-il, je n'aurais pas fait campagne pour lui en 1981. »

En fin d'audience, on entendra Serge Klarsfeld nous dire son « irritation profonde en voyant le président de la République intervenir dans ce dossier ».

– « Cette volonté politique n'a pas eu d'incidence, lance l'avocat général Philippe Bilger.

– Peut-être, mais elle a bien tenté d'intervenir, rétorque Klarsfeld. Tout le monde a compris que l'on pouvait se rendre le matin à la cérémonie du Vel'd'Hiv' et déjeuner à midi avec son organisateur ! »

Serge Klarsfeld me reçoit au début du mois de juillet 2000, dans ses bureaux de la rue de La

Boétie à Paris. Il a l'air d'un petit gros ours très bien léché. Il est à son bureau en manches de chemise, ce qui exclut les effet de manche, recevant la caresse d'un ventilateur électrique. Je me souviens que, quelques jours plus tard, Arnaud Montebourg me dira de lui : « Ce n'est pas un avocat, c'est un militant. » Comme un reproche, m'a-t-il semblé. Ce jour-là, Klarsfeld me confie que selon lui le procès de Bousquet n'aurait pas eu lieu de toute façon. Non pas pour des raisons politiques, mais pour des raisons médicales : il avait eu connaissance de son dossier; il savait qu'il souffrait de deux cancers, qu'on lui avait retiré les testicules, etc. Au fond de lui, Klarsfeld se réjouissait de la mort de Bousquet.

# 5

# Jeudi 9 novembre 1995.
# Quatrième jour

Enfin va-t-on parler de Christian Didier. C'est-à-dire l'écouter. Mais ses propos vont paraître bien dérisoires en regard des grandes questions d'histoire, de mémoire, des vraies questions de morale politique aussi qui venaient d'être évoquées. « Je n'ai rien fait de bien dans ma vie, rien que des conneries, et là, j'avais l'occasion de sauver le monde. J'étais arrivé, raconte-t-il, à un stade de profonde déficience physique, mentale et j'avais une totale absence d'attrait pour l'existence. Ma vie était un échec sur toute la ligne. Littéraire, familiale, sentimentale. C'est certain que ça a contribué à mon geste. Mais j'étais aussi inquiet pour l'avenir de l'humanité et j'ai voulu la sauver. Donner un but ultime à mon existence. Laisser quelque chose sur terre. Autrement, ça valait même pas la peine d'être né. Après, tout rentrerait dans l'ordre. J'aurais une nouvelle forme de vie. En fait, c'était un examen qui permettait de m'extirper de ma position dans le monde. En tuant Bousquet, j'allais tuer le Mal. Par transposition, je voulais tuer le propre mal dont j'étais la victime. J'ai pas pu résister ! Aujourd'hui, je comprends qu'il était essentiel sur le plan pédagogique que son procès ait lieu, mais je le soupçonnais pas à l'époque car je pensais qu'il allait s'évanouir dans la nature comme Touvier venait de le faire et dans mon cerveau il y avait une association entre les deux. »

Il fait retour sur le « message spirituel » qu'il a rédigé le 21 mars 1993 et dont il avait alors inondé les médias. De leur part, silence radio que dictaient la prudence et l'incrédulité. Le président Yves Jacob fait remarquer qu'il n'y est fait nulle mention de Bousquet ou du sort des Juifs pendant la guerre. Didier est désarçonné, il répond dans une grande confusion. Il fait retour aussi sur l'« illumination » qui le frappa dans la forêt de la Roche-Saint-Martin, près de Saint-Dié, quelques semaines avant le passage à l'acte. « J'ai eu un flash. J'ai pris conscience que le rejet du spirituel par l'Occident le conduisait à sa perte. Une force intérieure inouïe m'a commandé de tuer le mal. Elle m'a dit que c'était Bousquet. » Mais tout cela, pour lui, relève d'une époque « psychotique et irrationnelle » révolue. Depuis son passage en prison, il n'est plus le même. « J'agissais au nom de Jésus-Christ, mais j'avais tort. Aujourd'hui, je sais que ce qui compte, c'est Dieu. En tuant Bousquet, je voulais soulager les familles de ses victimes. C'était ancré en moi par amour du peuple juif. J'étais tenaillé entre la lâcheté de ne pas commettre ce geste et la difficulté de le commettre. » Didier s'adresse alors aux jurés : « Je comprends que ça peut paraître grandiloquent, gargantuesque. Mais à l'époque, j'étais mal, vraiment très mal. Attention ! pas Jeanne d'Arc, une sainte que je vénère beaucoup, ou l'ange Gabriel. C'était une mission confiée par Dieu. » Au milieu de ses propos se glissent souvent des phrases inintelligibles. Qui rapportent des visions, comme celles auxquelles il fait allusion en évoquant des êtres de lumière qui, au fond de sa cellule, lui font signe. Ou encore des cadavres écorchés vifs...

Tout cela fait très mauvais effet. Mais ce n'est rien comparé à une toute première déclaration qu'il a faite aux enquêteurs : « Quand j'ai appris qu'il allait être jugé, j'ai décidé de le tuer. » Rétrospectivement, voilà un propos on ne peut plus fâcheux. Mais, comme j'en ai formulé l'hypothèse, d'une logique implacable pour Didier : empêcher que le procès de Bousquet ait lieu et du coup, faire advenir le sien, d'où il serait sorti non seulement disculpé, ça va de soi, mais encore grandi, exhaussé au rang de quasi-héros national, et surtout, et par voie de conséquence, sain d'esprit !

Les jurés, faut-il le dire, ne vont pas chercher si loin. Cette déclaration préliminaire qu'avait imprudemment avancée Didier vient contredire le système de défense soutenu à bout de bras par ses avocats, à savoir que c'était justement parce que Didier avait la conviction que

Bousquet ne serait jamais jugé et donc que la justice avait failli qu'il a décidé de passer à l'acte. Acte condamnable peut-être, acte regrettable sans doute, mais acte rationnel, acte politique et moral, dont même certains témoins, victimes directes de Bousquet, sont venus ici même dire à la barre qu'ils l'approuvaient sans réserve, qu'ils la contresignaient. Or cette déclaration préliminaire de Didier présente cet inconvénient majeur de dire exactement le contraire, de laisser clairement entendre que Didier *savait* que Bousquet allait être jugé. Cette contradiction décisive apparaît d'emblée à l'avocat général Philippe Bilger :

« Vous saviez donc qu'il allait être jugé ?

– Oui, bien sûr, je l'avais lu dans les journaux. Ils avaient fait assez de tapage là-dessus... Mais je ne croyais pas à la tenue de ce procès. Je n'avais pas confiance en la justice.

– Pourtant, Klaus Barbie et Paul Touvier ont bien été condamnés par cette même justice dont vous dites vous méfier, et à perpétuité encore...

– J'avais une mission sur terre. Je la faisais passer avant le procès... Avez-vous reçu la lettre que je vous ai écrite hier ou demain ? »

Fous rires nerveux dans la salle. Didier continue :

« Quand j'ai vu sur les murs la publicité pour cette marque de vêtements, là, avec le truc en anglais qui dit *Just do it*, eh bien, j'ai su que c'était le signal que j'attendais. Je me suis dit : Dieu te donne le feu vert. J'ai reçu ça comme un coup de soleil dans les neurones, un coup de grisou dans la tête et le cœur. Le Ciel venait de se manifester. Il fallait que je passe à l'acte... J'avais disjoncté. J'ai ressenti une pulsion subliminale qui s'est transmise au conscient. C'était évidemment une pure hallucination... Aujourd'hui, en prison, l'extrême droite me traque. On laisse traîner exprès des journaux avec des menaces entre les lignes, et même dans les titres, ça s'adresse à moi... Un jour, en prison, alors que j'allais manger du chocolat, j'ai entendu une voix qui m'a dit : "Ne mange pas de ce chocolat. Et le chocolat a disparu..." »

Le Dr Dubec tente de mettre un peu d'ordre dans ce capharnaüm. Il intervient savamment : « Il s'agit de ce qu'on appelle une hallucination négative. C'est extrêmement rare. On relève ce type de symptôme dans les cas de delirium tremens ou à la suite de moments hypnotiques. »

Le président Yves Jacob extrait alors du dossier une lettre que Didier a envoyée au juge d'instruction le 18 mars 1994 où il prétend avoir tué Bousquet pour « sortir de l'anonymat social et littéraire, mais aussi pour la gloire et le fric. Je suis un monstre, et je demande pardon à Dieu ». Le président Jacob a terminé de lire cet extrait. Alors, Didier se lève :

« Faire publier mes œuvres était effectivement un de mes objectifs, comme pour tout écrivain, mais ce n'était pas le principal. C'était même secondaire. J'ai écrit ça parce que je voulais pas qu'on me fasse passer pour un fou et qu'on m'envoie en hôpital psychiatrique comme on l'avait déjà fait trois fois.

– Alors, pourquoi, dans une autre lettre au juge, vous-êtes vous accusé vous-même de turpitudes invraisemblables et visiblement nées de votre imagination (coups sur votre mère, participation à un viol collectif, actes de pédophilie) en vous décrivant comme un monstre ?

– Mais j'ai tout inventé, monsieur le président ! J'ai dû écrire sous la menace de l'extrême droite qui voulait que je me fasse passer pour fou afin que mon procès n'ait pas lieu car ils craignaient qu'on évoque le nazisme et la collaboration. Tout est faux ! J'étais sous l'emprise de forces occultes... »

On l'interroge sur son refus constant de l'hôpital psychiatrique :

« J'ai refusé de me réfugier là-dedans. Je suis pas fou. À la prison, les gars me disaient : "T'as un dossier en or. Vas-y, à l'hôpital ! Tu vas te la couler douce ! T'auras des belles pelouses et des nanas !" Mais j'ai refusé. Je tiens à répondre de mes actes. Pour qu'on parle de ce que j'ai fait pour les Juifs, j'ai un peu forcé la dose. J'ai passé toute ma vie entre l'envie de tuer et l'envie de mourir. Encore que j'aurais peut-être mieux fait de le faire. Je serais pas ici en train de vous emmerder et moi avec ! »

Puis il revient sur son geste :

« C'était terrible. Vous savez, dans les films, vous tirez une fois, et le type s'écroule. Là, au bout de trois balles, il était encore debout. Je réarmais le chien, je reculais, il avançait, il avançait toujours, je tirais encore. J'en revenais pas. Je me demandais si c'était pas un mutant. Ça m'a paru interminable. En même temps que la première balle est sortie de mon revolver, un profond malaise s'est extirpé de mon être. J'ai connu l'horreur du crime. Ça m'a calciné les neurones. Quelle que soit l'aversion que j'éprouvais pour Bousquet, j'espérais qu'il venait de passer de l'autre côté du miroir et qu'il aurait droit au pardon éternel. Je voulais pas qu'il souffre. Paix à son âme… »

Pour le lendemain, on attend l'expertise psychiatrique. Elle devra déterminer si Didier relève de l'ancien article 64, c'est-à-dire s'il était « en état de démence au moment des faits ».

## 6

## Vendredi 10 novembre 1995. Cinquième jour

Lisière. Le mot sera souvent répété aujourd'hui. C'est la traduction qu'ont trouvée les psychiatres pour désigner ce que les Anglo-Saxons appellent *borderline*. L'état-limite. Mais lisière, c'est assez joli. C'est un entre-deux. Un pointillé, une ligne-frontière. À l'issue du procès, un journaliste de *L'Est républicain* s'interrogeait sur cette notion. Il consulta divers psychiatres de son entourage. Ils paraissaient plutôt sceptiques. L'un d'entre eux lui dit même que cette notion était « la poubelle de la psychiatrie »...

Le Dr Michel Dubec, qui examina la première fois Didier à la maison d'arrêt de Fleury-Mérogis juste après son geste (il procédera en tout à cinq examens), vient nous dire par quoi cet état se caractérise. Il en énumère les symptômes : une angoisse diffuse et envahissante, l'extinction de la cohérence interne, de l'instabilité, des traits névrotiques, des accès dépressifs, de l'impulsivité avec facilité de passage à l'acte. Pour lui, Christian Didier présente la totalité des symptômes constitutifs de la lisière. Pour son collègue, le Dr Jean Martel, Didier présente « une personnalité mosaïque, peu structurée et ambivalente, toujours à mi-chemin entre le réel et le factice. Mais en toute sincérité. La comédie est la forme de sa pathologie ».

On commence par relater le passé psychiatrique de Didier. On épluche son dossier. Sur ce plan, les médecins l'ont observé depuis qu'il a dix ans. Il a été interné une première fois à dix-sept ans, le 28 août 1961. À l'hôpital psychiatrique de Clermont-de-l'Oise où il a séjourné un mois, les médecins ont alors relevé un « déséquilibre ancien », une « attitude un peu schizoïde ». On le relâche. On l'interne à nouveau quarante jours plus tard. Il avoue alors à son médecin qu'il redoute de commettre un « coup dur ». Cure de sommeil, tranquillisants. Il évoque des voix intérieures, des visions. Les médecins diagnostiquent une « évolution vers la schizophrénie ». Puis plus rien. Une longue période de latence. Service militaire. Voyages. Écriture. Divers coups médiatiques dans les années quatre-vingt, bien compréhensibles étant donné l'époque qui voit s'amplifier la toute-puissance des médias. D'autres personnages de ce temps-là seront les victimes de la folie médiatique sans être pourtant fous ni même *borderline*.

On le retrouve le 21 septembre 1989, quand il escalade les grilles de l'Élysée. Alors, on le place d'office en hôpital psychiatrique. Les médecins parlent de « psychose paranoïa-sensitive », d'« activité délirante en chronicité », d'« accélération du processus pathologique », enfin de « psychose de type narcissique »... Ce dernier concept est d'ailleurs récusé aujourd'hui à la barre par le Dr Dubec comme « totalement fantaisiste »... S'il n'y avait que ça !

On en arrive au mardi 8 juin 1993, le jour du meurtre. Les Drs Michel Dubec et Jean Martel l'ont examiné alors qu'il était placé à l'hôpital de la prison. Sur leur rapport, on a pu lire : « Aucune des hypothèses diagnostiquées ne s'est confirmée, car il s'est maintenu avec une certaine cohérence dans le déséquilibre. » Autrement dit, Didier n'est pas psychotique. Aujourd'hui, en 1995, devant la cour d'assises, les Drs Dubec et Martel font le tableau suivant : Didier passe sans cesse d'une réalité qu'il appréhende normalement à des épisodes « excitatoires ou confuso-oniriques, fortement colorés par la dimension hystérique ». Ses symptômes sont indéniables, mais il y a chez lui une « dimension de sursimulation » qui ne l'est pas moins, avec à la clé une « rhétorique manipulatrice ». Ses hallucinations ? « Des hallucinations ? hésite le Dr Dubec. Difficile à dire car il gardait une distanciation dont sont incapables les hallucinés au sens psychiatrique du terme. Il donne la préférence à ses émois qui sont toujours d'un théâtralisme élevé ce qui rendait difficile l'appréciation de sa sincérité. Il ne croit pas totalement aux hallucinations qui, prétend-il, le guident. Ayant toujours eu le sentiment d'être rejeté et abandonné, d'abord par sa famille, puis par la société, il ne donnait de l'importance aux choses qu'à travers le retentissement qu'elles pouvaient avoir. De même, il donnait quelques signes de paranoïa mais sans en avoir la constance ni la rigidité. Anxieux, dépressif, instable et impulsif, il nous échappait parfois mais on pouvait aussi parfaitement le suivre à d'autres moments.» Bref, la psychose en tant que telle n'est pas constituée. «À l'évidence, vous constatez que ce n'est pas un paranoïaque délirant. C'est incontestablement un exalté mais dans les limites d'une sorte d'exaltation poétique qu'on peut qualifier de *borderline*.»

Intervient alors un psychologue, Alain Maurion : «Le problème de M. Didier est celui d'un manque d'unité et d'un déni de la réalité. Sa faconde verbale ne doit pas cacher le vide de sa personnalité.»

Le Dr Michel Dubec vient expliciter la théorie à laquelle il est très vite parvenu, s'agissant de l'acte de Didier, et dont il avait fait part à Chantal Perdrix, juge d'instruction : «Il me semble que la vérité de son acte pourrait être la suivante : soit il ne parvenait pas à tuer René Bousquet mais il réalisait un geste théâtral, soit des gardes du corps tiraient sur lui et il y restait. On oscille entre le symbolique et la démarche suicidaire. En fait, il a été probablement surpris et quasiment pris à son propre piège.»

Cela, je ne le crois pas du tout. Le piège, si piège il y a, c'est qu'il n'a pas du tout convaincu le jury d'assises. Il s'est en effet piégé lui-même parce que, conformément à sa personnalité, il en a trop fait, il en a trop dit, des choses trop contradictoires, dont chacune a sa cohérence mais qui, juxtaposées, constituent un patchwork du plus mauvais goût, un objet kitsch qui ne parvient pas plus à convaincre qu'à émouvoir.

Se présente alors Dominique Didier, qui débarque non du Québec où il vit avec sa famille depuis vingt ans, mais du Cameroun. Il travaille en effet pour des ONG, essentiellement en Afrique, mettant ses compétences techniques au service des réfugiés dans des camps. Son battle-dress est fraîchement repassé. Il a un petit diamant incrusté dans l'oreille. Il s'excuse d'abord pour son décalage « tant horaire que moral ». Il avoue que maintenant, pour lui, « la France et même l'Europe c'est loin... ». Il en vient au geste de son frère, reprenant la thèse, ingénieuse mais guère probante, des psychiatres : « Christian est monté dans l'ascenseur de Bousquet comme on monte au front et il pensait y laisser sa peau. Il était certain que l'homme qu'il avait décidé d'abattre était entouré de gardes du corps armés. » Puis à leurs relations familiales : « Je ne suis pas si différent de mon frère, dit-il. Nous sommes tous deux idéalistes et issus de la même matrice mais mon frère en était la partie négative du moule et moi la partie positive. La guerre entre mon père et mon frère les bouleversait autant l'un que l'autre. Mon frère était comme le chêne et moi comme le roseau. J'étais dans l'ordre, je filais doux, je passais inaperçu... » Utilisant les termes techniques de sa profession de céramiste (matrice, moule...), les propos de Dominique, proférés d'un ton doux mais dont le sens est assez violent, font sursauter Christian :

« Dis plutôt que tu étais sinueux, ductile. Tu étais capable d'avancer dans le terrain miné qui entourait notre père. Moi, j'ai toujours été un rebelle, je ne pouvais m'entendre qu'avec des gens exceptionnels.

– Tu as toujours été franc et très religieux. »

Je sens que ces deux frères se haïssent à mort. Pourtant, Didier qui, de son propre aveu, n'est pas fou et entend assumer pleinement son acte, se lève soudain et proteste avec véhémence contre les mises en doute qu'opèrent les psychiatres concernant ses visions : « Mais je vous dis que les forces occultes me parlaient comme je vous parle. Maintenant, j'y vais mollo avec le divin. Mais quand même, les commandements de Dieu, du Dieu de mon enfance, tout ça, c'est béton. » Il demande qu'on fasse venir sa mère pour qu'elle dise qu'il ne l'a jamais giflée, que c'est le Mal qui lui a ordonné de mentir. Qu'il n'a jamais non plus violé personne en Australie ou ailleurs, jamais touché de petits enfants.

« Chaque fois que vous le laisserez parler de ses problèmes psychologiques, il sera intarissable, et vous serez perdu, dit le Dr Dubec au président. Non, il ne relève pas de l'ancien article 64 du Code pénal, même si sa responsabilité semble devoir être considérée comme largement atténuée.

– Si on prononce une sanction, quelle en sera l'incidence ? demande le président.

– Je ne sais pas, répond le Dr Martel. Je crois qu'il est arrivé à l'acmé de sa symptomatologie. Je ne le vois pas comme quelqu'un de dangereux. »

Le président se tourne alors vers l'accusé : « Vous n'avez pas besoin de soins ? Tout va bien ?

– Faut pas exagérer. Si je sortais de prison, je demanderais à être hospitalisé deux ou trois mois pour me rétablir. Je suis très affecté. Moi, je veux bien aller me reposer en hôpital psychiatrique, dit Didier à voix basse. Aujourd'hui, je ne suis plus dangereux pour qui que ce soit. Je suis un autre homme. »

## 7

## Lundi 13 novembre 1995. Sixième et dernier jour

La séance, la dernière, qui va s'achever par la sentence du jury, s'ouvre sur un paradoxe que relève Sorj Chalandon dans son compte rendu pour *Libération*. Tout a été fait pour que ce procès reste celui du seul Christian Didier, et non celui de Vichy ou de René Bousquet. Or, avec l'intervention de Guy Bousquet, fils de René Bousquet, on va assister ce matin à son « procès en réhabilitation ».

Me Guy Bousquet a soixante ans. Depuis la mort de son père et même antérieurement, son unique passion est en effet sa réhabilitation, ce qu'il appelle son « devoir filial ». Il fut longtemps gaulliste, contrairement à son père dont l'amitié avec François Mitterrand reposait entre autres sur l'antigaullisme (et l'anti-communisme). Au mois de juillet précédent, il a été très affecté par le discours de Jacques Chirac lors de la cérémonie commémorative de la rafle du Vel'd'Hiv', qu'il juge profondément « injuste » et qui lui a fait prendre ses distances avec le RPR. « C'est une injustice monstrueuse de faire à Vichy le reproche de n'avoir pas tout fait pour sauver les Juifs, dira-t-il à un journaliste de *Libération*. Je n'ai aucun doute. Le jour où je tombe sur un document accablant, le jour surtout où on me prouve que mon père a fait arrêter des Juifs français, je ne défends plus personne. Pour moi, mon père n'a fait que son devoir. C'est aussi évident que pour Laval.» Sans commentaire.

Ce matin du lundi 13 novembre 1995, on va entendre, de la bouche du fils Bousquet, de ces choses un peu énormes. Par exemple que, par son geste, Christian Didier a accompli «cinquante ans après ce que la milice française rêvait de faire». Ou bien que Bousquet «a sauvé trois mille Juifs à Marseille. Il est lui-même monté dans les trains pour faire redescendre des femmes et des enfants». Scoop étrange, alors qu'une photo d'origine allemande circule depuis un certain temps, reproduite d'ailleurs à la une de *Libération* le lendemain de sa mort, montrant Bousquet, en belle pelisse aux revers de fourrure, à Marseille précisément, en compagnie d'officiers allemands, tous également hilares.

Nous sommes au début de 1943. Bousquet et le général Oberg s'étaient en effet rendus à Marseille pour préparer la rafle du Vieux-Port, voyageant de Paris dans le même compartiment... Ce que dit Guy Bousquet comporte toutefois une part, mais une part seulement, de vérité. Une scène de rafle dans le Vieux-Port de Marseille a en effet été racontée par un témoin oculaire, le commissaire et historien Jacques Delarue. Voici ce qu'il écrit (*Trafics et crimes sous l'Occupation*, 1968) :

Les malheureux, amenés de la prison des Baumettes dans des camions, furent conduits à la gare d'Arenc et chargés dans l'un de ces trains. Ils étaient près de 2000.

C'était pour la plupart des ressortissants des pays d'Europe centrale, le plus souvent juifs. Il y avait parmi eux une énorme proportion de femmes, d'enfants et de vieillards. On les entassa, pêle-même, soixante à soixante-dix par wagon. [...] Quand un vieillard ou une femme ne parvenait pas à monter assez vite, des SS l'aidaient à coups de crosse ou à coups de pied, encouragés par les rires et les cris des autres [...]

Devant cette scène poignante, on se sentait saisi par la rage et la honte tout à la fois [...]

Vers 8 h 30, une voiture amena les autorités allemandes venues inspecter le train avant son départ [pour les camps de Compiègne et de Drancy, prélude à leur extermination dans des camps de Pologne]. Oberg en descendit et fut rejoint par Bousquet descendu d'une autre voiture. Les deux hommes longèrent le train s'arrêtant devant les portes des wagons, encore ouvertes.

De temps en temps, Bousquet désignait à Oberg une femme avec un bébé dans les bras, ou une très vieille femme, un vieillard malade ou infirme, une femme enceinte, un enfant, et parlait au général SS [...]

À chaque fois, Oberg fit un signe et le vieillard, la femme ou l'enfant désigné par Bousquet put redescendre du wagon.

Quand l'inspection du train fut terminée, 120 à 130 personnes étaient venues ainsi sur le quai former un groupe que des camions français vinrent reprendre peu après. Il ne fait aucun doute que l'intervention de Bousquet venait de leur sauver la vie.

Quelques remarques sur ce témoignage. D'abord, ce ne sont pas trois mille Juifs que Bousquet put en effet sauver, mais une centaine. Par contre, ce sont plusieurs centaines de Juifs, ce jour-là, qu'il a envoyés à la mort, puisque c'est *sa* police qui les arrêta, les mit dans des camions, les conduisit à la prison des Baumettes, les en fit ressortir, les conduisit à nouveau par camions à la gare d'Arenc, les SS prenant alors la relève. Et c'est bien conjointement qu'Oberg et Bousquet, comme on l'a vu, « inspectent » le chargement. Si le témoignage de Jacques Delarue n'est pas suspect de partialité, dire que Bousquet a « sauvé » la vie de Juifs n'est pas pour autant conforme à la vérité : sa fonction à Marseille était bien au contraire de les livrer aux Allemands. Dernière remarque enfin : mais que faisait donc là, ce jour-là, ce policier, si soucieux d'honorer l'humanité de son chef ? On l'apprendra bien plus tard, lors du soixante-neuvième jour du procès Papon, le 17 février 1998, quand à Bordeaux le commissaire Delarue est appelé à la barre et que Me Gérard Boulanger le met en cause. Il avait vingt-deux ans au moment des faits, expliquera-t-il, et c'est précisément ce dont il a été témoin qui l'a fait basculer dans la Résistance…

Or, s'il a été témoin, en vérité, c'est surtout parce qu'il a été acteur. Aux ordres de Bousquet, lequel, du coup, ne pouvait tout à fait être un monstre. Sinon et du coup, le bon et sincère commissaire Delarue l'eût été aussi. Il pouvait, en 1968, rapporter véridiquement un récit de rafle de Juifs en disant, avec une totale bonne foi : tout cela est vrai, et c'était horrible, j'y étais et j'ai tout vu. Il ne l'eût pas fait, en tout cas pas de la même façon, trente ans plus tard où sa présence même, en tant que policier, ce jour de janvier 1943, dans cette gare de marchandises marseillaise n'eût plus semblé une coïncidence anodine. Alors, soit il eût purement et simplement gommé la mention de sa présence, soit il l'eût justifiée, comme Me Boulanger lui demandera de le faire en 1998, causant chez cet homme de soixante-dix-huit ans un malaise cardiaque. Inversement, en 1968, Didier n'eût pas songé à tuer Bousquet qui n'était nullement « monstrueux » à l'époque. Il le serait plus tard. Sauf aux yeux d'un seul, qui persista et signa, allant jusqu'au bout de son ignorance revendiquée, c'est-à-dire de sa persistante et volontaire cécité : François Mitterrand. Ou bien pour une autre raison encore, la même qui motive le récit sincère en 1968 de Jacques Delarue, et qui met l'accent insistant sur l'humanité de son chef Bousquet : si, par impossible, Mitterrand acceptait l'idée, dans les années 1990, que ce Bousquet fût un salaud, voire un monstre, alors lui, son ami de quarante ans, serait l'ami indéfectible d'un salaud ou d'un monstre. Comment me l'avait dit Henry Rousso, il y avait chez Mitterrand, conjointement, et du déni et de l'aveuglement.

La personne et le geste de Christian Didier ne passionnent guère Guy Bousquet : «Je n'ai aucune haine personnelle contre M. Didier, dit-il. Je crois que c'est un homme qui, sa vie durant et surtout pendant les dernières semaines qui ont précédé son acte, a beaucoup souffert comme ont sans doute souffert tous ceux qui sont venus témoigner à cette barre. Mon indulgence relative s'explique par une raison très simple : pour ma famille, l'assassinat moral de mon père a été beaucoup plus grave que son assassinat physique. Or il n'y est pour rien et c'est pourquoi je pense qu'il mérite des circonstances atténuantes.» En revanche, sa vindicte est sans limites à l'encontre de Serge Klarsfeld, à ses yeux «le véritable homme-orchestre de la diabolisation de René Bousquet, un manipulateur qui dit tout et son contraire, une girouette qui tourne à tous les vents avec des objectifs toujours très clairs mais des méthodes qui le sont beaucoup moins». Pour lui, «il y a une méconnaissance de cette période, même au plus haut niveau de l'État. C'était une erreur de penser que l'on puisse juger toute une période de notre histoire à travers le procès d'un seul homme».

Me Jacques Chanson entonne le même refrain à propos du personnage de Didier :

«Cet homme est malade. Il ne mérite pas la haine, mais la pitié, en raison de son état de santé limite. C'est un malade dévoré par le goût de la publicité et des médias qui vit un enfer dès que l'on ne parle plus de lui. Peut-on penser qu'il ne recommencera pas? Est-ce certain qu'une nouvelle illumination ne l'incitera pas à commettre un nouvel acte criminel, dans sa demi-folie, dès que l'on cessera de s'intéresser à lui? Je préfère, quant à moi, ne pas répondre.» Non, c'est la mémoire de René Bousquet que l'avocat entend réhabiliter. «Je n'admets pas que l'on continue à salir désespérément la mémoire d'un mort.» Et il en vient inévitablement à défendre Vichy : «Ne fallait-il pas maintenir une administration française? L'assassinat de M. René Bousquet n'avait-il pas été précédé par un lynchage médiatique, un battage ignominieux, alors qu'il avait été acquitté en 1949 par la Haute Cour de justice? Un témoin a dit : l'Histoire jugera. Certes! La Haute Cour a jugé qu'il n'a pas trahi. Nous n'avons pas à le juger. Il n'y a pas ici deux procès parallèles. Il n'y en a qu'un, celui de Christian Didier qui a tué avec calme, sang-froid et préméditation. On a voulu en profiter pour faire celui de René Bousquet, de François Mitterrand, de Vichy et de la justice. C'est un piège dans lequel vous ne tomberez pas.»

Après-midi, reprise de la séance. Philippe Bilger, l'avocat général, récuse la dimension strictement politique du geste de Didier, à quoi ses avocats voudraient le ramener ou l'exhausser. Car le personnage et son geste sont ambigus. « Dans une affaire de cette envergure, il n'aurait pas fallu ce crime-là, ce criminel-là. Il n'a ni les épaules, ni l'intelligence du rôle. Il aurait fallu un criminel structuré, cohérent; bref, il aurait fallu changer d'accusé, qui vienne dire : "J'ai tué un salaud. Jugez-moi." Un criminel politique ne regrette jamais son geste, il le revendique. Lui se repent et en demandant pardon dès l'ouverture du procès, il s'est certes honoré mais il s'est inexorablement exclu de l'univers des criminels politiques. Je refuse par avance le crime civique dont on vous parlera peut-être. En quoi un tel crime honore-t-il le citoyen ? Ce crime est un crime passionnel. Inspiré par la passion de soi. Il est plus noble de plaider l'Histoire que de plaider l'irresponsabilité. Mais Didier avait davantage la volonté de donner un sens à sa vie, le désir de projeter une lumière, même la lumière funèbre et sombre du crime, sur son anonymat. Bousquet a été victime de Didier qui a été victime de lui-même. Il aurait pu choisir d'autres cibles, pourvu qu'elles aient pour lui le même coefficient négatif. On aurait pu imaginer qu'il tue le Dr Garretta ou un autre. » Il arguë cependant d'une « responsabilité largement atténuée » et propose « une peine qui l'éclairera peut-être sur lui-même : de dix à douze ans de réclusion criminelle ».

C'est au tour de la défense. Me Arnaud Montebourg dresse le portrait d'un homme « vidé, sans protection, sans défense » : « Cet homme qui croyait servir le bien s'est projeté dans le mal. Voilà la situation qu'il a eu à gérer dans la solitude de sa cellule. Est-il fou ? Peut-être, mais jusqu'à quel point ? C'est une question à laquelle vous seuls pouvez répondre. Il a totalement assumé ses responsabilités mais est-il pour autant responsable ? Il a voulu terminer une vie gâchée et inutile par un acte héroïque et suicidaire, une sorte d'offrande. Il faut faire la distinction entre peine et sanction. La peine, il l'a déjà faite : deux ans et demi, vingt-trois heures sur vingt-quatre dans une cellule de neuf mètres carrés, c'est suffisant. Mais la sanction serait un symbole, c'est pourquoi vous ne la prononcerez pas. »

Me Thierry Lévy évoque à nouveau Vichy, l'étoile jaune, les mères séparées des enfants, les rafles, notamment celles du Vel'd'Hiv' des 16 et 17 juillet 1942. « On a rempli les wagons avec les enfants pour faire le compte, s'écrie-t-il. Neuf mille hommes. Neuf cents équipes. Treize mille Juifs arrêtés par les agents d'un État illégal, une bande de criminels. » Il lit le télégramme adressé par Bousquet aux préfets le 22 août 1942 : « Le chef du gouvernement tient à ce que vous preniez personnellement en main le contrôle des mesures décidées à l'égard des israélites étrangers. Vous n'hésiterez pas à briser toutes les résistances que vous pourrez rencontrer. » Et Me Lévy de démontrer que Bousquet ne risquait plus rien. D'abord parce qu'en effet il avait été jugé et acquitté en 1949. Ensuite parce qu'une note de la Chancellerie, en novembre 1991, indiquait qu'il aurait été « périlleux » de revenir sur la chose jugée. Non, Bousquet n'avait strictement rien à craindre. Et c'est ce qu'avait compris l'accusé.

« Christian Didier est-il le bon criminel ? Ce n'est pas à raison de son crime mais à raison de sa personnalité, ou plus exactement de l'image que vous en avez, que vous vous interrogez. » Et de poursuivre : « Je traîne derrière moi une importune qui n'est autre que la mémoire. Bousquet avait, sans même parler de la protection de l'Élysée, toutes les raisons de croire qu'il s'en tirerait lui aussi et n'en faisait d'ailleurs pas mystère. Le jury de 1995, sachant que les hommes de Vichy n'ont pas eu à répondre de leurs crimes, ne peut condamner Didier sans absoudre Bousquet. Une condamnation renforcerait ceux qui ont pensé qu'on pouvait laver Vichy de tout ce sang. Par contre, son acquittement aurait une grande signification après cinquante ans d'absolution des crimes racistes de l'État pétainiste. »

Le dernier mot revient à l'accusé. « J'éprouve un sincère repentir, dit-il. Je suis effondré. L'horreur du crime m'a vacciné à tout jamais contre toute forme ultérieure de crime. Je demande pardon. À Dieu d'abord qui a dit : "Tu ne tueras point". Pardon aux Juifs pour le procès dont je les ai privés. Pardon à la famille Bousquet. Nul n'est responsable de sa filiation. »

Tout est dit. Il est 18 h 30. Le jury alors se retire. Il va délibérer deux heures et demie.

Didier est déclaré coupable des faits qui lui sont reprochés. Il est condamné à dix ans d'emprisonnement.

Gonflant les joues, il pousse un énorme soupir de déception, marmonne quelques mots. Certains croient comprendre : « J'ai déconné, j'en peux plus… » Les gendarmes l'emmènent. La stratégie de ses avocats a moins convaincu que le réquisitoire de l'avocat général. Celle de Didier lui-même – son examen, l'examen qu'il réclamait en son for intérieur – a été calamiteuse. Il a tout faux. Un échec de plus. Le dernier. L'échec définitif. Fin de bande d'un *serial loser*. Rideau.

# VI

# Le trou et après

À l'issue du procès, chacun en convient : l'avocat général Bilger avait raison. Sa propre tâche accusatoire avait été facilitée par l'accusé lui-même, qui s'était montré son pire ennemi. Si Didier était si peu que ce soit une victime, il était alors surtout une « victime de lui-même ». Son crime n'était nullement politique. Et cela pour une raison simple, patente : il avait demandé pardon à Dieu, aux Juifs, à la famille Bousquet elle-même. Un criminel politique, un Schwarzbard exécutant en 1926 l'ataman Petlioura allait-il demander pardon ? Pardon de quoi ? D'avoir liquidé un assassin à grande échelle, l'assassin de son peuple ? Au contraire, il revendiquait hautement son geste. C'était tout son honneur. Dût-il passer sous l'échafaud, il l'eût encore revendiqué. Rien de tel chez Didier : lamentable jusqu'au bout, regrettant, s'excusant, se trouvant des excuses, des circonstances, etc. Tentant lui-même de comprendre son geste en définitive insensé. En porte-à-faux même avec les témoins en défense, les vraies victimes de Bousquet, et ces gens de Saint-Dié qui sont venus parler de la vraie guerre et des vraies souffrances subies. Or la souffrance de Didier n'était que psychique. Un dysfonctionnement interne, qu'on pouvait appeler *borderline* si ça vous chantait, parce qu'il faut bien un nom à tout, même si ce mot n'expliquait pas grand-chose. Son amour des Juifs ? Mais connaissait-il un seul Juif en chair et en os ? Savait-il même qu'il y avait une synagogue à Saint-Dié, à quelques pas de chez lui ? Et cette fascination pour Le Pen, fût-elle passagère ? Pour le moins curieux, non ? Et pourquoi pas Hitler ? On eût dit qu'il avait joué à pile ou face. Voyons. Pile Le Pen. Face les Juifs. C'est tombé sur les Juifs. J'aimerai les Juifs, je n'aimerai plus Le Pen. Pas plus compliqué que ça. Sa vraie fascination, en fait, elle allait pour les médias. Lesquels, en ces années-là, parlaient beaucoup de Le Pen, des Juifs, de Touvier, de Barbie, de Bousquet, de Papon, de Vichy et de la Shoah. Et ne parlaient pas de Didier. Il fallait réparer ça. Exister enfin. Leur faire savoir que j'existe.

À Saint-Dié, Jean-Louis, le copain Jeannot, le boulanger des Didier et président du comité de soutien à Christian, toujours inconditionnel, se déclare déçu. « Je m'attendais à cinq ans. Mais Christian Didier s'est conduit en homme en assumant son geste. Il a été grand. » Le mardi 14 novembre, le député de la circonscription (apparenté RPR) Gérard Cherpion, dans un communiqué, a critiqué l'initiative du maire (PS) Christian Pierret (qui devait devenir secrétaire d'État à l'Industrie dans le second gouvernement Jospin) : « L'initiative locale destinée à influencer le cours normal de la justice était inopportune et malencontreuse. » Mais il en profite quand même pour rappeler que « Saint-Dié et de si nombreux villages de nos vallées ont profondément souffert du nazisme ». Ça ne mange pas de pain.

Avec le recul, ce fut tout de même un drôle de procès, éminemment politique (même si, disait-on, ce n'était pas le sujet). On y vit en effet des gens de gauche, voire des socialistes encartés, dûment appelés à la barre comme témoins de la défense par des avocats eux-mêmes socialistes, y faire le procès public, aux fins de défendre l'accusé, de leur « Dieu » à tous, François Mitterrand. Logique judiciaire *versus* logique politique. Mais il est vrai qu'en cet automne 1995, « Dieu » est mal en point. Il est malade (le cancer) et politiquement mort. Selon le mot de son ami Frédéric Dard-San Antonio, mot qui amusait tant François Mitterrand lui-même, il avait à cette époque et depuis au moins un an un pied dans la tombe et l'autre sur une peau de banane...

Oui, avocats et témoins sont ici sinon socialistes, du moins de gauche. Mais certes pas Didier lui-même, dont la vision du monde, à la fois radicalement égocentrique et fumeusement métaphysique (à le lire, Simone de Beauvoir ne s'y était pas trompée), l'empêche sans doute d'avoir une pensée (et une pesée) modeste et citoyenne sur les choses. Or un aspect essentiel de sa défense consistait, pour ses avocats, à faire le procès de François Mitterrand. À le refaire plutôt, ou à le poursuivre. Pour Arnaud Montebourg, l'obstacle politique et moral était réel. Comment surmonter la contradiction ? Un moyen de la lever consistait à prendre appui sur cette mouvance de la jeune génération socialiste, militants ou sympathisants, de plus en plus nombreux à prendre leurs distances par rapport à un « tonton » largement discrédité, à revendiquer un salutaire « droit d'inventaire ». En son sein, Pierre Moscovici, né en 1957, trésorier du parti. Il avait été pour le moins « troublé » à l'automne 1994 de tout ce qui à ses yeux et désormais devenait indéfendable chez Mitterrand, et notamment son amitié persistante avec Bousquet. Louis Mexandeau, secrétaire d'État aux Anciens Combattants, avait eu alors ce cri du cœur (dans *Le Monde* du 16 novembre 1994) qu'on eût dit sorti d'un journal antisémite du temps de la lointaine affaire Dreyfus : « Ceux qui se disent troublés, comme Strauss-Kahn ou Moscovici, le sont du fait d'une sensibilité liée à leurs origines. »

C'est vers Pierre Moscovici que se tourne Montebourg qui n'est pas autrement surpris de s'entendre dire : « Fonce ! » La « censure », chez le jeune avocat, est alors levée. Le vieux cerf est aux abois. On peut sonner l'hallali. C'est à la meute des fils d'accéder au pouvoir.

Le lundi 20 octobre 1997, un des témoins que la défense avait appelés à la barre, Jean Baumgarten, prend l'initiative d'un appel à Mme la ministre de la Justice, Élisabeth Guigou, pour la libération de Christian Didier :

IL FAUT LIBÉRER IMMÉDIATEMENT CHRISTIAN DIDIER CONDAMNÉ EN OCTOBRE 1995 POUR LE MEURTRE DE RENÉ BOUSQUET !

Depuis quatre ans, Christian Didier, malade, croupit en prison. Il avait voulu naïvement, dans un geste désespéré, en supprimant Bousquet, rendre justice lui-même du crime contre l'humanité de celui qui, secrétaire général de la police de Vichy depuis le 18 avril 1942, avait été (entre autres) l'organisateur zélé des rafles du Vel'd'Hiv' des 16 et 17 juillet 1942 qui conduisirent à la mort plus de 15000 juifs, vieillards, hommes, femmes et enfants.

[...]

Rappelons que Christian Didier, enfermé depuis quatre ans, a déjà fait à lui seul plus de temps de prison que Papon, Bousquet, Touvier et Barbie réunis !

L'appel est signé : Jean Baumgarten, Henry Bulawko, Marie-Thérèse Didier, Raph Feigelson, Claude Lévy, Annette Muller, Michel Muller, Maurice Rajsfus, Joseph Weissmann.

En date du 3 décembre 1997, le bureau des Grâces du ministère signifie à Jean Baumgarten qu'« il n'a pas paru possible de réserver une suite favorable à cette requête ».

Jean Baumgarten avait écrit et fait imprimer à ses frais, au printemps 1995, une courte pièce de théâtre à deux personnages, le président et un journaliste, directement inspirée par l'entretien qui eut lieu en octobre 1994, le président étant François Mitterrand et le journaliste Jean-Pierre Elkabbach. C'était la raison pour laquelle Me Montebourg l'avait fait appeler. Titre polysémique : *L'entrevue ou le Jugement de Dieu*. Sous-titre qui ne l'est pas moins : « Farce tranquille et tragique en un acte ». La pièce de Jean Baumgarten est dédiée « à la mémoire de ma tante et de mon oncle Esther et Moïse Edeltuch, à la mémoire de ma cousine Irène âgée de six ans et de sa mère, ma tante Ida Krawiecky, qui furent raflés le 16 juillet 1942 par la police de Pétain, dirigée par René Bousquet, et gazés à Auschwitz. » On pouvait lire aussi : « Enfin je salue ici le courage de l'exécuteur dudit Bousquet et lui apporte le témoignage de ma sympathie et de ma solidarité. » Signé : Jean Baumgarten.

Incarcéré à la prison de Toul où sa mère lui rend visite deux fois par mois et lui donne un peu d'argent pour « cantiner » et avoir la télévision, Didier, au début d'août 1999, bénéficie d'un bon de sortie de quelques heures pour retrouver sa mère à Saint-Dié. Pour quelques heures seulement, il la rejoint, accompagné par des membres de la famille qui l'ont pris en charge. Il prépare sa sortie de prison, qu'il estime, compte tenu des remises de peine, pour Pâques 2000. Elle interviendra avant, en février. C'est un prisonnier modèle. Il prend des cours d'anglais. Anticipant sur sa sortie, la municipalité de Saint-Dié s'est engagée à lui trouver un emploi.

Le 24 février 2000, Christian Didier sort de prison. En raison de sa bonne conduite, il y sera resté sept ans au lieu des dix ans requis. Il a cinquante-six ans. Il rentre chez lui, c'est-à-dire chez sa mère, à Saint-Dié. Aux journalistes venus l'interviewer, il déclare qu'il regrette beaucoup son geste imbécile. « J'étais alors dans un état dépressif et délirant. J'ai voulu me montrer comme un justicier. En fait, je me suis substitué à la justice de Dieu et à celle des hommes. » Surtout, il reconnaît que par son acte il a empêché que se tienne le procès de René Bousquet et de la collaboration. Il se confond en excuses auprès de tous ceux auxquels cela importait. Pourtant, il se dit que s'il avait commis le même geste pendant la guerre, on lui aurait donné une médaille, il serait alors devenu un héros.

Quand il est arrivé à Fleury-Mérogis, le lendemain du meurtre, avant d'être transféré, le 12 juin, à la Santé, certains codétenus se sont mis en rang d'honneur et l'ont applaudi. On lui est venu en aide. Un gardien, même, lui a dit qu'il n'était pas un détenu comme les autres, qu'il n'avait pas sa place ici.

On l'a transféré à la Santé où il a souffert de ce qui lui est apparu comme de l'agressivité de la part des codétenus. « Je me demandais, dira-t-il à sa sortie, s'ils n'étaient pas manipulés par l'extrême droite pour me faire du tort. Une situation qui s'est considérablement atténuée quand j'ai été incarcéré à Toul. » À la Santé comme à Toul, il est seul. On l'appelle le solitaire. Il confiera à un journaliste de *Libération* : « Pendant trois ans, je n'ai plus lu, rien. J'étais laminé, vidé. J'ai tout perdu. Toute ma fibre. La prison a détruit mon inspiration. J'ai vécu sept ans d'une retraite silencieuse. »

À Saint-Dié, aujourd'hui, il touche l'allocation de solidarité. Il s'est inscrit aux ASSEDIC. De quoi survivre. Il a recommencé à lire Rimbaud. Il compte mettre de l'ordre dans les notes qu'il a prises en prison « et peut-être chercher un éditeur ». Un emploi ? « Physiquement et mentalement, je ne peux pas travailler. »

*

J'ai appelé Christian Didier chez lui à Saint-Dié le 19 juillet 2000. Il y avait trois Christian Didier dans cette ville. Le mien était le troisième, un autre, m'a-t-il précisé, était journaliste à la *Liberté de l'Est*. Lui, c'était bien celui de l'affaire Bousquet, passage du Marché, perpendiculaire à la rue Thiers, qu'on n'appelait pas ici la rue Thiers, d'ailleurs, mais simplement la rue principale. Il a pris en note mon nom et mon numéro de téléphone. Il tenait à me mettre en garde : « Depuis ma sortie de prison, mes facultés intellectuelles et ma mémoire ont beaucoup baissé. J'ai beaucoup dégusté. Alors, attendez, je note. "Écrivain. Veut. Faire. Un. Livre. Sur. Moi." » Rendez-vous fut pris pour le matin du lundi 24.

J'ai quitté Paris l'après-midi du dimanche 23 juillet. J'étais persuadé, je ne sais pourquoi, qu'on était le 22, jour anniversaire de la naissance de mon frère. Il aurait eu ce jour quarante-neuf ans. Il ne les aurait jamais. En tout cas, c'était bien le jour de l'arrivée du Tour de France sur les Champs-Élysées, ce qui m'a contraint de faire des détours pour sortir de Paris. Je me suis rerouvé, Dieu sait comment, sur l'autoroute A4, une immense angoisse au ventre. Non pas à l'idée de rencontrer Christian Didier, mais simplement de quitter la maison. À cinquante-deux ans, l'angoisse me saisissait encore de quitter ma mère, qui m'avait quitté, elle, pour de bon, quatre ans plus tôt.

Dans la moiteur, j'écoutais du Mozart. Je pensais à Philippe Sollers, à Jack Kerouac, à des choses vagues.

J'ai atteint la Lorraine sans Mozart, sans rien. Valmy, Verdun, des cimetières militaires. Des soldats montaient au front, des Allemands refluaient. Des quantités de gibier écrasés sur la route.

J'ai trouvé aisément la rue Thiers. Ce n'était pas la rue principale pour rien. On me logea au rez-de-chaussée. Une chambre fraîche, dit la dame revêche qui me blâma d'avoir emprunté l'autoroute, laquelle rallongeait de quatre-vingts kilomètres par rapport à la nationale.

Saint-Dié, c'était une ville moderne, aérée, elle avait été entièrement reconstruite sur les décombres de la guerre. J'ai dîné devant la Meurthe d'une infâme salade au poulet, agrémentée de vinaigrette et de mayonnaise. La Meurthe (en moi, cela sonnait comme meurtre) le long de laquelle Didier s'était promené le jeudi 3 juin 1993, et avait pris sa décision de passer à l'acte et de quitter Saint-Dié le lundi matin. Il passerait le dimanche avec Marie-Thérèse : c'était le jour de la fête des Mères.

Je suis rentré à l'hôtel des Vosges. À mon chevet m'attendait un Nouveau Testament trilingue, édité par l'association des Gédéons, un truc américain. Je lui préférais le livre que j'avais apporté, *Satori à Paris*, de Jack Kerouac. J'ai saisi alors, dès la première page, un des liens qui unissaient Didier et l'auteur de *Sur la route*. Dès les premières lignes. Kerouac raconte là qu'il fut l'objet d'un *satori* lors de son voyage à Paris et en Bretagne – c'était en 1965 –, à la recherche de ses racines, terme dont il donne la définition : « mot japonais désignant une "illumination soudaine", un "réveil brusque", ou, tout simplement, un "éblouissement de l'œil" ». Didier, avant d'aller tuer Barbie puis Bousquet, avait été frappé d'un tel *satori*. D'ailleurs, lui-même le disait, il avait été victime, naguère, sur les hauteurs de Saint-Dié, face au soleil levant, d'un « éblouissement de l'œil». Mais au sens propre. D'où la nécessité de soins ophtalmologiques à l'hôpital Rothschild.

Autre point commun entre Didier et Kerouac : Saint-Dié est pour l'un ce que Long Island ou la Floride représentent pour l'autre. Ils y retournent toujours chez leur mère, après des jours, des semaines, des mois de pérégrination, au bout de l'errement, de l'errance, de l'erreur. Leur mère est leur seul ancrage. Ce sont tous deux d'anciens marins...

J'avais laissé allumée la chaîne M6 qui donnait ce dimanche soir un film *rose*. Mais, pour lire, j'avais supprimé le son. Et comme les phrases de *Satori à Paris*, contre toute attente, me saisissaient, je ne regardais pas non plus l'écran. Contre toute attente, parce que j'avais lu cet auteur dans mon adolescence, et j'avais craint que sa lecture, pour moi, ne résistât pas à combien ? trois ou quatre décennies. Eh bien non, c'était d'une alacrité réjouissante, un art consommé. Il y avait une tension magnifique entre ce que l'auteur entendait nous raconter – ses recherches infructueuses sur sa lignée bretonne, les Lebris de Kerouac –, et les multiples digressions de son récit...

Le lendemain, Christian Didier me reçut en peignoir blanc. Pendant qu'il s'habillait dans la pièce attenante que je supposais être la salle de bains, je jetai un regard avide sur les livres qui reposaient sur des étagères murales. Je relevai *L'Instinct de mort*, le livre interdit de Jacques Mesrine (ennemi public numéro un, bandit et écrivain, abattu par la brigade antigang de vingt et une balles en novembre 1979), *les Sept Piliers de la sagesse*, Boris Vian, tout Kerouac en Folio... J'aperçus un appareil photo, un antique Rayflex... Au plafond, un ventilateur saugrenu, de type colonial, au repos... C'était un studio clair et propre, au second étage, le premier étant occupé par Mme Didier mère. Même configuration que précédemment, rue Saint-Charles. Sur la table ronde recouverte d'une toile cirée où je m'étais assis devant mon calepin, un *Petit Robert* entrelardé d'une quantité impressionnante de marque-pages. Il y avait un canapé de cuir recouvert d'un sac de couchage. Il devait dormir dans ce duvet, sans draps, comme un vagabond désormais sédentaire...

Didier revint : jean, polo rayé, cela me rappelait quelque chose. Il prit place à ma droite, dans un fauteuil, tourné vers la fenêtre. Il avait revêtu ses lunettes noires à cause de ses « problèmes de rétine ». Pendant tout notre entretien, il regardait la lumière, il ne me regardait pas. Je me souvenais de son tropisme vers la lumière et qu'en même temps il ne pouvait la regarder en face (comme la vérité ?) sinon muni de lunettes fortement teintées. J'opérai aussi une connexion avec le nom de jeune fille de sa mère : Lux ! Je dissimulai vite un sourire car je me remémorai un Witz yiddish que j'avais entendu mille fois. C'est dans la bouche d'une mère juive à qui l'on apprend que son fils chéri relève du fameux complexe : « Œdipe, shmœdipe… Qu'est-ce que ça peut faire pourvu qu'il aime sa maman! » Je songeai aussi à La Rochefoucauld : le soleil ni la mort… Ni la vérité, eût-il pu ajouter… Didier avait eu ce cran surhumain, que je lui reconnaissais, d'avoir regardé le soleil et la mort en face. D'où ses « neurones calcinés ». Mais pas la vérité. D'ailleurs qui regardait la vérité en face? Elle était aussi fatale que le soleil et la mort. Voyez Œdipe…

Nous avons passé sa vie en revue. Malgré sa perte de mémoire due selon lui à la prison, il répondit assez précisément à mes questions. J'avais cependant le sentiment que parfois il *récitait* des phrases déjà dites ailleurs, lors d'interviews précédentes. Par exemple, tel un élève qui récite sa leçon par cœur au tableau, il commençait une phrase, la laissait en suspens, et la reprenait pour que la suite lui vînt mécaniquement. Qu'il ne me regarde pas me gênait. Il avait un aspect un peu momifié, impénétrable. Nous n'aurions pas vraiment un échange, je l'ai senti aussitôt.

Je suis resté avec lui une heure et demie. J'aurais aimé que nous déjeunions ensemble, que nous allions prendre un verre dans la rue « principale » ou nous promener vers la Meurthe. Mais non. Ce fut courtois et froid. Il y avait, sous-jacent, quelque chose d'un peu pesant. Voilà, il était suspicieux. Il voulait absolument voir mon manuscrit avant sa publication. Il me dit que si quelque chose lui déplaisait, il s'y opposerait. J'ai protesté de mes bonnes intentions. Mais sa remarque me fut très désagréable. En outre, il refusait catégoriquement de me communiquer ses manuscrits inédits. Que je n'insiste pas.

Quand je me suis levé pour prendre congé, pour détendre un peu l'atmosphère, je lui parlai de Kerouac que je relisais grâce à lui. Là, enfin, il a souri. Il me demande ce que je pense d'*Early Bird*, le livre qui visiblement lui tient le plus à cœur. Je ne lui cache pas mon sentiment. Je m'entends lui dire : « Il y a des pages magnifiques. » Tente de le consoler en lui disant que quinze ans plus tôt, son livre eût sans doute rencontré un écho favorable, mais qu'à notre époque, depuis les années quatre-vingt, la librairie a pris le pas sur la littérature et que les livres expérimentaux n'ont plus guère de faveur. Cette remarque paraît l'intéresser.

Il ne m'a pas offert un café, pas même un verre d'eau.

J'avais hâte de déguerpir.

Sur la route du retour, un de mes essuie-glaces est devenu fou. Il pleuvait à torrent. J'étais en rase campagne, impossible de continuer. Je me suis garé sur le bord de la nationale, les camions, à leur passage, m'envoyaient des tombereaux de flotte. J'étais dans mon caisson au milieu de nulle part. Un anti-*satori*. Mais quoi ! M'attendais-je à ce que Christian Didier me reçoive en sauveur comme, en novembre 1944, les Déodatiens les GI ? Depuis l'origine, Didier entendait se sauver lui-même. Moi et le monde, le monde et moi. Pas de tiers. Faire ses preuves, apporter la preuve qu'il était quelqu'un de bien, qu'il était quelqu'un tout court. Il n'y est pas parvenu par des livres. Il n'y est pas parvenu par un assassinat politique. Moyennant quoi, le voici livré à la torpeur mortelle de Saint-Dié des Vosges, neuroleptiques et antidépresseurs à la clé, au-dessus de sa vieille mère.

Cette histoire ne pouvait s'arrêter là. Didier allait réfléchir. Ma visite même produirait des effets, après coup. Il me ferait signe. J'étais incorrigiblement optimiste. Annette penchait d'un tout autre côté. Elle prévoyait de la part de Didier, Dieu nous préserve, une fixation agressive à mon égard. Quoi, après Bousquet je serais donc sa seconde victime ?

Que je me mette un instant à sa place. Voici : ma vie est riche de mille expériences, j'ai le goût d'écrire. Mais les éditeurs ne veulent pas de moi. Et voilà que quelqu'un arrive, un écrivain, et qui prétend raconter ce que moi-même je raconte dans mes livres. À ma place. Il veut parler pour moi. Il ne me demande même pas mon assentiment. Il s'empare ainsi de ma substance vive, de tout ce par quoi et pour quoi j'ai « dégusté » et c'est lui qui va tirer les marrons du feu. Et il voudrait que je l'aide, encore ! Et que je lui dise merci ! On serait suspicieux à moins.

Alors, de fil en aiguille, je me suis posé la question de savoir si j'avais tout simplement le *droit* d'écrire ce livre. Droit dans le sens juridique et droit dans le sens humain. Car, pour la première fois de ma vie d'écrivain, je me heurtais là à de l'humain, à de l'humain vivant. Et un humain qui ne faisait pas partie des miens. À un autre, radicalement.

J'avais bien tenté, antérieurement, de comprendre telle figure qu'une rencontre de hasard – mais pas tout à fait de hasard – avait placée sur mon chemin. Des écrivains, en général. Des seconds couteaux des belles-lettres. Louis Bouilhet, l'ami de Flaubert, Jules Renard, Maurice Sachs. Ceux-là avaient au moins ce grand mérite d'être morts et, à ce titre, de me laisser à loisir examiner leurs viscères. C'était autrement embêtant d'écrire sur un vivant. On tenait mal ses distances, on tenait mal sa place, on ajustait mal son regard. D'autant qu'il était rétif, le bougre, à se laisser examiner. Il gigotait. Dire le vrai à son sujet imposait qu'on le fixât au sens chimique du terme pour empêcher l'image de trembler et de se volatiliser. Ou qu'on l'épinglât comme un papillon ses ailes, comme le faisait le collectionneur. La chose n'était pas malaisée, elle était impossible. Sur un vivant, on ne pouvait dire le vrai. Je me souvenais avoir écrit sur ma mère, du temps où elle était déjà malade. Je n'avais pas dit la vérité. Ce ne fut qu'une fois morte que je le sus, d'un coup, et la vérité, et que je ne l'avais pas dite. Je songeais aussi, de même, qu'on ne pourrait écrire vrai sur soi que si l'on était mort, que si l'on ne bougeait plus, et son cadavre même à distance, sans rapport de regrets, ni de remords ni de ressentiment. Tant qu'on était vivant, on ne pouvait être en paix avec soi, c'est-à-dire dans une relation de vérité. Et si écrire, c'était mettre à mort ? Mettre à mort pour mettre à nu ? Le narrateur de Proust se départissait de la fascination qu'exerçait Swann sur lui en le faisant vieillir, devenir malade incurable puis mourir, avec quel sadisme. Il prétendait aussi, par son livre à venir, le sauver de l'oubli. Mais la personne réelle, Charles Haas, que sous le nom de Charles Swann il prétendait susciter, en réalité, Proust l'inhumait plus profondément encore. Ce n'était que Proust lui-même que l'auteur de la *Recherche*, par son livre, sauvait de l'oubli et de la mort.

En écrivant sur Didier, d'une certaine façon je le mettais à mort. D'autant que je le renvoyais à la Folie d'où il venait. Je ne le sauvais pas. Et c'était ça, surtout, par quoi il avait raison – et de bonnes raisons – de m'en vouloir. Je l'utilisais. J'étais comme ce personnage que j'avais naguère imaginé sous les traits d'un nécrophore, cet insecte qui pond ses œufs dans le cadavre d'un animal pour qu'ils s'en nourrissent et croissent. Peu glorieuse métaphore. Celle de l'écrivain-cannibale. Et c'est pourquoi, aussi, je n'écrivais pas sur les êtres que j'aimais, j'entends les vivants. Écrire sur quelqu'un qu'on dit aimer n'est pas nécessairement une preuve d'amour, la preuve qu'on l'aime. Je crois même que c'est le contraire. Inversement, on n'était nullement obligé d'être en grande connivence avec la passion d'un autre pour que celle-ci engendre à son tour chez nous la passion de le comprendre. Je n'avais pas aimé

Louis Bouilhet, ni Jules Renard, ni Maurice Sachs. Peut-être ne les ai-je pas aimés d'y entrevoir tel aspect honni de moi-même. Mais j'avais aimé ce geste, me mettre en tête de les comprendre, comme s'ils devaient m'éclairer sur moi. En quoi la connaissance que j'avais acquise de Christian Didier, l'homme qui tua René Bousquet, me ferait si peu que ce soit avancer dans celle de moi-même ? Je ne le saurais probablement que bien plus tard. Un jour, j'en étais certain, cela me sauterait aux yeux comme l'évidence.

*

En cette fin du mois de juillet, j'ai téléphoné à Georges Kiejman, qui, malgré le temps de chien, était toujours à Belle-Île. Il me cita un cas de jurisprudence dans lequel il avait été lui-même impliqué en 1962. Celui de Fernande Segré, veuve de Landru, qui voulut faire interdire le film de Claude Chabrol. Elle intenta un procès en référé, et le perdit. Ce qui joua contre elle, c'est qu'elle-même s'était prêtée à des confidences devant la presse. Kiejman me cita encore le cas de Violette Nozière, mais j'oubliai aussitôt de quoi cela retournait. Il me fit valoir qu'en ces matières, on avançait le concept flou de « droit à l'oubli ». Ce droit s'opposait à un autre, celui de l'historien... Je l'avoue, Georges Kiejman me rassurait, et, ces jours-ci, j'en avais bien besoin. Ainsi, ce « droit à l'oubli » : Christian Didier ne pourrait à aucun titre l'invoquer, puisque même lors de sa sortie de prison, en février 2000, il se prêtait encore à des reportages dans les journaux, dont celui, en dernière page de *Libération*, par Sorj Chalandon, paru le 4 avril 2000, titré « Larmes du crime »... Enfin, Georges Kiejman acceptait, le moment venu, de relire mon manuscrit. Mais la pensée me vint alors : ne le mettais-je pas quelque peu en cause, lui aussi ? Me faudrait-il faire relire mon livre par un deuxième avocat pour me prémunir du premier ?

À la fin de septembre 2000, j'avais enfin rendez-vous avec Maxime Benoît-Jeannin, écrivain qui vivait à Bruxelles depuis vingt ans. L'ami d'enfance de Didier. Nous devions nous retrouver place Brugmann devant la librairie Candide. Il aurait, me dit-il, *Libération* largement déployé. Quand je sortis du taxi, il n'avait pas *Libération* en main, mais un parapluie. Le temps était gris, il pleuviotait à l'anglaise, c'était la veille de Rosh Hashana 5761.

Maxime est né en 1946 à Saint-Dié. En vérité, il fut d'abord le copain de Dominique Didier, né lui aussi en 1946. Ils ont fréquenté les mêmes petites classes jusqu'à ce que le père Didier confie Dominique à une institution religieuse de Lunéville pour le préserver de l'influence néfaste de Christian. À la fin des années soixante, le vent, pour la jeunesse, tourna à la révolte et, pour certains, à la Révolution. Aux yeux de Maxime, son camarade Dominique est trop timoré, conformiste, terne. Son rêve :

devenir potier ! Il n'épouse même pas les valeurs paternelles, au grand dam de Marcel Didier qui, déçu de ne pouvoir mettre son aîné sur le droit chemin, avait reporté sur le cadet le rêve ambitieux d'un grand destin, en tout cas professionnel. Devant le peu d'intérêt de Dominique pour les idées nouvelles qui soufflent, Maxime se tourne vers Christian, un révolté à l'état pur. Un révolté sans la théorie de la révolte, cependant. Sans Marx, sans Lénine, sans Trotski, sans Mao, sans Che Guevara, sans Marcuse, sans Reich, sans les situationnistes. Mais un poète, un révolté qui vit la révolte dans sa chair et dans sa vie, à chaque instant. Quelqu'un qui a un problème avec le monde. Qui ne veut pas le changer ni le détruire. Qui ne le met pas en cause, mais qui entend se confronter à sa dureté, en découdre avec lui, et sortir vainqueur de ce combat singulier. En ce sens, il reconnaît le monde tel qu'il va. Il a besoin du monde tel qu'il est pour que le monde le reconnaisse, tel qu'il est lui aussi. Il ne changera pas le monde et le monde ne le changera pas. Moi et le monde, le monde et moi.

Pas de tiers. Sa relation même avec les psychiatres est significative. Ceux-ci tiennent un pur rôle de prestataires de services : ils délivrent les médicaments dont il a besoin et voilà tout. Son ami Maxime, voyant que les quantités impressionnantes de Valium qu'ingurgitait Christian ne lui faisaient guère d'effet, n'amélioraient en rien son fonctionnement, lui a suggéré d'entreprendre une psychothérapie. Christian a rejeté violemment cette idée. D'abord, disait-il, ce n'était pas remboursé par la Sécurité sociale. Cette considération, d'évidence, était erronée. Elle masquait clairement, en revanche, sa « résistance » : pas question que Didier, si peu que ce soit, se remette en cause. Il avait, depuis l'origine, un combat singulier à livrer avec le monde. Le monde était ce qu'il était, Didier était ce qu'il était, car on est comme on naît. Ni Marx ni Freud n'entraient ni n'entreraient dans ses catégories. Je voyais quant à moi une autre raison à son refus d'une aide proprement psychologique (et pas seulement médicamenteuse), c'était la croyance populaire qui veut qu'il faut être « fou », au propre et au figuré, pour aller consulter un psy. Didier ne mangerait pas de ce pain-là. Pas folle, la guêpe !

Je fais part à Maxime de la suspicion dans laquelle m'avait tenu Christian lors de ma visite, cet été, à Saint-Dié. Son désir de lire ce que j'aurais écrit sur lui avant de publier mon livre. Son opposition à cette publication si ce que j'avais écrit ne lui agréait pas. Cela ne surprend nullement Maxime. Didier, me dit-il, c'est quelqu'un qui est hanté par le complot... Cela me rappela la version policière selon laquelle l'entourage de Mitterrand avait armé le bras de Didier pour exécuter Bousquet. J'avais rapporté cette version à Didier et m'enquis de son sentiment. Il la trouva non seulement intéressante mais plausible. Les signes incitateurs, parfois subliminaux, qui l'avaient conduit à vouloir tuer Bousquet n'avaient-ils pas été créés et disposés de toutes pièces par ceux qui avaient intérêt à ce qu'il passe à l'acte ?

Maxime me raconta alors, dans la pizzeria où nous déjeunions, que du temps où Christian était en prison attendant son procès, lui, Maxime, avait hâtivement rédigé un récit de la vie de son ami. Était-ce un projet de livre ? Oui et non. La vie de Christian Didier constituait assurément un vrai et beau sujet de livre. Mais restait entière la question de Didier lui-même. C'est-à-dire qu'il existait, qu'il était vivant ! Et cette dimension, on ne pouvait certes pas l'évacuer comme une mouche importune. Il fallait son assentiment. En attendant, pensa Maxime Benoît-Jeannin, ce récit, intitulé *Christian Didier : brève histoire d'un justicier médiatique*, pouvait aider Me Montebourg dans l'élaboration de sa défense. Il le lui a donc communiqué. Montebourg le lut, l'annota, en fit usage. Puis, comme décidément ce texte pouvait fort bien être le premier jet d'un livre à venir, Maxime le transmit à Christian. Qui, dans un premier temps, le lut un crayon censeur en main et en raya impitoyablement une quinzaine de passages qui n'avaient pas l'heur de lui plaire. Mais ce ne fut pas tout. À la réflexion, Christian en interdit carrément à Maxime la publication. Il alla même jusqu'à émettre l'idée que, pour avoir écrit ces pages, fussent-elles en défense, Maxime était « manipulé » ! Le complot, toujours le complot, encore le complot. Des gens étaient ligués pour avoir sa peau. Des gens ? Pas des gens : des amis. Car pour lui, c'est par ses amis qu'on pouvait, qu'on voulait l'atteindre. C'était d'eux, d'abord, qu'il lui fallait se méfier. Mais le rusé Didier savait déjouer toutes ces manigances. Or, là comme ailleurs, le raisonnement délirant trouve une motivation qui, délirante, ne l'est pas du tout.

Car le récit de Maxime était non seulement en empathie totale avec la personne de Didier, mais encore justifiait son acte et le justifiait si bien qu'il pouvait être utile à l'argumentation de Me Montebourg. Qu'est-ce donc alors qui devait tant déplaire à Didier ? Eh bien c'était le livre lui-même, l'idée même d'un livre qu'un autre, même avec les meilleures intentions du monde, même un ami intime, surtout un ami comme l'était assurément Maxime, pouvait écrire *à sa place*. Une logique d'écrivain, celle de Maxime, s'opposait là à une autre logique d'écrivain, tout aussi légitime, celle de Didier. Deux écrivains écrivaient sur le même *corpus*, le même corps vivant, la vie de Didier. Pourquoi donc serait-ce Benoît-Jeannin qui tirerait les marrons du feu ? Si bien qu'il était couru d'avance que Didier n'agréerait pas les pages amicales de Maxime. Non pas telle page, tel passage, telle réflexion, telle évocation, fût-elle véridique, fût-elle dénuée du moindre caractère d'hostilité, bien au contraire. Mais par principe. Par le principe que, pour Didier, nul plus que lui n'avait ce droit élémentaire, ce quasi-droit de l'homme, d'écrire sur sa propre vie. Et d'établir par là qu'il était un écrivain. D'autant que ce texte, de quelque deux cents pages, que m'avait montré Arnaud Montebourg, en somme, racontait la vie de Didier tel que Didier eût pu le faire lui-même. Mieux, tel que Didier l'avait fait à de multiples reprises, avec ses chroniques d'Australie et d'Amérique, avec celle de ses coups médiatiques, avec celle, enfin, de sa tentative avortée sur Klaus Barbie.

Et devant moi, à Bruxelles, en cette fin de septembre 2000, Maxime Benoît-Jeannin ne repousse pas la possibilité que Didier m'intente un procès. Ou bien mon livre lui déplaisait franchement, et il me faisait un procès. Ou bien, au fond de lui, mon livre ne lui déplaisait pas tout à fait, et il m'intentait un procès quand même. Pour « atteinte à la vie privée » par exemple, ou « menaces de mort », pourquoi pas ? comme cela lui était déjà arrivé à l'encontre de j'ignorais qui. À moins qu'il ne songe à me tuer. Comme Bousquet... Dans ce cas, je léguais à Maxime, lui dis-je, le soin d'écrire l'histoire de Didier, de reprendre le flambeau. De cette histoire ma mort serait l'épilogue tout désigné. Il pourrait tenter, par exemple, de déterminer la part suicidaire qu'il y eut chez moi à entreprendre un tel projet. Ou la part de folie. Comme le disait un personnage de *Basic Instinct*, il n'y a qu'un fou pour reconnaître un fou... Ce ne serait pas commode, évidemment. Mais sa femme, psychiatre, pourrait lui suggérer des pistes opportunes. Sortant de la pizzeria, à cette idée, nous avons un peu ri, Maxime et moi. Mais ma gorge s'est curieusement serrée.

Il n'y avait qu'un fou pour reconnaître un fou… Je me suis souvenu de cette réplique quand Annette, un jour, émit l'hypothèse qu'au fond le procès que Didier m'intenterait, s'il devait jamais me l'intenter, ne serait que ce qu'obscurément j'avais cherché depuis le début. C'est-à-dire *mon* procès. J'étais donc comme Didier lui-même : comme lui, je courais après un procès comme on se précipite à l'abîme.

Je ne repoussai pas cette idée. Mais en vue de quoi, ce procès, *mon* procès ? Je le voulais pour les mêmes raisons que Didier. Dans mon imaginaire, il représentait comme un délégué singulier de la Folie. Et si la Folie me vouait aux gémonies, c'est qu'alors elle et moi étions par nature dissemblables, sans commune mesure : la Folie n'allait pas s'attaquer à elle-même. Accusé par la Folie, je n'étais pas fou moi-même. J'étais sain et sauf. Je sauvais ma peau. J'étais *clean*.

Mais que venait faire Bousquet dans cette histoire ? C'était par son « œuvre » que, en 1942, certains de mes proches (pour ne pas parler des autres), ma grand-mère paternelle, Rywka, mon oncle maternel, Heinz – Henri –, périrent, la première à Auschwitz, le second à Majdanek. Ces deux êtres que je n'avais pas connus étaient une partie de moi. Je portais le prénom de cet oncle et, si l'on m'avait donné le second prénom de René, c'était, m'avait-on dit, pour rappeler Rywka. Ainsi, ces deux êtres faisaient-ils partie constitutive de mon identité. Didier avait tué cet homme-là, dont l'action avait fait périr ces êtres-là. Didier, ainsi, me « vengeait », sans que je le lui eusse demandé. Il se mêlait d'une affaire qui me concernait, moi, et ne le concernait pas, lui. J'avais lieu, bizarrement, de lui en tenir rigueur.

Tout cela, je l'avoue, était bien obscur.

Ou bien, cet étrange désir de procès était-il lié, chez moi, à *de la* culpabilité. Non pas à l'égard de Didier, mais une culpabilité indéfinie, à la Joseph K. Un sentiment dont j'avais toujours pressenti qu'il avait partie liée à la Shoah. Mais je n'avais jamais compris la nature de ce lien. Me faudrait-il à mon tour, comme celui qui signait illisible J. Licq, faire le voyage d'Auschwitz, porter mon nom sur le Livre d'or du musée et ce mot : « pardon » ?

J'imaginais un Adrien Le Bihan à venir s'interroger sur l'énigme de ce « pardon »-là. Qu'aurais-je, en effet, à me faire pardonner ? D'être né trop tard ?

(Je me souvenais aussi avoir un jour des années soixante-dix été convoqué comme juré aux assises de Nanterre. En me rendant au tribunal dans ma 2CV, une migraine épouvantable me saisit, mal auquel je n'étais pas sujet. Elle était accompagnée d'une immense angoisse, m'empêchant presque de conduire. À mon grand soulagement, je fus récusé par la défense. Au retour, je constatai que ma migraine et mon angoisse avaient disparu. Alors seulement, je me suis demandé pourquoi cette migraine et cette angoisse, ce matin-là, en roulant vers les assises. Je ne voyais qu'une raison à cela : j'avais eu le sentiment de me rendre à mon propre procès.)

J'avais terminé mon livre quand une nuit, à la fin d'octobre 2000, un cauchemar me réveilla. Je m'entretenais au téléphone, en présence de Didier, avec un juge d'instruction. Ce juge me parlait de deux cavales de Didier qui s'était réfugié à la campagne chez son avocat, Arnaud Montebourg. Didier était assis sur une table, dans un coin de la pièce et maugréait, parfois à voix basse, parfois en montant le ton, ce qui faisait que j'entendais mal ce que me révélait le juge. Dans la main, il avait un colt qu'il faisait tournoyer nerveusement autour de son index. Un doigt devant la bouche, je lui faisais signe de se taire. Soudain, il sortit de ses gonds, se mit à hurler, interrompant ma conversation avec le juge. Il ne voulait pas qu'on s'entretînt à son sujet par-dessus sa tête.

## Remerciements

aux éclaireurs de lanterne,
ouvreurs de portes, de fenêtres et de pistes.

Jean Baumgarten, Maxime Benoît-Jeannin, Jean-Claude Berline, Manuel Bidermanas, Henry Bulawko, Berthe Burko-Falcman, Claude Charlot, Christian Didier, Pascale Froment, Nicole Gdalia, Gérard Haddad, Georges Kiejman, Serge Klarsfeld, Serge Koster, Nicole Lapierre, Françoise Lefol, Nathalie Lévisalles, Sylvie Lindeperg, Arnaud Montebourg, Leila Montebourg, Gérard Pierson, Edwy Plenel, Maurice Rajsfus, Jean-Marc Roberts, Henry Rousso, Anne-Lise Stern, Annette Wieviorka, Olivier Wieviorka.

# Table

Cet ouvrage a été composé en Garamond corps 13
par In Folio, Paris

*Impression réalisée sur CAMERON par*

BUSSIÈRE CAMEDAN IMPRIMERIES

GROUPE CPI

*à Saint-Amand-Montrond (Cher)*
*pour le compte des Éditions Stock*
*en mars 2001*

54-5358-4

N° d'édition : 10400. — N° d'impression : 011238/4.
Dépôt légal : avril 2001.

*Imprimé en France*

ISBN 2-234-05358-7